Jeremias / Die Gleichnisse Jesu

# JOACHIM JEREMIAS

# Die Gleichnisse Jesu

7., durchgesehene Auflage

GÖTTINGEN · VANDENHOECK & RUPRECHT · 1965

1. Auflage 1947
(Zwingli-Verlag, Zürich)
2. Auflage 1952
3.   ”   1954
4.   ”   1956
5.   ”   1958
6.   ”   1962

Umschlagzeichnung: Christel Steigemann. — © 1952 Vandenhoeck & Ruprecht,
Göttingen. — Printed in Germany. — Ohne ausdrückliche Genehmigung
des Verlages ist es nicht gestattet, das Buch oder Teile daraus auf foto-
oder akustomechanischem Wege zu vervielfältigen.
Gesamtherstellung: Hubert & Co., Göttingen

6891

## Vorwort zur sechsten Auflage

Für die vorliegende sechste Auflage ist das Buch bei im ganzen gleich gebliebener Anlage Seite für Seite durchgearbeitet worden. Unter Berücksichtigung der inzwischen erschienenen Literatur wurde versucht, sowohl die Analyse als auch die Auslegung weiterzuführen, wobei auf den Ausbau der palästinakundlichen Bemerkungen zu den Gleichnissen besonderer Wert gelegt wurde. Vor allem aber wurden die Gleichnisse des Thomasevangeliums (ThEv.) eingearbeitet, die Otfried Hofius für das Buch übersetzte; ist auch ihr Beitrag zur Auslegung der Gleichnisse nur gering, so ist doch von großer Bedeutung, daß sie die Ergebnisse der kritischen Analyse des II. Hauptteils in einem unerwarteten Ausmaß bestätigen.

Wieviel Anregung und Belehrung die Arbeit dem grundlegenden Buch von C. H. Dodd, The Parables of the Kingdom, Revised Edition, London 1936, verdankt, ist jeweils am Ort vermerkt. Dodds Buch leitet eine neue Epoche der Gleichnisforschung ein; so gewiß man in vielen Einzelheiten verschiedener Ansicht sein mag, so undenkbar ist es, daß eine Auslegung der Gleichnisse Jesu heute hinter die grundlegenden methodischen Einsichten, die wir Dodd verdanken, zurückgehen könnte. Mein eigenes Anliegen ist der Versuch, die älteste erreichbare Gestalt der Gleichnisverkündigung Jesu zu erarbeiten. Der Leser wird, so hoffe ich, spüren, daß die kritische Analyse des II. Hauptteils nichts anderes beabsichtigt, als einen so weit wie irgend möglich gesicherten Zugang zur ipsissima vox Jesu zu bahnen. Niemand als der Menschensohn selbst und Sein Wort kann unserer Verkündigung Vollmacht geben.

## Zur siebten Auflage

Für die siebte Auflage ist der Text am stehenden Satz durchgesehen und an zahlreichen Stellen (Beispiel: S. 174) präzisiert worden.

Göttingen, im Februar 1965.          Joachim Jeremias

# Inhalt

# I. Das Problem

Wer sich mit den Gleichnissen Jesu, wie sie uns die drei ersten Evangelien überliefern, beschäftigt, steht auf besonders festem historischen Grund; sie sind ein Stück Urgestein der Überlieferung. Es gilt ja schon ganz allgemein, daß sich Bilder dem Gedächtnis fester einprägen als abstrakter Stoff. Was insonderheit Jesu Gleichnisse anlangt, so kommt hinzu, daß sie auf Schritt und Tritt seine Frohbotschaft, den eschatologischen Charakter seiner Predigt, den Ernst seines Bußrufs, seinen Gegensatz gegen den Pharisäismus mit besonderer Klarheit widerspiegeln[1]. Allenthalben schimmert ferner hinter dem griechischen Text die Muttersprache Jesu durch[2]. Auch der Bildstoff ist dem palästinischen Leben entnommen. Dafür ein Beispiel: Es ist merkwürdig, daß der Säemann Mk. 4, 3—8 so ungeschickt sät, daß viel verlorengeht; man sollte erwarten, daß der Regelfall des Säens geschildert wird. Das geschieht in Wirklichkeit auch; man erkennt das, wenn man weiß, wie in Palästina gesät wird: nämlich vor dem Pflügen[3]! Der Säemann des Gleichnisses

---

[1] H. D. Wendland, Von den Gleichnissen Jesu und ihrer Botschaft, in: Die Theologin 11 (1941), S. 17—29.

[2] Aus der Legion der Beispiele sei eines hervorgehoben: die große Zahl von Fällen, in denen speziell in den Gleichnissen und Vergleichen der bestimmte Artikel gesetzt ist, wo wir den unbestimmten setzen (Mk. 4, 3. 4. 5. 7. 8. 15. 16. 18. 20. 21. 26; Mt. 5,15; 7, 6. 24—27 u.ö.). Das ist typisch für die semitische Bildrede. Schon im AT. findet sich die Setzung des bestimmten Artikels trotz indefiniter Bedeutung öfter in Vergleichen und Bildreden. Der Semit denkt in solchen Fällen anschaulich und sieht den konkreten Einzelfall vor sich, auch wenn er einen sich alltäglich wiederholenden Vorgang schildert.

[3] G. Dalman, Viererlei Acker, in: Palästina-Jahrbuch 22 (1926), S. 120 bis 132. b. Schab. 73b: „In Palästina pflügt man nach dem Säen", auch noch heutigentags (G. Dalman, Arbeit und Sitte in Palästina II, Gütersloh 1932, S. 179ff.). Tos. Ber. 7,2 nennt nacheinander elf Arbeitsgänge bis zum fertigen Brot: „Er hat gesät, gepflügt, gemäht, Garben gebunden, gedroschen..."; Schab. 7,2: „Säen, Pflügen ..." (doch kommt in rabbinischen Texten auch die umgekehrte Reihenfolge vor, vgl. Dalman, a.a.O. S. 195). Einen schönen Beleg trägt W. G. Essame, Sowing and Ploughing, in: Exp. Times 72 (1960/61), S. 54b, bei: „Und der Fürst Mastema schickte Raben und Vögel,

schreitet also über das ungepflügte Stoppelfeld! Nun wird begreiflich, warum er auf[1] den Weg sät: absichtlich besät er den Weg, den wohl die Dorfbewohner über das Stoppelfeld getreten haben[2], weil er mit eingepflügt werden soll. Absichtlich sät er auf die Dornen, die verdorrt auf dem Brachfeld stehen, weil auch sie mit umgepflügt werden sollen. Und daß Saatkörner auf das Felsige fallen, kann jetzt nicht mehr überraschen: die Kalkfelsen sind von dünner Ackerkrume bedeckt und heben sich kaum oder gar nicht vom Stoppelfeld ab, bevor die Pflugschar knirschend gegen sie stößt. Was dem Abendländer als Ungeschick erscheint, erweist sich für palästinische Verhältnisse als Regel.

Jesu Gleichnisse sind zudem etwas völlig Neues. Aus der Zeit vor Jesus ist uns in der gesamten rabbinischen Literatur kein einziges Gleichnis überliefert, nur zwei Bildworte Hillels (um 20 v. Chr.), der scherzhafte Vergleich des Körpers mit einer Statue und der Seele mit einem Gast[3]. Erstmalig bei Rabban Joḥanan bän Zakkai (um 80 n. Chr.) stoßen wir auf ein Gleichnis (s. u. S. 187). Da dieses Gleichnis sich im Bildstoff mit einem Gleichnis Jesu berührt, ist ernsthaft zu fragen, ob Jesu Vorbild nicht (neben anderen Einflüssen, z. B. den griechischen Tierfabeln) maßgeblich an der Entstehung der Literaturgattung der rabbinischen Gleichnisse beteiligt gewesen ist.

Nimmt man zu alledem hinzu, daß der Vergleich der synoptischen Gleichnisse mit denjenigen der Umwelt, etwa mit der Bildsprache des Apostels Paulus oder mit den Gleichnissen der Rabbinen, eine ausgesprochen persönliche Eigenart, eine einzigartige Klarheit und Schlichtheit, eine unerhörte Meisterschaft der Gestaltung erkennen läßt, so muß man schließen: wir haben es mit besonders treuer Überlieferung zu tun, stehen in unmittelbarer Nähe Jesu, wenn wir die Gleichnisse lesen.

---

damit sie die Saat, die auf die Erde gesät war, fräßen ... Ehe sie den Samen einpflügten, lasen [ihn] die Raben von der Oberfläche der Erde fort" (Jub. 11,11). Vgl. noch Jer. 4,3: „Säet nicht auf Dornen."

[1] *Παρὰ τὴν ὁδόν* (Mk. 4,4; Mt. 13,4; Lk. 8,5) ist ebenso wie aramäisches 'al 'orḥa doppeldeutig: a) auf den Weg, b) längs des Weges. Daß a) gemeint war, zeigt der Kontext mit Sicherheit, am deutlichsten *κατεπατήθη* (Lk. 8,5); vgl. C. C. Torrey, The Four Gospels, London 1933, S. 298. So versteht auch das ThEv. (9): „Einige (Körner) fielen auf den Weg."

[2] G. Dalman in: Palästina-Jahrbuch 22 (1926), S. 121—123.

[3] Lev. r. 34 zu 25,35.

Die Gleichnisse Jesu sind nicht nur, aufs Ganze gesehen, besonders zuverlässig überliefert, sondern auch, so scheint es, ein völlig unproblematischer Stoff. Sie führen die Hörer in eine ihnen vertraute Welt; das ist alles so schlicht und klar, daß ein Kind es verstehen kann, so einleuchtend, daß der Hörer immer wieder nur antworten kann: Ja, so ist es. Dennoch stellen die Gleichnisse uns vor ein schwieriges Problem, und das ist: die Ermittlung ihres ursprünglichen Sinnes.

Schon in allerfrühester Zeit nämlich, bereits in den ersten Jahrzehnten nach Jesu Tod, haben die Gleichnisse gewisse Umdeutungen erfahren. So hat man sehr früh begonnen, die Gleichnisse als Allegorien zu behandeln, und die Allegorisierung hat sich jahrhundertelang wie ein dichter Schleier über den Sinn der Gleichnisse gelegt. Mancherlei Umstände haben dazu beigetragen. Am Anfang mag der unbewußte Wunsch gestanden haben, in den schlichten Worten Jesu einen tieferen Sinn zu finden. In der hellenistischen Welt war die allegorische Deutung der Mythen als Trägerin esoterischer Erkenntnisse weit verbreitet, im hellenistischen Judentum machte die allegorische Exegese Schule; ähnliches mochte man hier von den christlichen Lehrern erwarten[1]. Anspornend wirkte sodann in der Folgezeit, daß man in den Evangelien vier Gleichnisse las, denen eine ausführliche allegorisierende Ausdeutung der einzelnen Züge beigegeben war (Mk. 4, 14—20 Par.; Mt. 13, 37—43. 49—50; Joh. 10, 7—18). Vor allem aber trug die Verstockungstheorie (Mk. 4, 10—12 Par.), derzufolge die Gleichnisse für die Außenstehenden Verhüllung des Mysteriums der Gottesherrschaft sein sollten, zum Überhandnehmen der Allegorisierung bei.

Von den genannten allegorisierenden Gleichnisdeutungen soll S. 75ff. 79ff. die Rede sein. Hier aber muß angesichts der grundsätzlichen Bedeutung der Stelle sofort ein Wort über Mk. 4, 10—12 Par., die Verstockungstheorie, gesagt werden.

Wie ist die Stelle zu verstehen? Auszugehen ist von der Erkenntnis, daß der Gleichniszusammenhang Mk. 4, 1—34 Komposition ist. Das ergibt sich 1. schon aus den uneinheitlichen Angaben über die Situation: nach V. 1 lehrt Jesus die Menge vom Boot aus, und V. 36 nimmt diese Angabe auf: „wie er ist, im Fahrzeug", rudern ihn die Jünger über den See. Aber in V. 10 war diese Situation längst verlassen. Parallel mit diesem

---

[1] C. H. Dodd, The Parables of the Kingdom, Revised Edition, London 1936 = 1938, S. 15 (im folgenden zitiert: Dodd).

Bruch in den Situationsangaben geht ein Wechsel der Hörerschaft: nach V. 1 f. redet Jesus zur Menge, ebenso V. 33 vgl. 36; dazu steht V. 10 im Widerspruch, wo es ein engerer Kreis ist (οἱ περὶ αὐτὸν σὺν τοῖς δώδεκα), auf dessen Frage Jesus antwortet. Wir haben also in V. 10 eine Naht vor uns. 2. Diese Naht in V. 10 findet ihre Erklärung durch die Feststellung, daß die Deutung des Säemannsgleichnisses (4,14—20) aus zwingenden sprachlichen Gründen (S. 75 ff.) einem späteren Stadium der Überlieferung als das Säemannsgleichnis selbst zugeschrieben werden muß. 3. Mit der Erkenntnis, daß Mk. 4,10—20 nicht der ältesten Überlieferungsschicht angehört, sind jedoch die literarkritischen Probleme, die uns Mk. 4,10—12 aufgibt, noch nicht erschöpft. Es fällt nämlich weiter auf, daß die Frage, die in V. 10 an Jesus gestellt wird („sie fragten ihn nach den Gleichnissen"[1]), eine doppelte Antwort mit jeweils eigener Einführungsformel erhält: V. 11 f. sagt Jesus, warum er in Gleichnissen redet, V. 13 ff. deutet er das Säemannsgleichnis. Nichts deutet in V. 10 darauf hin, daß Jesus nach dem Grund gefragt wird, weshalb er überhaupt in Gleichnissen rede; vielmehr zeigt der Vorwurf in V. 13, darin ist sich die Exegese mit Recht einig, daß die Frage von V. 10 ursprünglich dem Sinn des Säemannsgleichnisses galt. V. 11 f. zerreißt also den Zusammenhang zwischen V. 10 und V. 13 ff. 4. Daß in der Tat V. 11 f. ein Einschub in einen älteren Zusammenhang ist, wird durch das einleitende καὶ ἔλεγεν αὐτοῖς (V. 11) bestätigt, das eine für Markus typische Anreihungsformel ist (2, 27; 4, 2. 21. 24; 6, 10; 7, 9; 8, 21; 9, 1)[2]. So erklärt sich auch die singuläre[3] umständliche Hörerbezeichnung οἱ περὶ αὐτὸν σὺν τοῖς δώδεκα: sie dürfte gelegentlich der Einfügung von V. 11 f. durch Addition von zwei verschiedenen Hörerangaben entstanden sein[4]. Das heißt: V. 11 f. ist von Hause aus ein selbständig überliefertes Logion, das ad vocem παραβολή (V. 10/11) von Markus eingefügt wurde und zunächst ohne Rücksicht auf den jetzigen Zusammenhang exegesiert werden muß[5].

---

[1] Der Plural τὰς παραβολάς (V. 10) ist wahrscheinlich weder Bezugnahme auf V. 2 (καὶ ἐδίδασκεν αὐτοὺς ἐν παραβολαῖς πολλά) noch einer der in den Evangelien häufigen generalisierenden Plurale (deutsch: „das Gleichnis", vgl. zu diesem Semitismus S. 66 A. 1), sondern es wird sich um eine Markus-Änderung gelegentlich der Einfügung von V. 11 f. handeln.

[2] Von der markinischen Anreihungsformel καὶ ἔλεγεν αὐτοῖς ist zu unterscheiden das bloße καὶ ἔλεγεν, das im Mk.-Evangelium nur 4, 9. 26. 30 vorkommt und vormarkinisch sein dürfte; es hat seine Entsprechung in der ständigen Einführung von Rabbinensprüchen mit hu haja 'omer (z. B. in Pirqe 'Abhoth).

[3] Nur Mk. 8, 34 könnte man als (freilich andersartige) Analogie anführen.

[4] Ch. Masson, Les Paraboles de Marc IV, Neuchâtel-Paris 1945, S. 29 A. 1. Οἱ δώδεκα ist Mk.-Vorzugswort; er dürfte σὺν τοῖς δώδεκα gelegentlich der Einfügung von V. 11 f. hinzugefügt haben.

[5] Angesichts des oben Gesagten lassen sich drei Stadien der Vorgeschichte des Stoffes von Mk. 4, 1 ff. vermuten: 1. Die Überlieferung stellte zunächst mit καὶ ἔλεγεν (V. 9. 26. 30) die drei Jesus-Gleichnisse vom Säemann, der selbstwachsenden Saat und dem Senfkorn zusammen. 2. Durch Situationswechsel angekündigt (V. 10), wird eine Frage und als Antwort die Deutung

Sodann stellen wir fest, daß Mk. 4,11—12 ein sehr altertümliches Logion ist. Es ist älter als Markus[1] und entstammt palästinischer Überlieferung. Typisch palästinisch ist der antithetische Parallelismus (V. 11)[2], das überflüssige Demonstrativum ἐκείνοις (V. 11 b)[3] und die verhüllende Art, mit der dreimal das Handeln Gottes umschrieben wird[4]. Vor allem aber ist zu beachten, daß das freie Zitat von Jes. 6,9 f. in Mk. 4,12 stark vom hebräischen Text und von LXX abweicht, dagegen mit dem Targum übereinstimmt. 1. Während der hebräische Text und die LXX Jes. 6,9 b in der zweiten Person bringen, also als Anrede, haben Mk. 4,12a (ἵνα βλέποντες βλέπωσιν usw.) und Targum die dritte Person[5]; ferner haben die Partizipia βλέποντες und ἀκούοντες (Mk. 4,12a) nur im Tg. eine partizipiale Entsprechung (ḥazan, šam⁽in). 2. Noch auffälliger ist die von Manson erkannte, aber noch weiter verfolgbare Übereinstimmung von Mk. 4,12b mit Tg. Jes. 6,10. Der Markus-Text καὶ ἀφεθῇ αὐτοῖς weicht hier vollständig vom hebräischen Text (weraphaʾ lo) wie von LXX (καὶ ἰάσομαι αὐτούς) und Symmachus (καὶ ἰαθῇ) ab, stimmt dagegen mit der Peschitta (weneštebheq leh) und noch stärker mit dem Targum (weʾištebheq lehon) überein. Diese Übereinstimmung zwischen Markus und Targum geht bis in die Einzelheiten: a) statt des Verbums „heilen" (Jes. 6,10 hbr., LXX, Sym.) haben Mk. und Tg. „vergeben"[6]; b) statt des Singulars lo (Jes. 6,10 hbr.) haben beide den Plural[7]; c) beide umschreiben den Gottesnamen mit Hilfe

des Gleichnisses vom Säemann eingefügt (V. 10.13—20); diesem zweiten Überlieferungsstadium gehört auch, wie das absolut gebrauchte ὁ λόγος zeigt (S. 75 f.), V. 33 an. 3. Mit καὶ ἔλεγεν αὐτοῖς (V. 11.21.24) hat Markus V. 11 f. ad vocem παραβολή eine zweite Antwort auf die Frage von V. 10 eingeschoben und zwei weitere Gleichnisse (vom Licht V. 21—23 und vom Maß V. 24 f., s. u. S. 90) in die Gleichnissammlung eingefügt. Außerdem hat er den Rahmen überarbeitet: πάλιν, ἤρξατο, συνάγεται (Praes. hist.), καὶ ἔλεγεν αὐτοῖς, διδαχή (V. 1 f.) sind markinische Spracheigentümlichkeiten; die Hörerangabe von V. 10 hat er bei der Einfügung von V. 11 f. erweitert (s. S. 10 A. 4) und gleichzeitig den Plural τὰς παραβολάς (V. 10) hergestellt (S. 10 A. 1); auch V. 34 wird von ihm stammen, da das χωρὶς δὲ παραβολῆς auf V. 11 b Bezug nimmt. Die drei Stadien der Überlieferung (Jesus — Urkirche — Markus) sind im ganzen Markusevangelium erkennbar, nirgendwo jedoch so deutlich wie in Kap. 4.

[1] Daß Mk. 4,11 f. vormarkinisch ist, lehrt ein Blick in die Konkordanz: μυστήριον, das den Gottesnamen umschreibende δέδοται, οἱ ἔξω, τὰ πάντα, ἐπιστρέφειν = sich bekehren, all das hat Markus nur 4,11 f. Hinzu kommt, daß an unserer Stelle das Jes.-Wort auf die ἔξω beschränkt wird, während Markus selbst das Wort auch auf die Jünger bezieht, wie 8,14—21 zeigt.

[2] C. F. Burney, The Poetry of Our Lord, Oxford 1925, S. 20 f. 71 ff.

[3] J. Jeremias, Die Abendmahlsworte Jesu³, Göttingen 1960, S. 176 A. 1—3.

[4] V. 11: δέδοται, γίνεται; V. 12: ἀφεθῇ.

[5] T. W. Manson, The Teaching of Jesus², Cambridge 1948 (= 1935), S. 77 (im folgenden zitiert: T. W. Manson, Teaching).

[6] Tg. leitet raphaʾ (Jes. 6,10 mit ʾAläph am Schluß = heilen) von raphah (mit He am Schluß = nachlassen) ab, ebenso Pesch. und Mk.

[7] Auch vorher schon! Mk. ἐπιστρέψωσιν, Tg. withubhun (Jes. 6,10 hbr. Sing.!).

des Passivs. Mk. 4,12 folgt also der in Palästina im synagogalen Gebrauch üblichen Paraphrase von Jes. 6,9f., wie sie uns durch die Peschitta und das geschriebene Targum bezeugt wird. Diese Feststellung „creates a strong presumption in favour of the authenticity" unseres Logions[1] und ist für die Exegese von Mk. 4,11f. von grundlegender Bedeutung.

Wir haben in V.11 eine Antithese vor uns: den Jüngern Jesu („Euch")werden die ἔξω gegenübergestellt. „Und er sagte zu ihnen: Euch hat Gott[2] das Geheimnis der Gottesherrschaft geschenkt." Das ist geradezu ein Jubelruf! Die Jünger hat Gott beschenkt. Mit dem „Geheimnis (aram. *raza*) der Königsherrschaft Gottes", in dem Gottes Gabe bestand, sind dabei nicht Erkenntnisse irgendwelcher Art über die kommende Königsherrschaft Gottes gemeint, sondern — wie der Singular zeigt — eine Erkenntnis: das Wissen um ihren gegenwärtigen Anbruch[3]. Diese Erkenntnis ist reine Gnade Gottes. — Scharf antithetisch werden den Jüngern V. 11b die ἔξω gegenübergestellt: ἐκείνοις δὲ τοῖς ἔξω ἐν παραβολαῖς τὰ πάντα γίνεται. Sprachlich ist hier ein Doppeltes zu beachten. 1. Der gegensätzliche Parallelismus der beiden Sätze V. 11a und V. 11b erfordert, daß μυστήριον und παραβολή sich entsprechen. Das ist aber nicht der Fall, wenn παραβολή mit „Gleichnis" übersetzt wird, wohl aber, wenn παραβολή = hebr. *mašal* = aram. *mathla* hier die geläufige Bedeutung „Rätselwort"[4] hat. Dann ergibt sich eine exakte Anthitese: Euch ist das Geheimnis enthüllt — „die draußen" stehen vor Rätseln! Eine sachlich entsprechende Antithese findet sich Joh. 16,25, wo in umgekehrter Reihenfolge gegenübergestellt wird: παροιμίαις λαλεῖν / παρρησίᾳ ἀπαγγέλλειν = in verhüllter Rede (nicht: in Gleichnissen!!) sprechen / offen verkündigen[5]. 2. Γίνεσθαι in der Bedeutung „sich ereignen" mit Dativ der Person und Nomi-

---

[1] T.W.Manson, Teaching, S. 77.

[2] Das Passiv δέδοται umschreibt den Gottesnamen.

[3] A. Jülicher, Die Gleichnisreden Jesu I², Tübingen 1899 (= 1910), S. 123f. (im folgenden zitiert: Jülicher I); J. Schniewind in: Das Neue Testament Deutsch 1 zu Mk. 4,11; G. Bornkamm in: ThWBNT. IV, S. 824f.; M. Hermaniuk, La Parabole Évangélique, Bruges-Paris-Louvain 1947, S. 282.

[4] Belege: *Mašal* steht (wie schon im AT.: Ez. 17,2; Hab. 2,6; Ps. 49,5; 78,2; Prov. 1,6) bei Sirach (47,17, wohl auch 39,2.3) und im 4. Buche Esra (4,3) synonym mit *ḥidha* (Rätsel, schwerverständliche Rede); im äth. Hen. hat äth. *mesal* die Bedeutung „apokalyptische Geheimreden" (37,5; 38,1; 45,1; 57,3; 58,1; 68,1; 69,29); ähnlich Num. r. 14 zu 7,89: „Mit Mose redete Gott von Angesicht zu Angesicht, mit Bileam dagegen nur in *mešalim* (Orakelsprüchen)"; Tg. 2.Chr. 9,1 gibt hebr. *ḥidhoth* mit *mithlawan deḥidhin* wieder. — Entsprechendes gilt für παραβολή: Sir. 47,17 wird *ḥidha* mit παραβολή wiedergegeben, 47,15 von παραβολαὶ αἰνιγμάτων, 39,3 von αἰνίγματα παραβολῶν geredet. Mk. 7,17 hat παραβολή die Bedeutung „dunkle Rede, Rätselwort", ebenso Barn. 6,10; 17,2 und gelegentlich im Pastor Hermae (vgl. O. Eißfeldt, Der Maschal im Alten Testament, Gießen 1913, S. 17—19; Jülicher I, S. 40. 204f.). Ebenso hat παροιμία Joh. 16,25.29 die Bedeutung „dunkle Rede" (opp. an beiden Stellen παρρησία).

[5] J. A. T. Robinson, The Parable of John 10,1—5, ZNW. 46 (1955), S. 233f.

nativ der Sache ist nicht idiomatisches Griechisch, sondern Semitismus, nämlich Wiedergabe eines aramäischen $h^awa$ $l^e$ = „jemandem gehören, jemandem widerfahren, an jemanden ergehen, jemandem zuteil werden"; ein $b^e$ (ἐν Mk. 4,11) folgt z. B. Gen. 15,1: „Und das Wort Jahwes erging an Abraham in einem Gesicht". Mk. 4,11b ist also zu übersetzen: „Denen aber, die draußen sind, wird alles in rätselhafter Rede zuteil"[1], d. h. ihnen bleibt alles rätselhaft. Die unpersönliche Wendung deutet an, daß Gott der Handelnde ist (vgl. ἐγένετο Mk. 2,27; Joh. 1,17). — Für das Verständnis des Mk. 4,12 folgenden ἵνα-Satzes ist entscheidend, daß die auf ἵνα folgenden Worte als freies Zitat von Jes. 6,9f. in Anführungszeichen zu denken sind. Das ἵνα redet also nicht von einer Absicht Jesu, sondern Gottes; es ist fast eine Abbreviatur für ἵνα πληρωθῇ und daher mit „auf daß" zu übersetzen: „bei göttlichen Willensentscheidungen" sind „Absicht und Erfolg identisch"[2]. Also: „auf daß sie (wie geschrieben steht), hinblicken und doch nicht sehen, hören und doch nicht verstehen'." — Was schließlich den μήποτε-Satz Mk. 4,12 Ende anlangt (μήποτε ἐπιστρέψωσιν καὶ ἀφεθῇ αὐτοῖς), so ist sowohl μήποτε wie das ihm zugrunde liegende aramäische $dil^ema$ doppeldeutig; beide Wörter können 1. „auf daß nicht" und 2. „ob nicht vielleicht" bedeuten[3], $dil^ema$ außerdem 3. „es sei denn, daß". Das μήποτε von LXX Jes. 6,10 ist als Wiedergabe von hebr. $pän$ sicher im ersten Sinne („auf daß nicht") gemeint; anders steht es mit dem $dil^ema$ von Tg. Jes. 6,10b. Wie immer der Targumist selbst es gemeint haben mag, die rabbinische Exegese hat es im Sinn von „es sei denn, daß" aufgefaßt; versteht sie doch den Schluß von Jes. 6,10 durchgängig als Verheißung, daß Gott dem Volk, wenn es umkehrt, vergeben werde[4]. Dieses zeitgenössische Verständnis von Jes. 6,10b als Verheißung der Vergebung muß auch für Mk. 4,12b vorausgesetzt werden, weil der Wortlaut von Mk. 4,12 Ende, wie wir S. 11f. sahen, bis in die Einzelheiten der targumischen Wiedergabe von Jes. 6,10b folgt. Das μήποτε Mk. 4,12 ist also Äquivalent eines targumischen $dil^ema$, das hier mit „es sei denn, daß" wiedergegeben werden muß. Wir haben darum Mk. 4,11f. zu übersetzen: „Euch hat Gott das Geheimnis der Gottesherrschaft geschenkt; denen aber, die draußen sind, ist alles rätselvoll, auf daß sie (wie geschrieben steht) ,sehen und doch nicht sehen, hören und doch nicht verstehen, es sei denn, daß sie umkehren

---

[1] Ähnlich Masson, a. a. O. S. 27f.: Denen aber, die draußen sind, vollzieht sich alles in zeichenhaftem Geschehen.

[2] W. Bauer, Wörterbuch zum NT⁵, Berlin 1958, Sp. 747. — Möglich ist auch, daß das dem ἵνα zugrunde liegende aramäische $d^e$ ebenso wie Tg. Jes. 6,9 als Relativpronomen gemeint war: „Denen draußen bleibt alles rätselvoll, die ,sehen und doch nicht sehen...'" (T. W. Manson, Teaching, S. 76ff.). Der Sinn ist derselbe.

[3] Beide Bedeutungen hat μήποτε häufig in LXX.

[4] H. L. Strack-P. Billerbeck, Kommentar zum Neuen Testament aus Talmud und Midrasch, 6 Bde., München 1922—61 (im folgenden zitiert: Bill.), bringen I, S. 662f. vier Belege für die rabbinische Exegese von Jes. 6,10; alle stimmen darin überein, daß sie Jes. 6,10b nicht als Androhung der endgültigen Verstockung, sondern als Verheißung verstehen.

und Gott[1] ihnen vergebe'." Das Logion redet, das ist unser Ergebnis, also gar nicht von den Gleichnissen Jesu, sondern von seiner Predigt überhaupt[2]. Den Jüngern ist das Geheimnis der gegenwärtigen Basileia enthüllt, den Draußenstehenden bleiben Jesu Worte dunkel, weil sie Seine Sendung nicht anerkennen und nicht Buße tun. So erfüllt sich an ihnen die furchtbare Weissagung von Jes. 6, 9 f. Dennoch bleibt eine Hoffnung: „tun sie Buße, so wird Gott ihnen vergeben." Der letzte Blick ruht auf Gottes vergebender Barmherzigkeit.— Das Logion, von dessen Altertümlichkeit S. 11 f. die Rede war, dürfte wegen der scharfen Gegenüberstellung von Jüngern und Draußenstehenden[3] am ehesten in die Zeit nach dem Petrusbekenntnis, die Zeit der esoterischen Predigt Jesu, gehören. Es schildert das Schicksal aller Evangeliumspredigt, die immer beides ist: Darbietung der Gnade und damit zugleich[4] Verhängung des Gerichtes, Rettung und Ärgernis, Heil und Verderben, Leben und Tod[5]. Erst Markus hat, durch das Stichwort παραβολή veranlaßt, das er zu Unrecht als „Gleichnis" verstand, unser Logion dem Gleichniskapitel eingefügt[6]. Ist aber Mk. 4,11 f. von Hause aus kein Wort über die Gleichnisse Jesu, dann ist die Stelle kein besonderer Kanon für die Auslegung der Gleichnisse und keine Ermächtigung, in ihnen durch allegorische Deutung einen den Außenstehenden verborgenen Rätselsinn zu suchen. Im Gegenteil! Mk. 4,11 f. besagt, daß auch die Gleichnisse — wie alle Worte Jesu — nicht besondere „Geheimnisse" verkündigen, sondern das Eine „Geheimnis der Königsherrschaft Gottes", nämlich das Geheimnis ihres gegenwärtigen Anbruchs in Jesu Wort und Werk[7].

Es ist, wie man weiß, das Verdienst A. Jülichers, definitiv mit der allegorischen Auslegung gebrochen zu haben. Geradezu quälend liest es sich in Jülichers „Geschichte der Auslegung der Gleichnisreden Jesu"[8], welche Entstellung und Mißhandlung sich die Gleichnisse jahrhundertelang durch die allegorische Ausdeutung haben gefallen lassen müssen. Man kann auf diesem Hintergrunde erst ermessen, wie befreiend es wirken mußte, als Jülicher nicht nur in hundert und aberhundert Fällen unwiderleglich nachwies, daß die Allegorisierung in die Irre führe, sondern grundsätzlich die These verfocht, daß sie den Gleichnissen Jesu von Hause aus völlig fern gelegen habe. Mag auch die Schärfe dieser These einseitig sein

---

[1] Das Passiv ἀφεθῇ ist wieder (wie δέδοται Mk. 4,11) Umschreibung des Gottesnamens.

[2] Vgl. Joh. 16,25 a, wo Jesu gesamte Verkündigung als ein Reden ἐν παροιμίαις (vgl. Mk. 4,11 b: ἐν παραβολαῖς) bezeichnet wird.

[3] Dieselbe Gegenüberstellung in anderem Bild: Mt. 11,25 f. Par.

[4] Jes. 6,9 f.

[5] J. Schniewind in: Das Neue Testament Deutsch 1 zu Mk. 4,12.

[6] Ursprünglich wird auf Mk. 4,10 V. 13 gefolgt sein (s. o. S. 10).

[7] S. S. 12 und J. Horst in: ThWBNT. V, S. 553 A. 102.

[8] Jülicher I, S. 203—322.

(die zeitgenössische Apokalyptik verwendet seit Daniel die Allegorie, um die Offenbarungen in geheimnisvoller, politisch schwerer angreifbarer Form darzubieten, in geringerem Maße bedient sich ihrer auch die rabbinische Literatur[1]) — sein Werk bleibt schlechtweg grundlegend; vereinzelte Rückfälle gerade neuerer Arbeiten in die Allegorisierung vermögen dieses Urteil nur zu bestätigen.

Aber — Jülicher hat nur die halbe Arbeit getan. Das hat am besten C. H. Dodd gezeigt[2]. In dem Bestreben, die Gleichnisse von der Phantastik und Willkür allegorischer Ausdeutung aller Einzelheiten zu befreien, läßt Jülicher sich zu einem verhängnisvollen Fehler verleiten. Der beste Schutz vor solcher Willkür besteht nach seiner Ansicht darin, daß man die Gleichnisse als ein Stück wirklichen Lebens faßt und ihnen nur jeweils einen und zwar (hier sitzt der Fehler) möglichst allgemein zu fassenden Gedanken entnimmt: die weiteste Anwendung trifft das Richtige! „Freude an einem Leben im Leiden, Furcht vor dem Genußleben wollte die Erzählung vom reichen Mann und armen Lazarus erzeugen" (Lk. 16,19—31)[3]. „Der Mensch, auch der reichste, ist in jedem Augenblick ganz und gar abhängig von Gottes Macht und Gnade", das ist die Lehre des Gleichnisses vom reichen Toren (Lk.12,16ff.)[4]. „Entschlossene Ausnützung der Gegenwart als Vorbedingung für eine erfreuliche Zukunft", das ist die Parole des Gleichnisses vom ungerechten Haushalter (Lk.16,1—8)[5]. Ansporn der Jünger „zu treuester Erfüllung ihrer Pflichten gegen Gott" will Mt.24,45—51 in seiner Urform sein[6]. „Lohn gibt es nur für Leistungen" ist die „Grundidee" des Gleichnisses von den Talenten (Mt.25,14ff.)[7]. Man sieht: Wahre religiöse Humanität verkünden die Gleichnisse; von ihrer eschatologischen Wucht bleibt nichts erhalten. Unvermerkt wird Jesus zum „Apostel des Fortschritts" (II, S. 483), zum Weisheitslehrer, der ethische Maximen und eine simplifizierte Theologie in behältlichen Bildern und Geschichten einprägte. Und das war er nicht! Nein, Jülicher bleibt auf halbem Wege stehen. Er befreit

---

[1] I.Heinemann, Altjüd.Allegoristik, Breslau 1936; Bill.III, S.388—399.
[2] Dodd, S. 24ff.
[3] A. Jülicher, Die Gleichnisreden Jesu II, Tübingen 1899 (= 1910), S. 638 (im folgenden zitiert: Jülicher II).
[4] Jülicher II, S. 616.
[5] II, S. 511.
[6] II, S. 161.
[7] II, S. 495.

die Gleichnisse von der dichten Schicht Staubes, den die allegorische Deutung auf sie gelegt hatte, aber er kommt über diese Vorarbeit letztlich doch nicht hinaus. Die Hauptarbeit bleibt: es muß versucht werden, den ursprünglichen Sinn der Gleichnisse wiederzugewinnen. Wie kann das geschehen?

Jülichers Werk war so überragend, daß lange Zeit Spezialarbeiten von Bedeutung über die Gleichnisse nicht erschienen. Schließlich machte die Formgeschichte den Versuch, durch Einteilung der Gleichnisse in Kategorien weiterzukommen. Man schied zwischen Bildwort, Vergleich, Gleichnis, Parabel, Allegorie, Beispielerzählung usw., letztlich doch ein unfruchtbares Bemühen — denn der Maschal umfaßt alle diese Kategorien und noch viel mehr, ohne jede Scheidung. Hebr. *mašal*/aram. *mathla* bezeichnet denn auch im nachbiblischen Judentum, ohne daß sich ein Schema aufstellen ließe, bildliche Reden aller Art: Gleichnis[1], Vergleich[2], Allegorie[3], Fabel[4], Sprichwort[5], apokalyptische Offenbarungsrede[6], Rätselwort[7], Decknamen[8], Symbol[9], fingierte Gestalt[10], Beispiel (Vorbild)[11], Motiv[12], Begründung[13], Entschuldigung[14], Einwand[15], Witz[16]. Entsprechend hat παραβολή im NT. die Bedeutung Gleichnis so gut wie Vergleich (Lk. 5,36; Mk. 3,23) und Sinnbild (Hebr. 9,9; 11,19; vgl. Mk. 13,28); Lk. 4,23 ist es mit Schlagwort, Redensart wiederzugeben, 6,39 mit Sprichwort, Mk. 7,17 mit Rätselwort[17] und Lk. 14,7 geradezu mit Regel. Ganz analog schillert παροιμία zwischen Gleichnis (Joh. 10,6), Sprichwort (2. Pt. 2,22), Rätselrede (Joh. 16, 25. 29). (In dem weiten Sinn von *mašal*/*mathla* wird in dieser Arbeit, wie ausdrücklich betont sei, das Wort „Gleichnis" gefaßt.) Es heißt den Gleichnissen Jesu ein sachfremdes Gesetz aufzwingen, wenn man sie in die Kategorien griechischer Rhetorik preßt[18]. Wirklich weiter kam man denn auch auf diesem Wege nicht. Die wichtigen

---

[1] Zahllose Belege.      [2] b. Pes. 49a.
[3] Mekh. Ex. 21,19 Par. vgl. Bill. III, S. 391.
[4] 4. Esr. 4,13 (arm.); b. Ber. 61b; b. Sukka 28a; b. Sanh. 38b.
[5] Midhr. Klagel. Proömium 24, vgl. W. Bacher, Die exegetische Terminologie der jüdischen Traditionsliteratur II, Leipzig 1905, S. 121.
[6] S. o. S. 12 A. 4.      [7] Ebd.
[8] Nidda 2,5.      [9] b. Sanh. 92b.
[10] b. B. B. 15a; b. 'Er. 63a.      [11] Ex. r. 40 zu 31,1f.
[12] b. Keth. 22ab.      [13] j. Joma 3,41d.      [14] j. Keth. 2, 26c.
[15] Giṭ. 9,9; b. Giṭ. 88b.89ab.      [16] b. Pes. 114a.      [17] S. o. S. 12 A. 4.
[18] J. Wellhausen, Das Evangelium Marci[2], Berlin 1909, S. 29.

grundsätzlichen Einsichten, die wir der Formgeschichte verdanken, gelangten auf dem Gebiete der Gleichnisforschung noch nicht zur fruchtbaren Auswirkung[1].

Der entscheidende, wirklich weiterführende Gesichtspunkt taucht zuerst, sehe ich recht, bei A. T. Cadoux auf[2]: die Gleichnisse müssen in die Situation des Lebens Jesu gestellt werden! Leider ist jedoch die Art, wie C. diese richtige Erkenntnis in seinem Buche durchzuführen versucht, anfechtbar, so daß der Wert seiner Arbeit auf gute Einzelbeobachtungen beschränkt bleibt. Besonnener geht B.T.D. Smith auf diesem Wege vor[3]. Es gelingt ihm an vielen Stellen, den historischen Hintergrund der Gleichnisse aufzuhellen; um so bedauerlicher ist, daß er sich fast ganz auf das Bildmaterial der Gleichnisse zurückzieht; die theologische Auslegung fehlt bei ihm. Einen Durchstoß in der zuerst von Cadoux gewiesenen Richtung dagegen stellt das Buch von C. H. Dodd dar[4]. In diesem außerordentlich bedeutenden Werk wird wirklich und erstmalig mit Erfolg der Versuch gemacht, die Gleichnisse in die Situation des Lebens Jesu hineinzustellen, und damit eine neue Epoche der Gleichnisauslegung eingeleitet. Doch beschränkt sich Dodd auf die Himmelreichsgleichnisse, und die Einseitigkeit seines Basileia-Begriffs (Dodd legt allen Ton darauf, daß sie in Jesu Wirken schon jetzt endgültig angebrochen sei) hat eine Verkürzung der Eschatologie zur Folge, die nicht ohne Einfluß auf die im übrigen meisterhafte Exegese bleibt.

Es ist eine im Grunde ganz einfache, aber sehr weittragende Erkenntnis, um die es sich handelt. Jesu Gleichnisse sind nicht — jedenfalls nicht primär — Kunstwerke, sie wollen auch nicht allgemeine Grundsätze einprägen („no one would crucify a teacher who told pleasant stories to enforce prudential morality"[5]), sondern jedes von ihnen ist in einer konkreten Situation des Lebens Jesu gesprochen, in einer einmaligen, oft unvorhergesehenen Lage. Weithin, ja überwiegend handelt es sich dabei, wie wir sehen werden,

---

[1] Zur formgeschichtlichen Analyse der Gleichnisse s. u. S. 21 ff., bes. 89 ff.

[2] The Parables of Jesus. Their Art and Use, New York 1931.

[3] The Parables of the Synoptic Gospels, Cambridge 1937 (im folgenden zitiert: B.T.D. Smith).

[4] The Parables of the Kingdom, London 1935, Revised Edition, London 1936. Benutzt wurde der Nachdruck von 1938.

[5] C. W. F. Smith, The Jesus of the Parables, Philadelphia 1948, S. 17.

um Kampfsituationen, um Rechtfertigung, Verteidigung, Angriff, ja Herausforderung: die Gleichnisse sind nicht ausschließlich, aber zum großen Teil Streitwaffe. Jedes von ihnen fordert eine Antwort auf der Stelle.

Von da aus ergibt sich die Aufgabe. Jesus sprach zu Menschen von Fleisch und Blut, aus der Stunde für die Stunde. Jedes seiner Gleichnisse hat einen bestimmten historischen Ort in seinem Leben. Den Versuch zu machen, ihn zurückzugewinnen — das ist die Aufgabe[1]. Was wollte Jesus in dieser und jener bestimmten Stunde sagen? Wie mußte sein Wort auf die Hörer wirken? Diese Fragen gilt es zu stellen, um — soweit es möglich ist — zurückzukommen zum ursprünglichen Sinn der Gleichnisse Jesu, zu Jesu ipsissima vox.

---

[1] Man kann sich das Problem etwa im Blick auf die Gleichnissammlung Mt. 13 folgendermaßen klarmachen: Es ist, als ob uns aus Predigten eines bedeutenden Predigers unserer Tage nur eine Sammlung von Beispielerzählungen überliefert wäre (F. C. Grant, A New Book on the Parables, in: Anglican Theological Review 30 [1948], S. 119). Ihren vollen Wert wird diese Sammlung erst dann für uns gewinnen, wenn wir in jedem Fall wissen, welche Gedanken der Prediger durch die einzelnen Beispiele illustrierte. Ebenso werden wir die einzelnen in der Gleichnissammlung Mt. 13 zusammengestellten Gleichnisse erst dann richtig verstehen, wenn wir uns eine Vorstellung davon machen können, in welcher konkreten Lage Jesus sie sprach.

## II. Von der Urkirche zu Jesus zurück!

Die Gleichnisse Jesu, so wie sie uns überliefert sind, haben einen
z w e i f a c h e n  h i s t o r i s c h e n  Ort[1]. 1. Der ursprüngliche historische Ort der Gleichnisse wie aller Worte Jesu ist eine jeweilig
einmalige Situation im Rahmen der Wirksamkeit Jesu. Manche
Gleichnisse sind so lebenswahr erzählt, daß man annehmen darf, daß
Jesus an konkrete Begebenheiten anknüpft[2]. 2. Danach haben
sie, ehe sie schriftlich fixiert wurden, in der Urkirche „gelebt",
die die Worte Jesu verkündigt, predigt, lehrt — in Mission,
Gemeindeversammlung, Unterricht. Sie stellt die Worte Jesu
zusammen unter sachlichen Gesichtspunkten, gibt ihnen einen
Rahmen, gestaltet sie gelegentlich um, erweitert hier, allegorisiert
da — all das aus i h r e r Lage, nämlich der Lage zwischen Kreuz
und Parusie. Es ist wichtig, den Unterschied zwischen der Situation Jesu und derjenigen der Urkirche beim Studium der Gleichnisse Jesu im Auge zu behalten. Manches Wort Jesu, auch
manches Gleichnis, muß aus dem Sitz im Leben und Denken
der Urkirche wieder herausgenommen werden, und der Versuch
muß gemacht werden, den ursprünglichen Ort im Leben Jesu
wiederzugewinnen[3], sollen Jesu Worte wieder ihren ursprünglichen Klang erhalten, sollen Gewalt, Kampf und Vollmacht der
ursprünglichen Stunde wieder lebendig werden. Macht man
diesen Versuch, den ursprünglichen historischen Ort der Gleichnisse zu ermitteln, so stößt man auf bestimmte Gesetze der
Umformung.

---

[1] Dodd, S. 111.
[2] Der ungerechte Haushalter (Lk. 16,1ff. vgl. S. 181), das Unkraut unter
dem Weizen (Mt. 13,24ff. vgl. S. 222), der Einbrecher (Mt. 24,43f. vgl. S. 45f.),
vielleicht auch der reiche Tor (Lk. 12,16ff.) und der barmherzige Samariter
(Lk. 10,30ff.); vgl. M. Meinertz, Die Gleichnisse Jesu[4], Münster 1948,
S. 64.
[3] Dodd, S. 111.

Bei diesem Versuch ist eine große Hilfe, daß uns das Thomas-evangelium[1] 11 synoptische Gleichnisse in eigener Fassung bietet[2], nämlich:

| Logion | 9 | Säemann (Text s. u. S. 24); |
| | 20 | Senfkorn (Text s. u. S. 145); |
| „ | 21 b u. 103 | Einbrecher (Text s. u. S. 86 und 94); |
| „ | 57 | Unkraut unter dem Weizen (Text s. u. S. 222); |
| „ | 63 | Törichter Reicher (Text s. u. S. 164 A. 6); |
| „ | 64 | Großes Abendmahl (Text s. u. S. 175f.); |
| „ | 65 | Böse Weingärtner (Text s. u. S. 68—70); |
| „ | 76 | Perle (Text s. u. S. 198); |
| „ | 96 | Sauerteig (Text s. u. S. 145); |
| „ | 107 | Verlorenes Schaf (Text s. u. S. 133); |
| „ | 109 | Schatz im Acker (Text s. u. S. 28)[3]. |

| | Synoptiker | davon ThEv. |
| --- | --- | --- |
| Markus | 6 | 3 |
| Matthäus-Lukas-Stoff | 9 | 4 |
| Matthäus-Sondergut | 10 | 3 |
| Lukas-Sondergut | 15 | 1 |

[1] Zählung der Logien nach: Evangelium nach Thomas, Koptischer Text herausgegeben und übersetzt von A. Guillaumont, H.-Ch. Puech, G. Quispel, W. Till und † Yassah ʿAbd al Masîh, Leiden 1959.

[2] Literatur zu den Gleichnissen des ThEv.: L. Cerfaux - G. Garitte, Les paraboles du Royaume dans l'»Evangile de Thomas«, in: Le Muséon 70 (1957), S. 307—327; A. J. B. Higgins, Non-Gnostic Sayings in the Gospel of Thomas, in: Novum Testamentum 4 (1960), S. 292—306; C.-H. Hunzinger, Unbekannte Gleichnisse Jesu aus dem Thomas-Evangelium, in: Judentum, Urchristentum, Kirche (BZNW. 26), Berlin 1960, S. 209—220; H. Montefiore, A Comparison of the Parables of the Gospel According to Thomas and of the Synoptic Gospels, in: NTS. 7 (1960/61), S. 220—248.

[3] Außerdem enthält das ThEv. noch 4 weitere Gleichnisse, die sich nicht im NT. finden: Logion 8, Großer Fisch (Text s. u. S. 199f.); Logion 21 a, Kleine Kinder auf dem Feld; Logion 97, Unachtsame Frau; Logion 98, Attentäter (Text s. u. S. 195).

20

## 1. Die Übersetzung der Gleichnisse ins Griechische

Jesus sprach galiläisch-aramäisch[1]. Die früh einsetzende Übersetzung seiner Worte ins Griechische bedeutete unvermeidlich, daß sich in zahllosen Fällen der Sinn — bisweilen stärker, meist nur ganz leise — verschob. Die Rückübersetzung der Gleichnisse in Jesu Muttersprache ist daher ein grundlegend wichtiges, vielleicht das wichtigste Hilfsmittel zur Wiedergewinnung ihres ursprünglichen Sinnes[2]. Besser als theoretische Erwägungen werden das, so hoffe ich, die zahlreichen in der Arbeit gegebenen Beispiele zeigen.

Jeder Einsichtige weiß, daß diese Rückübersetzungen nur Versuche sein können. Doch verkenne man nicht, daß es Versuche sind, die auf soliden Grundlagen ruhen. Namentlich die zahlreichen Übersetzungsvarianten, die sich in der Evangelienüberlieferung finden, bedeuten zuverlässige Hinweise auf den jeweils zugrunde liegenden aramäischen Wortlaut. Leider ist dieses Hilfsmittel noch kaum in seiner Bedeutung erkannt, geschweige denn systematisch ausgenutzt worden. Als Beispiel dafür, wie zwei stark abweichende griechische Fassungen auf ein und dieselbe aramäische Überlieferung zurückführen, diene die παραβολή von den Tischplätzen. Die Übersetzungsvarianten sind unterstrichen.

| Lk. 14, 8—10 | Mt. 20, 28 D it sy[c] |
|---|---|
| [1] Ὅταν κληθῇς[c] ὑπό τινος εἰς γάμους[a], | Εἰσερχόμενοι δὲ καὶ παρακληθέντες[c] δειπνῆσαι[a] |
| μὴ κατακλιθῇς[c] εἰς τὴν πρωτοκλισίαν, | μὴ ἀνακλίνεσθε[c] εἰς τοὺς ἐξέχοντας τόπους, |
| [5] μήποτε ἐντιμότερός σου ᾖ κεκλημένος ὑπ᾽ αὐτοῦ, | μήποτε ἐνδοξότερός σου ἐπέλθῃ |
| καὶ ἐλθὼν[c] ὁ σὲ καὶ αὐτὸν καλέσας ἐρεῖ σοι· | καὶ προσελθὼν[c] ὁ δειπνοκλήτωρ εἴπῃ σοι· |
| δὸς τούτῳ τόπον, | ἔτι κάτω χώρει, |
| [10] καὶ τότε ἄρξῃ μετὰ αἰσχύνης τὸν ἔσχατον τόπον κατέχειν. | καὶ καταισχυνθήσῃ. |
| Ἀλλ᾽ ὅταν κληθῇς, πορευθεὶς ἀνάπεσε εἰς τὸν ἔσχατον τόπον, | Ἐὰν δὲ ἀναπέσῃς εἰς τὸν ἥττονα τόπον καὶ ἐπέλθῃ σου ἥττων, |

[1] Das ist vor allem durch die Arbeiten von G. Dalman erhärtet worden. Demgegenüber hat H. Birkeland, The Language of Jesus, Oslo 1954, behauptet, Jesus habe Hebräisch gesprochen, da dieses die Sprache der unteren Klassen des jüdischen Volkes gewesen sei; nur die Gebildeten hätten Aramäisch gesprochen. Aber damit wird der Tatbestand auf den Kopf gestellt.

[2] Die grundlegenden Arbeiten verdanken wir Dalman, Wellhausen, Burney, Joüon, Torrey, Odeberg und neuestens Black.

<sup></sup>

15 ἵνα ὅταν ἔλθῃ ὁ κεκληκώς σε     ἐρεῖ σοι ὁ δειπνοκλήτωρ·

ἐρεῖ σοι·

φίλε, προσανάβηθι <sup>c)</sup> ἀνώτερον·     σύναγε <sup>c)</sup> ἔτι ἄνω,

τότε ἔσται σοι δόξα <sup>b)</sup> ἐνώπιον πάν-     καὶ ἔσται σοι τοῦτο χρήσιμον <sup>b)</sup>.

των τῶν συνανακειμένων σοι.

Man beachte: a) Aram. *mištutha* hat die doppelte Bedeutung: 1. Festmahl, 2. Hochzeit. Die Variante γάμοι / δειπνῆσαι (Z. 1) geht also auf *mištutha* zurück, das hier die Bedeutung Festmahl hat. b) Die merkwürdige Variante δόξα / χρήσιμον (Z. 18) erklärt sich aus der Doppeldeutigkeit von aram. *šibhḥa*, das 1. Lob, Preis, Ruhm, 2. Gewinn, Vorteil bedeutet. Der Sinn an unserer Stelle ist: ehrenvoll. c) Es fallen die zahlreichen abweichenden Komposita auf (Z. 1 καλεῖν / παρακαλεῖν, Z. 3 κατακλίνεσθαι / ἀνακλίνεσθαι, Z. 7 ἔρχεσθαι / προσέρχεσθαι, Z. 17 προσαναβαίνειν / συνάγειν). Sie erklären sich daraus, daß das Aramäische keine Komposita kennt; in allen Fällen liegt also ein aram. Simplex zugrunde. d) Nimmt man die Beobachtung von M. Black, An Aramaic Approach to the Gospels and Acts[2], Oxford 1954, S. 129—133, hinzu, daß unser Abschnitt bei Rückübersetzung ins Aramäische mehrere Alliterationen und Paronomasien aufweist und bedenkt man, e) daß uns zur Kontrolle die Übersetzungen der Evangelien ins Syrische und Christlich-Palästinische zur Verfügung stehen (wobei allerdings die Dialektunterschiede zu beachten sind), so wird man einen Eindruck davon gewinnen, mit wie hoher Wahrscheinlichkeit die Übersetzungsvarianten auf den Urtext zurückführbar sind.

## 2. Wandlungen des Anschauungsmaterials

Es war unvermeidlich, daß bei der Übertragung in das Griechische gelegentlich nicht nur der Wortlaut, sondern auch das Anschauungsmaterial in hellenistische Verhältnisse „übersetzt" wurde. So finden wir in lukanischen Gleichnissen Wendungen, die hellenistische Bautechnik[1], römisches Gerichtsverfahren[2], außerpalästinische Gartenkultur[3] und Landschaft[4] voraussetzen; Lk. 7, 32 (ἐκλαύσατε) könnte das für die leidenschaftliche palästinische Toten-

---

[1] Lk. 6, 47 f.; 11, 33: unterkellerte Häuser (in Palästina nicht üblich); 8, 16; 11, 33: Haus mit Vestibül, von dem aus das Licht den Eintretenden leuchtet.

[2] Lk. 12, 58: πράκτωρ = Büttel (anders Mt. 5, 25: ὑπηρέτης = Synagogendiener).

[3] Lk. 13, 19: Lukas läßt das Senfkorn εἰς κῆπον gesät werden; dem entspricht, daß Theophrastus, Historia plantarum VII 1, 1 f., den Senf zu den Gartenpflanzen (κηπευόμενα) rechnet. In Palästina dagegen war der Anbau von Senf auf Gartenbeeten verboten (Kil. 3, 2; Tos. Kil. 2, 8 vgl. Bill. I, S. 669). — Lk. 14, 35: Verwendung von Salz als Düngemittel ist für Palästina nicht bezeugt.

[4] Lk. 6, 48: der über die Ufer steigende Fluß (anders Mt. 7, 25: Wolkenbruch).

klage kennzeichnende Schlagen der Brust (par. Mt. 11,17 ἐκόψατε) absichtlich vermieden worden sein. Bei Markus begegnet die römische, durch den militärischen Dienst (vgl. Apg. 12,4) bestimmte Einteilung der Nacht in vier Nachtwachen (Mk. 13,35 vgl. 6,48) an Stelle der palästinischen[1] Dreiteilung (Lk. 12,38) — einer der vielen Hinweise auf die Abfassung des zweiten Evangeliums außerhalb Palästinas. In solchen Fällen werden wir derjenigen Fassung den Vorzug zu geben haben, die palästinisches Anschauungsmaterial bietet.

Doch muß hier vorsichtig vorgegangen werden. Wir werden z. B. noch sehen, daß Jesus wiederholt absichtlich levantinische, von den Juden als besonders grausam empfundene Methoden des Strafvollzuges zur Illustration verwendet[2]. Nicht-palästinisches Anschauungsmaterial ist also nicht immer ein Anzeichen für Überarbeitung oder Unechtheit. Nur in denjenigen Fällen, in denen die Überlieferung gespalten ist, können wir einigermaßen zuversichtlich urteilen.

### 3. Ausschmückungen

Im Gleichnis von den Knechten, denen Gelder anvertraut wurden, erhalten bei Matthäus von drei Knechten der eine fünf, der andere zwei und der dritte ein Talent, d. h. 50 000, 20 000, 10 000 Denare (Mt. 25,15)[3], bei Lukas von zehn Knechten jeder nur 100 Denare (Lk. 19,13). Daß die Dreizahl der Knechte (so Matthäus) ursprünglich ist, zeigt der Fortgang bei Lukas (Lk. 19,16—21, insbesondere der Artikel vor ἕτερος 19,20); auch bei der Geldsumme ist die niedrigere Zahl (so Lukas) sicher ursprünglich, da die Summe bei beiden Evangelisten ausdrücklich als „ganz geringfügiger Betrag" (Mt. 25,21.23: ὀλίγα, par. Lk. 19,17: ἐλάχιστον) bezeichnet wird, wozu 10000—50000 Denare schlecht passen. Bei Lukas ist also die Zahl der Knechte gewachsen, bei Matthäus die Geldsumme enorm gesteigert. Die Freude des orientalischen Erzählers an großen Zahlen hat somit in beiden Fassungen der Geschichte zu Ausschmückungen geführt[4]. Freude an der Ausschmückung wird auch im Spiele sein bei den sekundären Erweiterungen, die das

---

[1] Richt. 7,19; Jub. 49,10. 12.     [2] S. 179. 209.     [3] S. u. S. 208 A. 4.
[4] Auch unbedeutende Zahlen wachsen: im ThEv. werden im Gleichnis vom großen Abendmahl vier Geladene vorgeführt, die absagen (64); das gute Land im Gleichnis vom Sämann bringt 60- und 120 fältige Frucht (9).

Gleichnis vom großen Abendmahl bei Matthäus erfahren hat. Während bei Lk. (14,16) und im ThEv. (64) der Gastgeber ein Privatmann ist, ist er bei Mt. (22,2) ein König, was aber schlecht zum Gang der Erzählung paßt (s. S. 176); wir werden den „König" um so eher auf die Rechnung der Überlieferung setzen dürfen, als auch in der rabbinischen Literatur die Verwandlung von alltäglichen Gleichnissen in Königsgleichnisse begegnet (S. 102 A. 2; 137f.) — echt orientalisch[1]. In der Thomas-Fassung desselben Gleichnisses schließlich werden die Entschuldigungen bunter ausgemalt als bei Matthäus und Lukas und die ländlichen mit städtischen Verhältnissen vertauscht[2]. Ein Beispiel für Ausschmückungen bietet auch die vom ThEv. gebotene Fassung des Gleichnisses vom Säemann (9): „Jesus sagte: Siehe, der Säemann zog aus. Er füllte seine Hand und warf (den Samen aus). Einige (Samenkörner) fielen auf den Weg; da kamen die Vögel und lasen sie auf. Andere fielen auf den Felsen und sandten keine Wurzeln hinunter in die Erde und schickten keine Ähren hinauf zum Himmel. Und andere fielen auf die Dornen; die erstickten den Samen und der Wurm fraß sie. Und andere fielen auf das gute Land und es brachte gute Frucht empor zum Himmel. Es trug sechzig je Maß und hundertzwanzig je Maß." Hier geht über die Synoptiker hinaus: die Antithese („sie sandten keine Wurzeln hinunter in die Erde und schickten keine Ähren hinauf zum Himmel"), die Erwähnung des Wurmes und die erhöhte Zahl 120. Gelegentlich sind die Ausschmückungen ziemlich trivial, so, wenn das Bildwort vom Doppeldienst (Mt. 6,24; Lk. 16,13) im ThEv. (47a) lautet: „Es ist nicht möglich, daß ein Mensch zwei Pferde (zugleich) besteigt und zwei Bogen (zugleich) spannt; und es ist nicht möglich, daß ein Knecht zwei Herren dient..."

Zu den Fällen der Ausschmückung haben wir auch die Anwendung stilistischer Hilfsmittel zu rechnen, die die Erzählung lebendig machen sollen. Als Beispiel sei die Einfügung der beiden Worte λέγουσιν αὐτῷ Mt. 21,41 genannt, die bei Markus (12,9) und

---

[1] Im Schalksknechtsgleichnis (Mt. 18, 23—35) begegnet der Titel βασιλεύς nur in der Einleitung (V. 23), während im folgenden nur von einem „Herrn" und seinen Knechten die Rede ist. So möchte man schließen, daß der Königstitel durch die in V. 35 gegebene Deutung des Herrn auf den himmlischen Vater sekundär veranlaßt sei. Doch ist dieser Schluß nicht völlig sicher, weil der Inhalt der Erzählung nur auf einen König paßt (s. S. 208).

[2] Den Text s. u. S. 175f.

Lukas (20,16) fehlen. Durch ihre Einführung wird erreicht, daß die Hörer Jesu sich selbst das Urteil sprechen, ohne es zu merken — ein Zug, der sowohl aus dem AT. (Gleichnis des Propheten Nathan 2.Sam.12,5f.; Gleichnis des Weibes von Thekoa 2.Sam.14,8ff.; Gleichnis des Prophetenjüngers 1.Kön.20,40) als auch aus Jesu Gleichnissen (Mt.21,31; Lk.7,43) bekannt ist[1].

Auch ganz geringfügige Ausschmückungen können Verschiebungen des Akzentes bewirken. Wenn es bei Lukas in der Einleitung des Gleichnisses vom Feigenbaum heißt, daß man den Feigenbaum betrachten soll „und alle Bäume" (Lk.21,29), so ist dieses bei Markus (13,28) und Matthäus (24,32) fehlende „und alle Bäume" natürlich sachlich völlig richtig, es lenkt jedoch den Blick ab von der Eigentümlichkeit des im Winter besonders kahl dastehenden Feigenbaums (s. S. 120), die ihn zum Abbild des Tod-Leben-Mysteriums besonders geeignet macht. Eine Akzentverschiebung infolge Ausschmückung stellt auch Lk.5,36 verglichen mit Mk.2,21 dar. Beide Male geht es um die Ausbesserung eines alten Gewandes, aber die Ausführung des Bildes ist verschieden. Markus sagt: „Niemand näht einen Flicklappen von neuem Tuch auf ein altes Gewand; sonst reißt das Füllsel etwas von ihm ab — das neue von dem alten —, und der Riß wird um so ärger": der Ton liegt auf der Verschlimmerung des Risses, die durch die Reparatur erzielt wird. Lukas sagt: „Niemand schneidet einen Flicken aus einem neuen Gewand heraus und setzt ihn auf ein altes; sonst wird das neue zerschnitten, und der Flicken aus dem neuen Kleid paßt nicht zu dem alten." Hier wird zwar das Bild plastischer durch den hinzukommenden grotesken Zug, daß das neue Kleid zerschnitten wird, aber die Pointe, daß der Riß infolge der Reparatur nur noch größer wird, wird verfehlt.

Indes ist gerade bei unserer Frage große Vorsicht geboten. Es ist nämlich eine Eigentümlichkeit der Gleichnispredigt Jesu, daß seine Gleichnisse zwar aus dem Leben genommen sind, aber in großer Zahl ungewöhnliche Züge aufweisen, die die Aufmerksamkeit der Hörer erregen sollen und auf denen meistens ein besonderer Nachdruck liegt[2]. Es ist kein alltäglicher Vorgang, daß alle Gäste eine Einladung brüsk ausschlagen[3] und daß der Hausherr (bzw. König) die ersten besten von der Straße an seinen Tisch rufen läßt (Mt.22,9; Lk. 14,21—23); daß die den Bräutigam erwartenden Mädchen samt und sonders einschlafen (Mt. 25,5) und daß der Bräutigam den Zuspätkommenden den Zugang zur Hochzeitsfeier verweigert (Mt.

---

[1] M. Meinertz (s. o. S. 19 A. 2), S. 38.

[2] Auf diese Eigentümlichkeit hat besonders I. K. Madsen, Die Parabeln der Evangelien und die heutige Psychologie, Kopenhagen 1936, hingewiesen; ihm folgt M. Brouwer, De Gelijkenissen, Leiden 1946, S. 71—79.

[3] S. dazu S. 177ff.

25,12 vgl. Lk. 13,25); daß ein Gast im schmutzigen Kleid zum Hochzeitsmahl des Königssohnes kommt (Mt. 22,11ff.); daß ein Getreidekorn hundertfältigen Ertrag bringt (Mk. 4,8 vgl. Gen. 26,12)[1]: Solche drastischen Übertreibungen gehören zum orientalischen Erzählungsstil bis auf den heutigen Tag[2], und schon ihre Häufung in den Gleichnissen zeigt, daß Jesus sich ihm mit voller Absicht angeschlossen hat. Sie sollen durch das Überraschungsmoment, das sie enthalten, zeigen, in welche Richtung die Deutung gehen soll. Man kann das besonders deutlich am Schalksknechtsgleichnis sehen. Wenn der „Knecht"[3] die Summe von 10000 Talenten (= 100 Millionen Denare[4]) schuldet (Mt. 18,23f.), so wird die Ungeheuerlichkeit dieser Phantasiesumme deutlich, sobald man vergleicht, daß Galiläa und Peräa im Jahre 4 v.Chr. jährlich 200 Talente an Steuern aufbrachten (Josephus, Ant. 17, 318), d.h. den 50. Teil jener Summe! Aber gerade die Riesensumme wird Absicht sein: dem Hörer soll durch „shock tactics"[5] eingeprägt werden, daß kein Mensch Gott seine Schuld bezahlen kann; zugleich soll der Gegensatz zu der kleinen Schuld des Mitknechtes von 100 Denaren besonders scharf heraustreten. Das heißt: es geht keineswegs an, alle ungewöhnlichen Züge in den Gleichnissen in Bausch und Bogen Jesus abzusprechen; vielmehr kann das Hereinschlagen der Deutung in das Gleichnis durchaus ursprünglich sein. Richtig ist jedoch, wie der Vergleich der Parallelüberlieferungen zeigt, daß in vielen Fällen Gleichnisse ausgeschmückt worden sind und die schlichtere Fassung das Ursprüngliche bietet.

### 4. Einwirkung des Alten Testaments und volkstümlicher Erzählungsmotive

An einigen Stellen wird in den Gleichnissen auf Schriftworte Bezug genommen (Mk. 4,29.32; 12,1.9a.10f. mit Parallelen; Mt. 25,31.46 vgl. Lk. 13,27.29). Die ohnehin auffällig geringe Zahl

---

[1] S. S. 150 A. 1.

[2] Vgl. auch M. Meinertz, Die Gleichnisse Jesu[4], Münster 1948, S. 46 A. 6: „Man könnte auch darauf hinweisen, daß in den orientalischen Erzählungen der Begriff der Wahrscheinlichkeit — ganz abgesehen von wunderbaren Vorgängen — nicht sehr hoch gefaßt ist und daß die Zuhörer trotzdem keinen Anstoß daran nehmen."

[3] S. S. 208.          [4] Ebd. A. 4.

[5] J. J. Vincent, The Parables of Jesus as Self-Revelation, in: Studia Evangelica (Texte und Untersuchungen 73), Berlin 1959, S. 80.

der Belege schmilzt zusammen mit der Erkenntnis, daß von den zuletzt genannten vier Belegen aus Matthäus und Lukas mindestens drei, wenn nicht alle vier, sekundär sind[1]. Darüber hinaus müssen aber auch die übrigen fünf Belege angesichts des abweichenden Tatbestandes im ThEv. überprüft werden. Fehlt hier doch im Winzergleichnis (65) ebenso wie Lk. 20,9 die aus Jes. 5,1f. stammende breite Schilderung der Anlage des Weinberges (Mk. 12,1 par. Mt. 21,33) sowie die an Jes. 5,5 anknüpfende Schlußfrage (Mk. 12,9 Par.), und das anschließende Zitat aus Ps. 118,22f. erscheint als selbständiges Logion 66. Da das ThEv., wie Logion 66 zeigt, keine prinzipielle Abneigung gegen Schriftzitate erkennen läßt, und da vor allem Jes. 5,1f.5; Ps. 118,22f. in den Synoptikern nicht nach dem hebräischen, sondern nach dem griechischen Text benutzt bzw. zitiert werden[2], dürften diese Bezugnahmen nicht zum ursprünglichen Überlieferungsbestand gehören. Was das Gleichnis vom Senfkorn anlangt, so lautet der Schluß im ThEv. (20): „...es [das Land] läßt einen großen Sproß aufschießen und er wird zum Schutz für die Vögel des Himmels." Das ist vermutlich lose Anspielung auf Dan. 4,9.18; Ez. 17,23; 31,6; bei Markus (4,32) ist die Bezugnahme auf Ez. 17,23 und Dan. 4,9.18 Th deutlicher, und bei Matthäus (13,32) und Lukas (13,19) ist schließlich daraus ein freies Zitat von Dan. 4,18 Th geworden. Aus Dan. 4,17 stammt auch die der Wirklichkeit widersprechende Bezeichnung der Senfstaude als Baum, die sich nur bei Matthäus und Lukas, nicht dagegen bei Markus und im ThEv. findet. Im Gleichnis vom Sauerteig endlich fehlt die riesige Mengenangabe von 3 Se'a Mehl (Mt. 13,33; Lk. 13,21, s. S. 146) im ThEv. (96); sie dürfte aus Gen. 18,6 MT. stammen. Wir sehen: es herrscht die Tendenz, Bezugnahmen auf die Schrift zu verdeutlichen bzw. neu hinzuzufügen. Damit ist nicht ausgeschlossen, daß schon Jesus gelegentlich in einem Gleichnis auf die Schrift Bezug nahm. Mindestens in zwei Fällen ist das sogar sehr wahrscheinlich: am Schluß des Senfkorngleichnisses (s. o.) und am Schluß des Gleichnisses von der selbstwachsenden Saat (Mk. 4,29 Zit. Joel 4,13, und zwar nach dem hebräischen Text!).

---

[1] Lk. 13,27.29 sind ursprünglich Logien, nicht Bestandteile eines Gleichnisses, s. S. 94f. Der Schriftbezug in Mt. 25,31 ist redaktionell (s. S. 204); das könnte auch für 25,46 gelten (s. S. 83 A. 3).

[2] S. S. 68. 71.

Neben solchen Bezugnahmen auf die Schrift sind gelegentlich Motive volkstümlicher Erzählungen in die Gleichnisse eingedrungen. Wir werden wiederholt sehen, daß bereits Jesus selbst solche Motive aufgenommen hat. Aber wiederholt läßt sich zeigen, daß sie sekundär sind.

Die Thomas-Fassung des Gleichnisses vom Schatz im Acker (109) ist völlig verwildert. Sie berichtet von einem Mann, der einen Acker kaufte und nachträglich in seinem Besitztum zufällig einen Schatz fand, der ihn zum reichen Mann machte. Das hat mit der (sicher ursprünglichen) Mt.-Fassung so gut wie nichts mehr gemein. Dagegen entspricht die neue Fassung genau einer rabbinischen Erzählung[1]:

| ThEv. 109 | Midhr. Hohesl. zu 4,12 |
|---|---|
| „Das Königreich gleicht einem Menschen, der auf seinem Acker einen verborgenen Schatz hat, von dem er nichts weiß. Und nachdem er gestorben war, hinterließ er ihn seinem Sohn. | „Es verhält sich damit (scil. mit dem Schriftwort Hohesl. 4,12) wie mit einem Mann, der als Erbe einen Ort voller Unrat erbte. |
| (Auch) der Sohn wußte nichts (davon). Er nahm jenen Acker und verkaufte ihn. | Der Erbe war faul und verkaufte ihn für eine lächerliche Kleinigkeit. |
| Und der Käufer kam zu pflügen und fand den Schatz. | Der Käufer grub ihn mit großem Eifer um und fand in ihm einen Schatz. |
| Er begann, Geld auf Zinsen zu leihen, denen er wollte." | Er baute davon einen großen Palast und zog durch den Basar mit einem Gefolge von Sklaven, die er von jenem Schatz gekauft hatte. |
| | Als der Verkäufer das sah, hätte er sich am liebsten erhängt (vor Ärger)." |

---

[1] Zuerst gesehen von L. Cerfaux, Les paraboles du Royaume dans l'»Evangile de Thomas«, in: Le Muséon 70 (1957), S. 314.

Während bei Matthäus das Gleichnis vom Schatz im Acker schildert, wie die große Freude einen Menschen überwältigt (s. S. 199), ist im ThEv. unter dem Einfluß der rabbinischen Erzählung die Pointe völlig verschoben: das Gleichnis schildert jetzt den Ärger über eine unwiderruflich verpaßte Gelegenheit.

Der zweite Fall, in dem ein volkstümliches Erzählungsmotiv sekundär in ein Gleichnis eingedrungen ist, findet sich bei Matthäus. Er hat in das Gleichnis vom großen Abendmahl die Schilderung einer Strafexpedition eingefügt: der über die Mißhandlung und Tötung seiner Knechte empörte König schickt seine Leibwache[1] aus mit dem Auftrag, die Mörder zu töten und ihre Stadt in Brand zu setzen (Mt. 22,7). Diese den Zusammenhang durchbrechende (s. S. 66) und bei Lukas und im ThEv. fehlende Episode verwendet einen aus dem alten Orient stammenden, dem Spätjudentum geläufigen Topos[2], der Mt. 22,7 auf die Zerstörung Jerusalems anspielt.

## 5. Der Wechsel der Hörerschaft

Als Beispiel für den häufigen Vorgang des Wechsels der Hörerschaft wählen wir das Gleichnis von den Arbeitern im Weinberg, Mt. 20,1—16. Wir vergegenwärtigen uns die wichtigsten Deutungen, die dieses Gleichnis erfahren hat, und gehen dabei rückwärts.

a) Die römische (und ihr folgend die lutherische) Kirche predigt dieses Evangelium am Sonntag Septuagesimä[3], am Beginn des Fastens der Kleriker[4], d.h. am Beginn der Bußzeit vor der Passion. Als Epistel stellt sie daneben 1. Kor. 9,24—27, den Aufruf zum Lauf in den Schranken. Was predigt die Kirche am Anfang der Bußzeit? Antwort: den Ruf in den Weinberg Gottes. Dabei wird seit alters allegorisiert: schon seit Irenaeus[5] werden die Stunden des

---

[1] S. S. 66 A. 1.

[2] K. H. Rengstorf, Die Stadt der Mörder (Mt. 22,7), in: Judentum, Urchristentum, Kirche (BZNW. 26), Berlin 1960, S. 106—129 hat das Material umfassend zusammengestellt.

[3] Schon vor Einführung der Septuagesima in Rom im 6./7. Jhdt. haftete unsere Perikope an diesem Sonntag, sie gehört also ursprünglich zum Zyklus der Epiphanias-Sonntage, vgl. J. Dupont, La parabole des ouvriers de la vigne (Matthieu, XX, 1—16), in: Nouvelle Revue Théologique 79 (1957), S. 786f.

[4] Das Fasten der Gemeinde beginnt erst Aschermittwoch.

[5] Adv. haer. IV 36,7 (ed. A. Stieren, 1853, I S. 690f.); Origenes, Mt.-Erklärung, Tom. XV 32 (Klostermann, S. 446f.).

fünffachen Rufes auf die Heilsgeschichte von Adam an verteilt, seit Origenes[1] auf die Lebensalter, in denen die verschiedenen Menschen Christen werden. Oft werden auch beide Deutungen, auf die Zeitalter und auf die Lebensalter, miteinander verbunden. Aber auch ganz abgesehen von diesen Allegorisierungen trifft die Deutung des Gleichnisses auf den Ruf in Gottes Weinberg nicht den Sinn. Denn sie verfehlt den Schluß des Gleichnisses (V. 8ff). Dieser Schluß zeigt, daß der Ton nicht auf dem Ruf in den Weinberg liegt, sondern auf der Lohnauszahlung am Abend.

b) Wir gehen zeitlich zurück. Alle Handschriften des Neuen Testamentes mit Ausnahme von א BLZ 085 sa bo lesen als Schlußsatz des Gleichnisses V. 16b: πολλοὶ γάρ εἰσιν κλητοί, ὀλίγοι δὲ ἐκλεκτοί. Wieso belegt das Gleichnis die Wahrheit, daß Viele[2] berufen, nur Wenige auserwählt sind, d.h. daß die Zahl derer klein ist, die das Heil erlangen? Die am frühen Morgen Gerufenen, die Ersten, sind hier als warnendes Beispiel gefaßt. Sie waren berufen. Aber weil sie murren, weil sie auf ihr Verdienst pochen, weil sie sich gegen Gottes Entscheidung auflehnen, weil sie (so deutet man dann gern)[3] Gottes Gabe zurückweisen, bringen sie sich um das Heil. Ὕπαγε (V. 14) wird ihnen zugerufen! Hier ist also das Gleichnis als Gerichtsgleichnis verstanden. Verscherze das Heil nicht durch Murren, durch Selbstgerechtigkeit, durch Auflehnung! Indes, auch diese Deutung verfehlt den Sinn des Gleichnisses. Die Ersten erhalten ja — nicht die Verdammnis, sondern den vereinbarten Lohn! V. 16b fehlt denn auch nicht zufällig in den alten ägyptischen Handschriften und Übersetzungen (s. o.). Wir haben einen der häufigen generalisierenden Schlußsätze vor uns, in unserem Falle aus Mt. 22,14 stammend und spätestens im zweiten Jahrhundert angefügt.

c) Gehen wir weiter zurück, so kommen wir zum Evangelisten Matthäus selbst. Er fügt das von „Ersten" (Mt. 20,8.10) und „Letzten" (20,8.12.14) berichtende Gleichnis dem Markus-Zusammenhang ein, um die Gnome Mk. 10,31 (par. Mt. 19,30) πολλοὶ δὲ ἔσονται πρῶτοι ἔσχατοι καὶ οἱ ἔσχατοι πρῶτοι zu illustrieren, mit der

---

[1] Origenes, ebd. Tom. XV 36 (Klostermann, S. 456f.).

[2] Πολλοί hat hier inkludierenden Sinn (sachlich = „Alle"), vgl. 4. Esr. 8,3: *multi quidem creati sunt, pauci autem salvabuntur* (J. Jeremias in: ZNW. 42 [1949], S. 193 A. 64 und Art. πολλοί in: ThWBNT. VI, S. 539. 542).

[3] Z.B. G. de Raucourt, Les ouvriers de la onzième heure, in: Rech. de sc. rel. 15 (1925), S. 492ff.

bei Markus das vorangehende Petrusgespräch schließt. Denn dieselbe Gnome, nur mit Voranstellung der Letzten, bildet den Schluß des Gleichnisses (Mt. 20,16); außerdem wird zweifach, mit γάρ (20,1) und mit οὕτως (20,16), ausdrücklich auf 19,30 Bezug genommen[1]. Im Markus-Kontext spricht dieser Satz davon, daß im kommenden Aeon alle irdischen Rangordnungen umgekehrt werden, wobei nicht sicher zu sagen ist, ob das als Bekräftigung der den Jüngern im Vorhergehenden gegebenen Verheißungen gemeint ist oder als Warnung der Jünger vor Überheblichkeit. Im einen wie im anderen Falle gilt: Matthäus fand in unserem Gleichnis die Umkehrung der Rangordnung am jüngsten Tage veranschaulicht. Er wird dabei an die Weisung gedacht haben, die der Verwalter des Gleichnisses in V. 8b erhält:

κάλεσον τοὺς ἐργάτας καὶ ἀπόδος τὸν μισθόν,
ἀρξάμενος ἀπὸ τῶν ἐσχάτων ἕως τῶν πρώτων.

Die Letzten werden Erste, bei ihnen beginnt die Lohnzahlung! Man wird gegen dieses Verständnis des Gleichnisses, daß es veranschaulichen wolle, wie am jüngsten Tage Erste zu Letzten und Letzte zu Ersten werden, nicht einwenden dürfen, daß es doch nicht nur von zwei, sondern von fünf Gruppen rede; denn von V. 8 ab treten nur noch die zuerst und zuletzt gemieteten Arbeiter in Erscheinung, die drei Zwischengruppen sind vergessen; sie waren nur zur Veranschaulichung des Vorganges der Einstellung der Arbeiter, insbesondere wohl auch des drängenden Bedarfs an Arbeitskräften, erwähnt. Wohl aber wird man gegen die Auffassung, daß das Gleichnis die Umkehrung der Rangordnung am jüngsten Tage illustrieren wolle, einen anderen Einwand erheben müssen. Sie beruht, wie gesagt, auf V. 8b: ἀρξάμενος ἀπὸ τῶν ἐσχάτων ἕως τῶν πρώτων. Das ist nun aber innerhalb des Gleichnisses offensichtlich ein ganz unbetonter Zug. An der Reihenfolge bei der Auszahlung kann ja doch nicht viel liegen; zwei Minuten früher oder später — das ist kaum eine Bevorzugung oder Benachteiligung[2]. In der Tat beschwert sich später keiner über die Reihenfolge. Der Nebenzug soll offenbar die Gleichstellung der Letzten

---

[1] Οὕτως fehlt Mk. 10,31; Mt. 19,30; Lk. 13,30. Es wird von Matthäus angefügt sein, da οὕτως ἔσονται Spracheigentümlichkeit des Matthäus ist (s. S. 82 A. 11).

[2] Jülicher II, S. 462.

betonen; vielleicht will er auch lediglich verdeutlichen, wieso „die Ersten Zeugen der ... Entlohnung ihrer Kameraden wurden"[1]. Möglicherweise liegt es noch einfacher: ἀρξάμενος ἀπό könnte, wie öfter, die Bedeutung „nicht ausgenommen", „einschließlich" haben[2], so daß in V. 8 ursprünglich von der Reihenfolge bei der Lohnauszahlung überhaupt nicht die Rede wäre, vielmehr der Sinn wäre: „Zahle allen den (Tages-)Lohn mit Einschluß der Letzten." Jedenfalls: eine Belehrung über die Umkehrung der Rangordnung am Ende will das Gleichnis ganz sicher nicht geben — alle erhalten ja genau den gleichen Lohn.

d) Nun ist aber der jetzige Matthäus-Kontext nicht ursprünglich, wie Markus zeigt. Wir haben also, hinter Matthäus zurückgehend, das Gleichnis ohne Rücksicht auf den Kontext zu betrachten. Da könnte der Schlußsatz V. 16 einen ganz anderen Sinn haben, als ihn der jetzige Matthäus-Zusammenhang erfordert. Der Seher des 4. Esra-Buches ist durch die Frage beunruhigt, ob die früheren Geschlechter gegenüber denen, die das Ende erleben, nicht benachteiligt seien, und erhält die Antwort: „Er sprach zu mir: Ich mache mein Gericht einem Reigen[3] gleich: die Letzten sind darin nicht zurück, die Ersten nicht voran" (4. Esr. 5,42)[4]. Erste und Letzte, Letzte und Erste — kein Unterschied, alle sind gleich. Dieses Verständnis des Gleichnisses ist heute das herrschende: es gilt als eine Belehrung über die Gleichheit des Lohnes in der Königsherrschaft Gottes. Wenn man gern hinzufügt: eine Belehrung darüber, daß aller Lohn Gnadenlohn sei, so ist das nicht zutreffend; denn die Ersten erhalten, mit Paulus zu reden, den Lohn κατὰ

---

[1] Ebd.

[2] F. Passow, Handbuch der griechischen Sprache⁵, Leipzig 1841, I S. 409a; H. G. Liddell-R. Scott, A Greek-English Lexicon, New Edition, Oxford 1925, I S. 254a. Im NT. dürfte diese Bedeutung noch [Joh.] 8,9, vielleicht auch Lk. 23,5 vorliegen. Vgl. Josephus, Ant. 7, 255: ἀπὸ σοῦ καὶ τῶν σῶν ἀρξάμενοι τέκνων „einschließlich Deiner und Deiner Kinder"; 6, 133: ἀρξάμενος ἀπὸ γυναικῶν καὶ νηπίων „samt Frauen und Kleinkindern". Mit μέχρι: Plato Leg. 771 c: alle Zahlen μέχρι τῶν δώδεκα ἀπὸ μιᾶς ἀρξάμενος „von 1 bis 12". (Auch im Deutschen kann „angefangen mit" die Bedeutung „einschließlich" haben ohne Betonung der Reihenfolge.)

[3] Lat.: corona; syr., arab. (ed. Ewald), armen.: Kranz, Krone; aeth.: Ring. Von Violet auf hebr. ḥugh = Kreis zurückgeführt und von Gunkel einleuchtend auf den Reigen gedeutet.

[4] Vgl. auch syr. Bar. 30,2 (von der gleichzeitigen Auferstehung der Gerechten): „Und die Ersten werden sich freuen und die Letzten sich nicht betrüben."

ὀφείλημα, nicht κατὰ χάριν (Röm. 4,4). Aber, auch ganz abgesehen hiervon, die Pointe der Geschichte, das Überraschende für die Hörer ist ganz gewiß nicht: „Gleicher Lohn für alle!", sondern: „So großer Lohn für die Letzten!"[1]

e) Zur Klarheit kommen wir erst, wenn wir von V. 16 (οὕτως ἔσονται οἱ ἔσχατοι πρῶτοι καὶ οἱ πρῶτοι ἔσχατοι) absehen. Dieser Vers ist, wie Mk. 10,31; Lk. 13,30 (vgl. Mk. 9,35[2]) zeigen, ursprünglich ein freies Logion[3], vielleicht sogar von Hause aus ein Sprichwort[4], und unserem Gleichnis als generalisierender Abschluß angefügt worden, der aber seinen Sinn nicht trifft[5]. Wir werden für die Anfügung solcher generalisierenden Abschlüsse noch zahlreiche Analogien kennen lernen[6]. Schloß aber das Gleichnis ursprünglich mit der Frage V. 15, ohne eine Deutung zu bieten, dann drängt sich seine Anstößigkeit auf. Es ist doch eine offenkundige Ungerechtigkeit, die hier erzählt wird. Die zweifache Beschwerde (V. 12 s. S. 137) ist wahrhaftig nur allzu berechtigt. Jeder Hörer mußte die Frage stellen: Warum gibt der Hausherr den seltsamen Befehl, allen den gleichen Lohn auszuzahlen? Warum läßt er insonderheit den Letzten für nur eine Arbeitsstunde den vollen Tageslohn aushändigen? Ist diese Ungerechtigkeit reine Willkür? Ist sie Laune? Gebelaune? Paschalaune? Keineswegs! Denn es handelt sich ja nicht um grenzenlose Freigebigkeit, sondern alle erhalten sie nur die Summe, die für das Fristen des Daseins notwendig ist, das Existenzminimum. Keiner erhält mehr[7]! Selbst wenn die zuletzt Angeworbenen selber daran schuld sind, daß sie — in der Zeit der drängenden Traubenernte! — am späten Nachmittag untätig schwatzend auf dem Markt herumsitzen[8], selbst wenn ihre Entschuldigung, es habe sie niemand gedungen

---

[1] W. Pesch, Der Lohngedanke in der Lehre Jesu (Münchener Theologische Studien I 7), München 1955, S. 11f.

[2] Mk. 9,35 ist eine direkte Parallele zu Mk. 10,31, wenn man das ἔσται futurisch (nicht jussivisch) faßt.

[3] R. Bultmann, Die Geschichte der synoptischen Tradition[3], Göttingen 1958, S. 191.

[4] Sinn etwa: wie leicht ändert sich über Nacht das Geschick; vgl. J. Schniewind in: Das Neue Testament Deutsch 1 zu Mk. 10,31. Das Logion ist alt, wie a) die zweimalige Setzung des bestimmten Artikels trotz generischer Bedeutung und b) der durch Inversion erzielte antithetische Parallelismus zeigen.

[5] R. Bultmann, ebd.      [6] S. S. 110f.

[7] A. T. Cadoux, The Parables of Jesus, New York 1931, S. 101.

[8] S. S. 136.

(V. 7), nichts anderes ist als eine faule Ausrede (wie die des Knechtes Mt. 25,24f.), die ihre echt orientalische Gleichgültigkeit bemänteln soll[1] — sie tun dem Weinbergbesitzer leid. Sie werden so gut wie nichts heimbringen. Der Lohn für eine Arbeitsstunde reicht nicht aus für den Lebensunterhalt ihrer Familie. Ihre Kinder werden hungern müssen, wenn der Vater mit leeren Händen nach Hause kommt. Weil er Mitgefühl mit ihrer Armut hat, darum läßt ihnen der Hausherr den ganzen Tageslohn auszahlen. Das heißt: das Gleichnis schildert nicht einen Akt der Willkür, sondern die Tat eines gütig denkenden Mannes, der großmütig ist und voll Mitempfindens mit den Armen[2]. So handelt Gott, sagt Jesus. So ist Gott! So gütig! Er gibt auch den Zöllnern und Sündern Anteil an Seinem Reich, unverdient; so groß ist Seine Güte. Der ganze Ton liegt auf den Schlußworten: ὅτι ἐγὼ ἀγαθός εἰμι (V. 15)!

Warum erzählt Jesus das Gleichnis? Will er den Armen Gottes Güte preisen? Dann hätte er sich den zweiten Teil des Gleichnisses ersparen können. Auf diesem zweiten Teil liegt nun aber gerade das Schwergewicht. Denn unser Gleichnis ist eines der zweigipfligen Gleichnisse: es schildert zwei Ereignisse: 1. das Mieten der Arbeiter und die großzügige Anweisung für die Lohnauszahlung (V.1—8), 2. die Empörung der Benachteiligten (V. 9—15); bei allen zweigipfligen Gleichnissen aber liegt der Akzent auf dem zweiten Gipfel (s. S. 131 zu Lk.15,11ff.; S. 185 zu Lk.16,19ff.; S. 62f. zu Mt.22,1—14). Warum also dieser zweite Teil, die Episode, wie die anderen Arbeiter empört sind, sich auflehnen, protestieren, und wie ihnen die beschämende Antwort wird: „Bist Du neidisch, weil ich so gütig bin" (V. 15)? Offensichtlich ist das Gleichnis zu Menschen gesagt, die den Murrenden gleichen, die die Frohbotschaft kritisieren, an ihr Anstoß nehmen — etwa zu Pharisäern. Ihnen will Jesus zeigen, wie unberechtigt, wie häßlich, lieblos und unbarmherzig ihre Kritik ist. So ist Gott, sagt er ihnen, so gütig! Und weil Gott so gütig ist, darum bin ich es auch. Er rechtfertigt die Frohbotschaft gegenüber ihren Kritikern[3]! Es ist deutlich, daß wir damit den ursprünglichen historischen Ort wiedergewonnen haben. Wir stehen auf einmal in einer konkreten Situation des Lebens Jesu, vielfach bezeugt in den Evangelien. Immer wieder hören wir von

---

[1] M. Meinertz in: Theol. Revue 46 (1950), Sp. 92.
[2] Dodd, S. 122.     [3] Dodd, S. 123.

der Kritik an Jesu Gemeinschaft mit den Verachteten und Verfemten, hören wir von Menschen, denen das Evangelium ein Skandalon ist. Immer wieder muß Jesus sein Verhalten rechtfertigen, die Frohbotschaft verteidigen. So auch hier: So ist Gott, so sehr gütig, so voll Mitgefühl mit den Armen. So handelt er jetzt durch mich. Wollt ihr Ihn schelten?

Die Urkirche bezieht, wie der Zusammenhang bei Matthäus (die Petrusfrage 19,27) zeigt, das Gleichnis auf Jesu Jünger, wendet es also auf die Gemeinde an. Begreiflich genug! Sie ist in derselben Lage, in der die Kirche von heute ist, wenn sie über die Pharisäergeschichten der Evangelien predigt: sie muß Worte, die zu Gegnern gesprochen sind, auf die Gemeinde anwenden. Damit haben wir eine methodische Einsicht von weittragender Bedeutung gewonnen, ein weiteres Gesetz der Umformung: Die Überlieferung hat eine Veränderung bzw. Einengung des Hörerkreises vorgenommen. Manche Gleichnisse, die ursprünglich zu anderen Hörern gesagt waren, zu den Pharisäern, den Schriftgelehrten, der Menge, bezieht die Urkirche auf die Jünger Jesu.

Aus der großen Zahl ähnlicher Fälle sei noch ein Beispiel genannt: Lk. 15,3—7 par. Mt. 18,12—14. Nach Lukas ist das Gleichnis vom verlorenen Schaf durch die entrüstete Frage der Pharisäer veranlaßt worden: „Warum ($\ddot{o}\tau\iota = \tau\iota\ \ddot{o}\tau\iota$) nimmt dieser Sünder (in seinem Hause) auf und gewährt ihnen Tischgemeinschaft?" (Lk. 15,2), und es schließt bei ihm mit den Worten: „So wird sich Gott (beim Endgericht[1]) mehr freuen über Einen Sünder, der Buße tat, als über 99 anständige Menschen ($\delta\iota\kappa\alpha\iota\omicron\iota$), die keine Buße nötig haben" (15,7). Rechtfertigung der Frohbotschaft gegenüber ihren Kritikern ist also Jesu Anliegen, wenn er im Gleichnis verdeutlicht: wie der Hirt, wenn er seine Herde in den Stall treibt, glücklich ist über das wiedergefundene Schaf, so freut sich Gott über den bußfertigen Sünder. Er freut sich am Vergeben-können. Darum nehme ich die Sünder auf[2].

Bei Matthäus hat das Gleichnis eine ganz andere Hörerschaft. Es ist nicht wie bei Lukas zu Jesu Gegnern, sondern nach Mt. 18,1 zu seinen Jüngern gesagt. Dementsprechend hat der Schlußsatz bei

---

[1] Es wird meist übersehen, daß die Aussage futurisch ist: $\chi\alpha\varrho\grave{\alpha}\ \grave{\epsilon}\nu\ o\mathring{\upsilon}\varrho\alpha\nu\tilde{\wp}$ $\check{\epsilon}\sigma\tau\alpha\iota$!

[2] S. S. 134f.

Matthäus einen anderen Akzent. Er lautet: „So will[1] Gott[2] nicht, daß auch nur[3] einer[4] der[5] Allergeringsten[6] verlorengehe" (18,14). Umrahmt von der Mahnung, keinen der Allergeringsten zu verachten (V. 10), und von der Anweisung über die Handhabung der Zucht gegenüber dem sündigenden Bruder (V. 15—17), besagt der Schlußsatz V. 14: Gott will, daß Ihr dem abgefallenen Bruder — und zwar gerade dem „Kleinen", Schwachen, Hilflosen — so treulich nachgeht wie der Hirte des Gleichnisses dem verirrten Schaf. Das Gleichnis ist also bei Matthäus ein Jüngergleichnis, das die Gemeindeleiter zur Hirtentreue gegenüber den Apostaten[7] aufruft; der Akzent liegt nicht wie bei Lukas auf der Freude des Hirten, sondern auf der Vorbildlichkeit seines Suchens. Aber die große Anweisung für die Führer der Gemeinden Mt. 18 (denn so ist dieses Kapitel gemeint, die übliche Bezeichnung als Gemeindeordnung ist ungenau[8]), in deren Rahmen das Gleichnis bei Matthäus steht, ist eine sekundäre, durchgängig auf Stichwortzusammenhängen aufgebaute Komposition, ein Erweiterungsbau des markinischen Stichwortzusammenhangs Mk. 9, 33—50. Für die Frage nach der ursprünglichen Situation im Leben Jesu, die ihn zur Gestaltung des Gleichnisses vom verlorenen Schaf veranlaßte, gibt uns also der

---

[1] Ἔστιν θέλημα ἔμπροσθεν = (targumisch) ra‘ᵃwa min qᵒdham (z. B. Tg. Jes. 53, 6. 10), vgl. Mt. 11, 26 Par.; 1. Kor. 16, 12.

[2] Doppelte Umschreibung des Gottesnamens: 1. ἔμπροσθεν = die vor Gott stehenden Engel, 2. Euer himmlischer Vater. Man vermeidet es als anthropomorph, von Gott ein Wollen auszusagen.

[3] Es ist eine Eigentümlichkeit des Semitischen, das im Deutschen unentbehrliche „nur" öfter fortzulassen (Beispiel für gehäuftes Vorkommen: das dajjenu-Lied der Päsaḥ-Haggadha): Mt. 5, 18 f. 28. 43. 46; 10, 6; 11, 13; 17, 1; 18, 6. 20. 28; 20, 12; 24, 8; Mk. 1, 8; 9, 2. 41. 42; 10, 5; 13, 8; 14, 51; Lk. 6, 32. 33. 34; 7, 7; 9, 28; 12, 41; 13, 23; 15, 16; 16, 16. 17. 21. 24; 17, 10. 22; Joh. 10, 33; 12, 35 u. ö. Die Zufügung von μόνῳ Mt. 4, 10 und Lk. 4, 8 zu dem Zitat aus Dt. 6, 13 LXX ist daher sachlich korrekt. Wichtig für Röm. 3, 28 (sola fide ist der Sinn); Gal. 5, 6 b!

[4] Das auffällige Neutrum (ἕν) wird sich daraus erklären, daß aram. ḥadh zugrunde liegt, das mit εἷς hätte übersetzt werden müssen; das Neutrum wird durch πρόβατον (18, 12) und αὐτό (18, 13) veranlaßt sein.

[5] Τούτων ist überflüssiges Demonstrativ, das im Deutschen unübersetzt bleibt; vgl. S. 205 zu Mt. 25, 40. Über diesen Semitismus vgl. J. Jeremias, Die Abendmahlsworte Jesu[3], Göttingen 1960, S. 176 A. 1—3.

[6] Das Semitische hat keinen Superlativ; μικροί = ἐλάχιστοι (Mt. 25, 40. 45).

[7] K. Stendahl, The School of St. Matthew and its Use of the Old Testament (Acta Seminarii Neotestamentici Upsaliensis 20), Uppsala 1954, S. 27.

[8] Vgl. ThWBNT. III, S. 751, 29—31.

Matthäus-Kontext keinen Anhalt. Ohne Frage hat Lukas die ursprüngliche Situation bewahrt[1]. Wie so oft geht es Jesus um die Rechtfertigung der Frohbotschaft gegenüber ihren Kritikern: So ist Gott! So freut sich Gott! Darum nehme ich die Sünder auf! Das darf mit um so größerer Zuversicht behauptet werden, als der Matthäus-Schlußsatz (18,14) bei Rückübersetzung in das Aramäische denselben Klang hat wie der Lukas-Schlußsatz (15,7): So freut sich Gott!

In Mt. 18,14 gehört nämlich 1. die Negation sachlich zur zweiten Satzhälfte[2] und hat 2. *raᶜᵃwa* (s. S. 36 A. 1) die Bedeutung „Wohlgefallen"[3]. Der ursprüngliche Sinn von Mt. 18,14 ist also nicht eine negative Aussage: „So will Gott nicht, daß auch nur einer der Allergeringsten verlorengeht", sondern eine positive Feststellung: „So hat Gott Wohlgefallen daran, wenn einer auch nur der Allergeringsten dem Verderben entgeht." Das stimmt inhaltlich genau mit Lk. 15,7a überein, wo ebenfalls positiv gesagt wird: „So wird sich Gott freuen über einen Sünder, der Buße tut".

Wir stoßen also auf denselben Vorgang wie bei Mt. 20,1—16: ein ursprünglich an die Gegner Jesu gerichtetes Gleichnis (Lukas) ist zum Jüngergleichnis geworden (Matthäus). Der Wechsel des Auditoriums hat eine Verschiebung des Akzentes nach sich gezogen: ein apologetisches Gleichnis ist zum paränetischen geworden.

Daß in der Tat die Hörerangaben, die ja zum Rahmen der Gleichnisse gehören und darum freierer Gestaltung zugänglich waren als die Gleichnisse selbst, besonderer Prüfung bedürfen, bestätigt sich angesichts der Beobachtung, daß die Evangelien sich in diesen Angaben gelegentlich widersprechen. Zwar wird man die Differenz nicht überbetonen dürfen, wenn Markus das Beelzebulgleichnis zu Schriftgelehrten (3,22), Matthäus zu Pharisäern (12,24), Lukas zur Menge (11,14) gesprochen sein läßt. Oder wenn Markus als Adressaten des Winzergleichnisses die Oberpriester, Schriftgelehrten und Ältesten (11,27), Matthäus die Oberpriester und Ältesten (21,23) bzw. die Oberpriester und Pharisäer (21,45), Lukas dagegen das Volk (20,9) bzw. die Schriftgelehrten und Oberpriester (20,19) nennt. Schwerer wiegt es schon, wenn das Wort von den blinden Blindenführern bei Matthäus (15,14) als Scheltwort auf die Pharisäer gemünzt ist, bei

---

[1] Man beachte, daß auch das joh. Hirtengleichnis — was meist übersehen wird — zu den Gegnern gesprochen ist (Joh. 10,6 vgl. 9,40; 10,19ff.).

[2] P. Joüon, L'Évangile de Notre-Seigneur Jésus-Christ, Paris 1930, S. 114f.

[3] T. W. Manson, The Sayings of Jesus, London 1950, S. 208 (im folgenden zitiert: T. W. Manson, Sayings). *Raᶜᵃwa* kann 1. Wille, 2. Wohlgefallen (= hebr. *raçon*) bedeuten. Die Matthäus-Überlieferung verschob den Sinn etwas durch die Übersetzung ϑέλημα; die richtige Wiedergabe wäre εὐδοκία gewesen.

Lukas (6,39) dagegen eine Warnung an die Hörer ist, nicht zu richten[1]. Wenn aber Matthäus das Gleichnis vom verlorenen Schaf (18,12—14), Markus das Bildwort vom Salz (9,50) zu den Jüngern, Lukas dagegen das erste zu den Gegnern Jesu (15,2), das zweite zur Menge (14,25) gesprochen sein läßt, dann ist das eine Alternative, die mit Hilfe der Harmonistik kaum zu überbrücken ist. Vollends gilt das, wenn ein und derselbe Evangelist sich selbst widerspricht: so bringt Matthäus das Gleichnis vom Baum und seinen Früchten einmal als Wort an die Menge bzw. die Jünger (7,16—20), das andere Mal als Wort an die Pharisäer (12,33—37); so läßt Lukas das Gleichnis vom Licht auf dem Leuchter 8,16 an die Jünger, 11,33 an die Menge gerichtet sein. Könnte man an diesen Stellen allenfalls noch versuchen, sich mit der Annahme zu helfen, daß Jesus diese Gleichnisse zweimal und jeweils zu verschiedenen Hörern gesagt habe, so versagt diese Auskunft, wenn Markus die 4,21—32 berichteten Gleichnisse[2] nach 4,10 zu dem engeren Kreis „derer um ihn samt den Zwölfen" (Mt. 13,10: zu den Jüngern), dagegen nach 4,33—34 (par. Mt. 13,34f.) zur Menge gesprochen sein läßt.

Die Einzelnachprüfung (die wir für zwei Gleichnisse S. 29—37 durchführten) zeigt, daß in der Überlieferung des Evangelienstoffes eine starke Neigung am Werke war, Gleichnisse, die Jesus zur Menge oder den Gegnern sprach, zu Jüngergleichnissen zu machen; sie findet sich bei allen drei Evangelisten. Gleichnisse und Bildworte, die erst nachträglich zu Jüngergleichnissen geworden sind, sind z.B. Mk. 9,50a (s. S. 168f.); 13,33ff. (s. S. 50ff.); Mt. 5,25f. (S. 39f.); 6,22f. (S. 162f.); 6,27 (S. 171); 7,3—5 (S. 167); 7,9—11 (S. 143f.); 7,13f. (S. 193 A. 8); 7,16—18 (S. 167); 13,47f. (S. 222ff.); 18,12—14 (S. 35ff.); 20,1ff. (S. 34f.); 24,43f. (S. 45ff.); 24,45ff. (S. 53ff.); 25,1ff.(S. 48ff.); Lk. 6,39 (s. o.); 6,41f. (S. 167); 11,11—13 (S. 143f.); 12,25 (S. 171); 12,35ff. (S. 50ff.). 39f. (S. 45ff.). 41ff. (S. 53ff.); 13,23f. (S. 193 A. 8); 16,1ff. (S. 42ff.); 17,7ff. (S. 192); ThEv. 20. Überblickt man diese Beispiele, so sieht man, daß sich die Tendenz, zur Menge gesprochene Gleichnisse zu Jüngergleichnissen zu machen, in sämtlichen synoptischen Traditionsschichten findet und mithin schon in sehr früher Zeit eingesetzt haben muß[3]. Im

---

[1] Bei beiden Evangelisten ist der Zusammenhang nicht ursprünglich: Mt. 15,12—14 ist Einschub des Matthäus in das Streitgespräch Mk. 7,1—23. Und Lk. 6,39f. ist (vorlukanischer?) Einschub in die Feldrede, wie der Vergleich von Lk. 6,37—42 mit Mt. 7,1—5 zeigt. Das ThEv.(34) überliefert das Logion isoliert und ohne Hörerangabe.

[2] Markus scheint die Logien 4,21—25 in das Gleichniskapitel gestellt zu haben, weil er in ihnen zwei Gleichnisse (von der Lampe V. 21—23 und vom Maß V. 24f.) sah.

[3] T.W. Manson in: Göttg. Gel. Anzeigen 207 (1953), S. 143f. Derselbe Prozeß läßt sich beim Vergleich der Feldrede mit der Bergpredigt beobachten. Die Feldrede ist zu der Lk. 6,17—19 geschilderten Menge gesprochen gedacht, wie 6,24ff. und 7,1 zeigen (6,20a ist Einleitung nur zu den Seligpreisungen 6,20b—23). Matthäus dagegen denkt sich die Jünger als Hörer der Bergpredigt; denn Mt. 5,1a (Ἰδὼν δὲ τοὺς ὄχλους ἀνέβη εἰς τὸ ὄρος) besagt — wie 8,18 (Ἰδὼν δὲ ὁ Ἰησοῦς ὄχλον περὶ αὐτὸν ἐκέλευσεν ἀπελθεῖν εἰς τὸ πέραν) zeigt —, daß

ThEv. ist dann dieser Weg konsequent zu Ende gegangen; hier werden sämtliche berichteten Gleichnisse ohne Ausnahme als Belehrungen für den wahren Gnostiker verstanden[1]. Der umgekehrte Fall, daß ein Jüngergleichnis als Wort an die Menge berichtet wird, läßt sich m.W. nicht nachweisen.

Wir haben also ständig zu fragen: Wer sind die ursprünglichen Hörer? Wie mußte ein Gleichnis verstanden werden, wenn wir es als an die Gegner oder an die Menge gerichtet hören?

### 6. Die Verwendung der Gleichnisse für die kirchliche Paränese

Wir sahen soeben beim Gleichnis vom verlorenen Schaf, daß es ursprünglich eine Apologie der Frohbotschaft gegenüber Jesu Gegnern war, bei Matthäus jedoch, in den Rahmen der großen Ordnung für die Leiter der Gemeinden gestellt, zu einer Mahnung an die Führer der Gemeinden geworden ist, Hirtentreue zu üben. Mit anderen Worten: Das Gleichnis hat die Verbindung mit seinem ursprünglichen historischen Ort verloren und ist ganz in den Dienst der kirchlichen Paränese getreten. Dieser Vorgang hat sich häufig wiederholt.

Das kleine Gleichnis vom Gang zum Richter[2] ist uns bei Matthäus (5,25f.) und Lukas (12,58f.) zwar mit manchen Abweichungen im Wortlaut[3], jedoch inhaltlich in allem wesentlichen übereinstimmend überliefert. Ganz verschieden ist aber der Zusammenhang, in dem es in den beiden Evangelien steht. Bei Matthäus handelt es sich um die erste Antithese der Bergpredigt, die den Haß verbietet (5,21f.). Versöhne Dich vielmehr, mahnt V. 23f., Dein Gottesdienst ist sonst Lüge; erst wenn Du Dich versöhnt hast, wird Gott Dein Schuldopfer und Deine Bitte um

---

Jesus sich der Menge entzieht. Wenn dann 7,28 im Widerspruch hierzu doch die Menge als Hörerschaft erscheint, so ist das Einfluß von Mk. 1,22 (vgl. H.-W. Bartsch, Feldrede und Bergpredigt, in: Theol. Zeitschr. 16 [1960], S. 6—8). Auch hier beobachten wir also den Vorgang, daß eine Rede, die zunächst als an die Menge gerichtet gedacht war (Lukas), zur Jüngerrede (Matthäus) geworden ist.

[1] H. Montefiore, A Comparison of the Parables of the Gospel According to Thomas and of the Synoptic Gospels, in: NTS. 7 (1960/61), S. 229f.

[2] Vgl. Dodd, S. 136—139.

[3] Sie sind vor allem dadurch bedingt, daß Matthäus das jüdische (ὑπηρέτης), Lukas das römische (ἄρχων, πράκτωρ) Gerichtsverfahren vor Augen hat (s. S. 22 A. 2, doch vgl. S. 179).

Vergebung annehmen[1]. Wie aber, wenn es schon zum Rechtsstreit gekommen ist? Etwa mit einem Gläubiger über die Höhe der Schuldsumme? Dann, so fährt Matthäus mit unserem Gleichnis V. 25f. fort, setze alles daran, Deinen Prozeßgegner zu befriedigen. Gib nach! Tu den ersten Schritt! Tu ihn gleich! Es könnte sonst für Dich gefährlich werden! Wer unversöhnlich auf sein vermeintliches Recht pocht, kann durch das Recht umkommen! Bei Matthäus ist also unser Gleichnis als eine Weisung für die Lebensführung aufgefaßt, wobei sich nicht leugnen läßt, daß die Motivierung dieser Weisung gefährlich alltäglich klingt.

Ganz anders der Kontext, in dem unser Gleichnis bei Lukas steht! Hier gehen (von 12,35 an) lauter Worte voran, die von der bevorstehenden Krisis und den Zeichen der Zeit reden. Mit harten Worten wirft Jesus der Menge vor, daß sie den Ernst der Stunde nicht versteht (12,56f.). In diesem Zusammenhang hat das Gleichnis vom Schuldner einen anderen Akzent als bei Matthäus. Der ganze Ton liegt bei Lukas auf der Bedrohlichkeit der Lage des Verklagten. In aller Kürze stehst Du vor dem Richter. Verurteilung und Gefängnis drohen. Jeden Augenblick kannst Du verhaftet werden! Noch bist Du frei! Handle sofort! Bring Deine Sache ins reine, solange es noch geht! Es kann kein Zweifel darüber bestehen, daß Lukas recht hat: wir haben ein eschatologisches Gleichnis vor uns, ein Krisisgleichnis. Die Krisis steht vor der Tür, die letzte Krisis der Geschichte. Nutzt die letzte Frist, ehe es zu spät ist!

Die Abweichungen der beiden Evangelisten lassen eine charakteristische Verschiebung des Akzentes erkennen, nämlich eine Verschiebung vom Eschatologischen auf das Paränetische[2]. Während bei Lukas das Augenmerk auf das eschatologische Handeln Gottes gelenkt wird, ruht es bei Matthäus auf dem Verhalten des Jüngers. Jesus stand in Erwartung der großen Katastrophe, des endzeitlichen πειρασμός (Mk.14,38), der letzten Krisis der Geschichte, die

---

[1] Zu diesem Verständnis von Mt. 5,23f. vgl. ZNW. 36 (1937), S. 150—154. Eine Abwertung des Kultus (Versöhnung ist wichtiger als Opfer) liegt dem Worte fern, es will ihn im Gegenteil ganz ernst nehmen (Versöhnung ist Voraussetzung für die Annahme des Opfers).

[2] Die impulsive (s. S. 180) imperativische Fassung des Gleichnisses leistete dieser Akzentverschiebung Vorschub (vgl. R. Bultmann, Die Geschichte der synoptischen Tradition[3], Göttingen 1958, S. 197).

sein Tod einleiten würde[1]. Die Urkirche sah sich, je länger je mehr, in der Mitte zwischen zwei Krisen, von denen eine der Vergangenheit, eine der Zukunft angehörte. In dieser Lage zwischen Kreuz und Parusie fragt die Kirche nach Weisungen Jesu und findet sie unter anderem so, daß sie Gleichnissen Jesu, die die Menge angesichts des Ernstes der Stunde wachrütteln wollen, Anweisungen für die Lebensführung der Gemeinde entnimmt, indem sie den Akzent vom Eschatologischen auf das Paränetische verschiebt[2]. Dabei wird jedoch der eschatologische Gehalt des Wortes Jesu keineswegs, wie Mt. 18,34 zeigt, völlig eliminiert, sondern an der Forderung zur Versöhnlichkeit „konkretisiert"[3].

Das Gleichnis vom großen Abendmahl schließt im ThEv. 64 mit dem Satz: „Die Käufer und die Kaufleute werden nicht in die Orte meines Vaters eingehen." Auch wenn dabei zunächst an die im Gleichnis geschilderten wohlhabenden Männer gedacht ist, die die Einladung ablehnen, so enthält doch die generalisierende Formulierung einen scharfen Angriff auf die Reichen im allgemeinen. Dieser sozialkritische Akzent hat insofern eine Entsprechung bei Lukas, als dieser das Gleichnis (14,16—24) auf die Ermahnung, nicht die Angesehenen und Reichen, sondern die Armen, Krüppel, Lahmen, Blinden einzuladen (14,12—14), folgen läßt. Durch die Wiederkehr dieser Aufzählung in 14,21 gibt er zu erkennen, daß er das Gleichnis als paränetische Beispielerzählung zu 14,12—14 aufgefaßt hat: so sollt Ihr es halten, wie der Hausherr im Gleichnis, der in vorbildlicher Weise die Armen, Krüppel, Blinden und Lahmen an seinen Tisch rief! Das ist aber sicher nicht die ursprüngliche Absicht des Gleichnisses, mit dem vielmehr Jesus — wie wir noch sehen werden[4] — die Verkündigung der Frohbotschaft an die Armen gegenüber seinen Kritikern rechtfertigt: Weil Ihr das Heil abweist, beruft Gott die Verachteten zum Gottesvolk der Heilszeit. Aus apologetischer Verkündigung ist bei Lukas eine zur Nachahmung auffordernde Erzählung geworden. Wieder ist der Akzent vom Eschatologischen zum Paränetischen gewandert.

---

[1] Dodd, S. 67ff.; J. Jeremias, Eine neue Schau der Zukunftsaussagen Jesu, in: Theol. Blätter 20 (1941), Sp. 216—222.

[2] Dodd, S. 134f. Dodd bezeichnet S. 135 unter I diese Akzentverschiebung als das „homiletische" oder „paränetische" Motiv.

[3] Diese Formulierung schlug A. Vögtle-Freiburg vor, s. S. 45 A. 1.

[4] S. 175ff.

Ein besonders typisches Beispiel für diese Akzentverschiebung, für die uns noch zahlreiche Belege begegnen werden, haben wir im Gleichnis vom betrügerischen Haushalter (Lk. 16,1 ff.) vor uns, das ein mehrfaches Wachstum erfahren hat — begreiflich genug! Es ist bekanntlich umstritten, wer in V. 8 (καὶ ἐπῄνεσεν ὁ κύριος τὸν οἰκονόμον τῆς ἀδικίας) mit dem κύριος gemeint ist. Der Subjektswechsel am Anfang von V. 9 (καὶ ἐγὼ ὑμῖν λέγω) scheint zu dem Schluß zu zwingen, daß der Herr des Gleichnisses gemeint sei. Das dürfte in der Tat die Auffassung bereits der Lukas vorliegenden Überlieferung sein, zu deren Eigentümlichkeiten ὑμῖν λέγω (mit Voranstellung des ὑμῖν) zählt[1]. Nach dieser Auffassung bringt V. 9 die Pointe des Gleichnisses: während der ungerechte Haushalter Schulden erläßt, damit die Schuldner „ihn in ihre Häuser aufnehmen" (V. 4), sollen Jesu Jünger den ungerechten Mammon dazu verwenden, daß die Engel[2] sie „in die ewigen Hütten aufnehmen". Aber es erheben sich Zweifel, ob damit der ursprüngliche Sinn des Gleichnisses getroffen ist. Denn die Deutung des κύριος in V. 8 auf den Herrn des Gleichnisses ist schwer verständlich: wie soll dieser seinen betrügerischen Verwalter gelobt haben! Es kommt hinzu, daß absolut gebrauchtes ὁ κύριος im Lukasevangelium an einigen Stellen Gott, sonst (außer 12, 37. 42 b; 14, 23) stets (18 mal) Jesus bezeichnet. Schließlich spricht die Analogie von 18,6 dafür, daß der κύριος Jesus ist; denn hier wird mit εἶπεν δὲ ὁ κύριος eindeutig das Urteil Jesu an ein Gleichnis angefügt (wobei ebenfalls die Hauptgestalt des Gleichnisses[3] mit dem gen. qual. τῆς ἀδικίας bedacht wird), und trotzdem folgt auch hier in 18,8 ein λέγω ὑμῖν Jesu. War aber mit dem κύριος in 16,8 ursprünglich Jesus gemeint, dann haben wir zwischen V. 8 und 9 eine Naht vor uns; sie erklärt sich daraus, daß an das Gleichnis mehrere Sprüche (V. 9—13) angefügt worden sind, die durch das Stichwort μαμωνᾶς (V. 9.11.13) regiert werden.

Von dieser Erkenntnis aus ergibt sich die folgende Analyse des Abschnittes Lk.16,1—13: 1. Das Gleichnis (V. 1—7) schildert einen verbrecherischen Menschen, dem das Messer an der Kehle sitzt und der sich in dieser Lage skrupellos, aber entschlossen die Zukunft sichert. V. 8a bringt die Anwendung Jesu: er „lobte den betrügerischen Verwalter, weil er klug gehandelt hatte". Das kluge, entschlossene Handeln des Mannes angesichts der bevor-

---

[1] Ὑμῖν λέγω: Lk. 6, 27; 11,9; 12,22 v. l.; 16,9.  [2] S. S. 43 A. 3.
[3] Das ist der Richter, nicht die Witwe, s. S. 156.

42

stehenden Katastrophe soll Jesu Hörern Vorbild sein[1]. (V. 8b will dieses befremdliche Lob Jesu erklären: es beschränkt sich, so wird richtig gesagt, auf die Klugheit der Weltkinder untereinander[2], nicht Gott gegenüber.) 2. Eine ganz andere Anwendung des Gleichnisses als V. 8a bringt V. 9: „Macht Euch Freunde[3] mit dem ungerechten Mammon, damit, wenn er vergeht[4], Gott[5] Euch in die ewigen Hütten[6] aufnehme." (Das Wort, das durch Stichwortzusammenhang in Verbindung mit dem Gleichnis gekommen ist[7], dürfte ursprünglich zu Zöllnern oder anderen als betrügerisch geltenden Menschen gesagt sein[8].) Auch bei dieser Deutung ist der Haushalter Vorbild — aber nicht für den klugen Entschluß, sich in gefährlicher Lage eine neue Existenz aufzubauen, sondern für kluge Verwendung unrechtmäßig erworbenen Geldes: er benutzt es, um anderen zu helfen. (Wobei zu fragen ist, ob das wirklich in dem Gleichnis steht!) 3. Aber ist der Mann wirklich Vorbild? V. 10—12 (durch die Stichworte ἄδικος [V. 10] und ἄδικος

---

[1] Φρόνιμος ist Mt. 7, 24; 24, 45 = Lk. 12, 42; Mt. 25, 2. 4. 8. 9 der, welcher „die eschatologische Lage der Menschen erfaßt hat" (H. Preisker in: ThLZ. 74 [1949], Sp. 89).

[2] Die Worte εἰς τὴν γενεὰν τὴν ἑαυτῶν sind schon durch die Stellung betont. Das Reflexiv zeigt, daß sie sich auf das Subjekt (οἱ υἱοὶ τοῦ αἰῶνος τούτου) beziehen. — Die Wendung „Lichtkinder" ist jetzt durch die Qumrantexte vielfach belegt und als palästinisch gesichert.

[3] Die „Freunde" sind möglicherweise die Engel, d.h. Gott (dafür könnte V. 9b sprechen, wo die 3. ps. pl. auf die Engel, d.h. umschreibend auf Gott, zielt), wahrscheinlich jedoch die Wohltaten (dafür sprechen Stellen wie P. Abh. 4, 11: „Wer ein Gebot erfüllt, erwirbt sich einen Fürsprecher", Tos. Pea 4, 21: „Woher, daß Almosen und Liebeswerk ein großer Fürsprecher sind?"). Auch im letzteren Fall ist Subjekt zu δέξωνται V. 9b natürlich Gott (nicht die „Freunde"): „erwerbt Euch Fürsprecher, damit Gott Euch aufnehme"; solche Subjektswechsel sind typisch semitisch.

[4] Wahrscheinlich eschatologisch zu verstehen, vgl. Zeph. 1, 18: „Auch ihr Silber und ihr Gold kann sie nicht retten am Zornestage des Herrn."

[5] S. o. A. 3.

[6] Das Wohnen in den Hütten (wie einst in der Wüstenzeit) ist Attribut der eschatologischen Vollendung: Mk. 9, 5; Apg. 15, 16; Apk. 7, 15; 21, 3. Vgl. E. Lohmeyer in: ZNW. 21 (1922), S. 191ff.; H. Bornhäuser, Sukka, Berlin 1935, S. 126—128; H. Riesenfeld, Jésus transfiguré, Kopenhagen 1947, S. 181ff.

[7] V. 4: δέξωνταί με εἰς / V. 9: δέξωνται ὑμᾶς εἰς.

[8] Auf eine solche Hörerschaft läßt die Wendung μαμωνᾶς τῆς ἀδικίας = mamon dišᵉqar (Bill. II, S. 220) = „unrechtmäßig erworbenes Geld", „Geld, an dem Sünde klebt" schließen. Vgl. J. Lightfoot, Opera omnia II, Roterodami 1686, S. 544; A. Merx, Die Evangelien des Markus und Lukas, Berlin 1905, S. 328; G. Schrenk in: ThWBNT. I, S. 157. Der gleiche Schluß auf die Hörerschaft gilt für Lk. 16, 11.

$\mu\alpha\mu\omega\nu\tilde{\alpha}\varsigma$ [V. 11] mit V. 9 verbunden) bringen eine dritte Deutung des Gleichnisses in Gestalt eines antithetisch gegliederten Sprichwortes (V. 10), das von Treue und Untreue im Geringsten handelt und V. 11—12 auf den Mammon und die ewigen Güter angewendet wird. Nicht Vorbild ist der Mann, sagt diese dritte Deutung, sondern abschreckendes Beispiel! E contrario ist das Gleichnis zu verstehen! 4. Ein ad vocem $\mu\alpha\mu\omega\nu\tilde{\alpha}\varsigma$ angefügtes, wie Mt. 6, 24 zeigt, ursprünglich isoliertes Logion (V. 13) schließt den Abschnitt ab mit dem scharfen Kontrast: Gottesdienst — Mammonsdienst und der Forderung der Entscheidung zwischen Gott und Mammon. Zutreffend bemerkt F. C. Grant, daß diese Zusätze sich wie eine kommentierende Auslegung lesen: „like the notes of an early church preacher or teacher, who used the parables for Christian indoctrination and exhortation"[1].

Lediglich von V. 8a hat demnach die Deutung des Gleichnisses auszugehen. Ist das Gleichnis, wie V. 8a besagt, ein Aufruf zu entschlossenem Handeln in bedrohlicher Lage, dann ist es schwerlich zu den Jüngern gesagt, sondern viel eher zu „Unbekehrten"[2], zu Zaudernden, zu Unentschlossenen, zur Menge[3]. Sie soll den Ruf hören: die Krisis steht vor der Tür! Jetzt gilt es mutig, klug, entschlossen zu handeln, alles für das Kommende zu wagen! Die Urkirche wendet das Gleichnis auf die Gemeinde an (Lk. 16,1: $\pi\varrho\grave{o}\varsigma$ $\tauο\grave{v}\varsigma$ $\mu\alpha\vartheta\eta\tau\acute{\alpha}\varsigma$, V. 9: $\acute{v}\mu\tilde{\iota}\nu$)[4] und entnimmt ihm eine Mahnung zur rechten Verwendung des Besitzes und eine Warnung vor Untreue, d.h. sie verschiebt den Akzent vom Eschatologischen auf das Paränetische[5].

Der Schluß wäre jedoch falsch, daß die Urkirche mit der paränetischen Anwendung einen völlig fremden Gedanken in das Gleichnis einträgt. Ihre Paränese liegt implicit in dem ursprünglichen Gleichnis eingeschlossen.

---

[1] A New Book on the Parables, in: Anglican Theological Review 30 (1948), S. 120. Damit ist jedoch keinesfalls gesagt, daß die zugefügten Logien sekundäre Bildungen sein müßten.

[2] B. T. D. Smith, S. 110. Vgl. Dodd, S. 30; H. Preisker in: ThLZ. 74 (1949), Sp. 89.

[3] Vgl. Lk.16,14, wo die Pharisäer als Mithörer des Gleichnisses genannt werden (möglich bleibt freilich die Übersetzung von $\H{\eta}\varkappa ο vο v$ mit „es kam ihnen zu Ohren").

[4] In Lk. 16,1 ist $\H{\varepsilon}\lambda\varepsilon\gamma\varepsilon\nu$ $\delta\grave{\varepsilon}$ $\varkappa\alpha\grave{\iota}$ $\pi\varrho\acute{o}\varsigma$ lukanischer Sprachgebrauch, in V. 9 $\acute{v}\mu\tilde{\iota}\nu$ $\lambda\acute{\varepsilon}\gamma\omega$ (mit Voranstellung von $\acute{v}\mu\tilde{\iota}\nu$) Eigentümlichkeit der lukanischen Quelle, s. S. 42.

[5] Ein ganz ähnlicher Fall liegt Lk. 12,21 vor, s. S. 105f.

Denn Jesu Ruf: „Handle entschlossen, fang neu an!" umschließt das Gebenkönnen von V. 9, die Treue von V. 10—12, die Absage an den Mammon von V. 13; es wird also nur konkretisiert[1]. Ebenso wäre der Schluß falsch, daß die Urkirche das Gleichnis völlig ent-eschatologisiert hätte. Denn die eschatologische Situation der Kirche gibt ihrer Paränese erst den Ernst. Weder um Zutat noch um Abstrich handelt es sich, sondern um eine Verlagerung des Tones im Zusammenhang mit einem Wechsel der Hörerschaft.

## 7. Die Einwirkung der Lage der Kirche

### a) Die Verzögerung der Parusie

Die Beobachtung, daß die Urkirche die Gleichnisse auf ihre konkrete Lage bezieht und dadurch Akzentverschiebungen bewirkt, ist, wie Dodd erkannt hat[2], von grundlegender Bedeutung für das Verständnis von fünf „Parusie"gleichnissen. Wir betrachten zunächst das kleine Gleichnis vom nächtlichen Einbrecher (Mt. 24, 43 f.[3]; Lk. 12, 39 f.). „Das aber wißt: wenn der Hausherr gewußt hätte, in welcher Nachtwache (Lk.: zu welchem Zeitpunkt[4]) der Einbrecher kommen würde, hätte er (Mt.+gewacht und) den Einbruch in sein Haus verhindert[5]. Seid[6] auch Ihr bereit, denn der Menschensohn wird in einem Augenblick[4] kommen, in dem Ihr es nicht erwartet." Das Gleichnis ist in sich klar: Jesus knüpft, wie die Aoriste (Lk.: ἀφῆκεν, Mt.: ἐγρηγόρησεν, εἴασεν) mit Sicherheit zeigen, an ein konkretes Ereignis an[7], nämlich an einen unlängst erfolgten Einbruch, von dem das ganze

---

[1] A. Vögtle, Das Gleichnis vom ungetreuen Verwalter, in: Oberrhein. Pastoralbl. 53 (1952), S. 14 f. des Sonder-Abdrucks.

[2] Vgl. zum Folgenden: Dodd, S. 154—174.

[3] Der bei Lukas fehlende V. 42 gehört von Hause aus zum Gleichnis vom Türhüter, vgl. Mk. 13, 35.

[4] Ὥρα = aram. šaʿatha = Zeitpunkt, Augenblick vgl. Mt. 26, 45; Mk. 14, 41; 1. Kor. 4, 11; Gal. 2, 5.

[5] Zu οὐκ ἂν εἴασεν διορυχθῆναι τὴν οἰκίαν αὐτοῦ Mt. 24, 43 bzw. οὐκ ἂν ἀφῆκεν διορυχθῆναι τὸν οἶκον αὐτοῦ Lk. 12, 39 ist zu beachten: 1. οὐκ ἐᾶν = οὐκ ἀφιέναι (Übersetzungsvariante) = verhindern; 2. διορύσσειν (durchgraben) darf nicht zu der Annahme verführen, der Dieb habe, aus abergläubischen Motiven die Tür vermeidend (T. W. Manson, Sayings, S. 117), die Hausmauer aufgebrochen. Es liegt vielmehr sklavisch wörtliche Übersetzung von aram. ḥathar vor, das a) durchbrechen, b) einbrechen heißt (Bill. I, S. 967). Auch Mt. 6, 19 ist διορύσσειν mit „einbrechen" zu übersetzen.

[6] Mt. 24, 44 + διὰ τοῦτο (Spracheigentümlichkeit des Matthäus).

[7] Dodd, S. 168 f.

Dorf redet, und benutzt den aufregenden Vorfall, um vor dem drohenden Unheil zu warnen, das er kommen sieht. Hütet Euch, daß Ihr nicht ebenso überrascht werdet wie der Hausherr neulich durch den Einbruch! Befremdlich ist nur die Anwendung auf den wiederkehrenden Menschensohn[1]. Denn wenn vom nächtlichen Einbruch die Rede ist, so handelt es sich um ein unheilvolles, schreckhaftes Ereignis, während doch die Parusie, jedenfalls für Jesu Jünger, der große Freudentag ist. In der Tat fehlt die christologische Anwendung im ThEv. Hier ist das Gleichnis vom nächtlichen Einbrecher in zwei Fassungen überliefert, von denen die in Logion 21b enthaltene Matthäus nahesteht[2], während die als Logion 103 gebotene eine sehr freie Wiedergabe darstellt, die in der Form eines Makarismus gehalten ist und sich teilweise mit Lk. 12,35ff. berührt[3]. Beide Fassungen stimmen darin überein, daß der Vergleich des Einbrechers mit dem wiederkehrenden Menschensohn fehlt. Sehen wir von ihm ab, so hat das Gleichnis seine nächste Parallele im Gleichnis von der Sintflut (Mt. 24,37—39; Lk. 17,26f.)[4] und vom Feuerregen (Lk. 17,28—32). Auch hier knüpft Jesus an — nur unendlich weit zurückliegende — Ereignisse an, die die Menschen ebenfalls unvorbereitet überraschten, um vor dem bevorstehenden Schrecknis zu warnen. Er sieht das Verhängnis kommen, die Katastrophe steht vor der Tür, ja sie ist schon angebrochen mit seinem Kommen — und die Menschen rings um ihn sind so ahnungslos wie der Hausvater, leben dahin wie die Menschen vor der Sintflut und vor dem Feuerregen, als ob nichts wäre. Jesus will sie wachrütteln, ihnen die Augen öffnen für die Bedrohlichkeit ihrer Lage. Schreckliches ist im Anzuge, so unerwartet wie der Einbruch, so furchtbar wie die Sintflut. Rüstet euch, bald ist es zu spät! So werden Jesu Hörer das Gleichnis vom Einbrecher verstanden haben: als Weckruf an die Menge angesichts der bevorstehenden eschatologischen Katastrophe[5].

Die Urkirche bezieht das Gleichnis auf ihre Glieder (Lk. 12,22 πρὸς τοὺς μαθητάς; Mt. 24,3). Ja, Lukas betont ausdrücklich, daß es nur die verantwortlichen Führer der Gemeinden, die Apostel,

---

[1] „Die Anwendung ist m. E. stilwidrig", urteilt auch E. Fuchs, Hermeneutik, Bad Cannstatt 1954, S. 223.

[2] Den Text s. u. S. 86.    [3] S. u. S. 94.

[4] Dodd, S. 169. Auch das zweite Sintflutgleichnis (Mt. 7,24—27; Lk. 6, 47—49) ist zu vergleichen.

[5] Dodd, S. 169f.

im Auge habe; denn die anschließende Petrusfrage: „Sagst Du das Gleichnis nur[1] zu uns oder auch zu allen?" (Lk. 12, 41) wird durch das Gleichnis von dem durch das Ausbleiben seines Herrn auf die Probe gestellten Verwalter (Lk. 12, 42—48) im ersteren Sinne beantwortet — zu Euch ist es gesagt, die Ihr besondere Pflichten habt! So wird jetzt also das Gleichnis zum Weckruf an die Führer der Kirche, angesichts der Verzögerung der Parusie nicht zu erschlaffen, und der Einbrecher mit Hilfe christologischer Allegorisierung zum Bilde für den Menschensohn.

Wir sind in der glücklichen Lage, die Richtigkeit dieser Exegese wahrscheinlich machen zu können. Das Bild vom Dieb wird in der urchristlichen Literatur wiederholt verwendet. Da es der eschatologischen Bildersprache des Spätjudentums fremd ist, ist zu schließen, daß die betreffenden Stellen Jesu Gleichnis aufnehmen[2]. Ein Zweifaches nun ist kennzeichnend für diese Bezugnahmen: 1. Der Dieb ist 1. Thess. 5, 2. 4; 2. Petr. 3, 10 Bild für den plötzlich hereinbrechenden Jüngsten Tag ($\dot{\eta}\mu\acute{\epsilon}\varrho\alpha$ $\kappa\nu\varrho\acute{\iota}o\nu$ 1. Thess. 5, 2; 2. Petr. 3, 10; $\dot{\eta}$ $\dot{\eta}\mu\acute{\epsilon}\varrho\alpha$ 1. Thess. 5, 4). Die nur aus dem Semitischen zu erklärende Artikellosigkeit der Gen.-Verbindung $\dot{\eta}\mu\acute{\epsilon}\varrho\alpha$ $\kappa\nu\varrho\acute{\iota}o\nu$ (1. Thess. 5, 2; 2. Petr. 3, 10) erklärt sich als Anspielung auf den *jom jahwe* des Amos[3]: in der Tat wird an beiden Stellen der wie ein „Dieb" kommende Herrentag als Verhängnis geschildert. Erst in der Apk. wird Christus selbst mit dem Diebe verglichen (Apk. 3, 3; 16, 15). 2. An allen diesen Stellen ohne Ausnahme, besonders deutlich 1. Thess. 5, 4 und Apk. 3, 3, ist die Rede davon, daß der Jüngste Tag für die Ungläubigen und Unbußfertigen wie ein Dieb kommt; die Kinder des Lichtes sind vorbereitet und werden nicht überrascht. Die älteste Exegese bestätigt also, daß Jesu Gleichnis ursprünglich zur Menge gesagt ist und daß der Einbruch ursprünglich Bild für die bevorstehende Katastrophe ist. Von Hause aus ist unser Gleichnis demnach eines der zahlreichen Krisisgleichnisse.

Wir fassen zusammen: das Gleichnis vom Einbrecher wird von der Urkirche auf ihre veränderte Situation bezogen, die durch das Ausbleiben der Parusie gekennzeichnet ist, und erhält dadurch einen etwas anderen Akzent. Zwar bleibt sein eschatologischer Charakter gewahrt. Aber der Weckruf an die Menge wird zur Mahnung an die Gemeinde und ihre Führer; die Ankündigung der bevorstehenden Katastrophe wird zur Weisung für das Verhalten angesichts der sich verzögernden Parusie; mit Hilfe allegorischer Deutung erhält das Gleichnis eine christologische Spitze.

---

[1] S. S. 36 A. 3
[2] Es bestätigt sich damit die Vermutung (S. 45 f.), daß Jesus an ein konkretes Vorkommnis anknüpft.
[3] Am. 5, 18; Jes. 2, 12 u. ö.

An dieser Stelle muß nun aber energisch einem Mißverständnis gewehrt werden. Wenn Jesus das Gleichnis vom Einbrecher auf die kommende Katastrophe bezog, so heißt das nicht, daß die Parusie außerhalb seines Blickfeldes gelegen habe. Und umgekehrt gilt: wenn die Urkirche das Gleichnis auf die Parusie bezog, so heißt das nicht, daß sie nichts von der bevorstehenden Katastrophe gewußt habe. Vielmehr besteht in der eschatologischen Erwartung selbst zwischen Jesus und der Urkirche kein Unterschied; beide erwarten, daß die eschatologische Wende damit beginnen werde, daß plötzlich die letzte Notzeit und die Enthüllung der satanischen Macht über den Erdkreis hereinbricht, und beide — Jesus und die Urkirche — sind gewiß, daß diese letzte Not ihr Ende finden werde mit dem Triumph Gottes, der Parusie. Der Unterschied liegt lediglich darin, daß Jesus, zur Menge sprechend, den Akzent auf den plötzlichen Anbruch der Notzeit legte (macht Euch bereit, unvermutet wie der Einbruch wird Euch die Not überfallen!), während die Urkirche den Blick auf das Ende der Notzeit richtete (laßt nicht nach im Wachbleiben, so überraschend wie der Einbrecher kommt der Herr wieder!).

Wie Matthäus das zu seinem Sondergut gehörende Gleichnis von den zehn Jungfrauen (Mt. 25, 1—13) verstanden hat, zeigt schon der Kontext (24, 32—25, 46: lauter Parusiegleichnisse), außerdem V. 1 und V. 13. In V. 1 weist das τότε zurück auf die 24, 44 und 50 erwähnte Parusie, und von dieser redet auch V. 13: „Wachet, denn Ihr wißt weder Tag noch Stunde." Matthäus sah also in unserem Gleichnis eine Allegorie auf die Parusie des himmlischen Bräutigams Christus: die zehn Jungfrauen sind die wartende Gemeinde, das „Verziehen" des Bräutigams (V. 5) ist der Aufschub der Parusie, sein plötzliches Kommen (V. 6) das überraschende Eintreffen der Parusie, die harte Abweisung der törichten Jungfrauen (V. 11) das Endgericht. Außerdem scheint man früh die törichten Jungfrauen auf Israel, die klugen auf die Heiden gedeutet zu haben; die lukanische Überlieferung sieht jedenfalls in der Abweisung der verspätet Anklopfenden (Lk. 13, 25) die Verwerfung Israels im Endgericht (vgl. V. 28) geschildert. Aber war all dieses der ursprüngliche Sinn des Gleichnisses? Bei der Beantwortung dieser Frage werden wir vom Matthäus-Kontext ebenso abzusehen haben wie von dem τότε in V. 1, das eine bei Matthäus besonders beliebte und für ihn charakteristische Übergangspartikel ist (s. S. 81 A. 1). Aber auch von V. 13 haben wir abzusehen. Denn diese abschließende Mahnung zum Wachbleiben verfehlt den Sinn des Gleichnisses. Sie schlafen ja alle, die klugen Jungfrauen ebenso wie die törichten (V. 5)! Das Schlafen wird denn auch nicht getadelt, sondern das Fehlen des Öls in den Gefäßen der törichten Jungfrauen! Der Wachsamkeitsruf V. 13 ist also einer der paränetischen Zusätze, wie man sie gern den Gleichnissen angefügt hat[1]; er wiederholt Mt. 24,42 und gehört von Hause aus zum Gleichnis vom Türhüter (Mk. 13,35). Die Hinweise auf die Parusie gehören also sämtlich nicht zum ursprünglichen Bestande des Gleichnisses. Darüber hinaus muß bezweifelt werden, ob Mt. 25, 1—12 ursprünglich überhaupt eine Allegorie ist. Denn die Allegorie Bräutigam — Messias ist dem Alten Testament und dem Spätjudentum[2] völlig fremd; sie taucht erstmalig bei Paulus (2. Kor. 11,2) auf. Schwerlich konnten die Hörer Jesu auf den Gedanken kommen, den Bräutigam Mt. 25,1 ff. auf den Messias zu deuten! Da die genannte Allegorie auch der übrigen Predigt Jesu unbekannt ist[3], müssen wir schließen: nicht eine Allegorie auf den himmlischen Bräutigam Christus haben wir Mt. 25,1 ff. vor uns, sondern Jesus hat von einer wirklichen Hochzeit erzählt[4]. Höchstens verhüllt enthält das Gleichnis eine nur für Jesu Jünger verständliche Selbstaussage Jesu.

Wie aber mußten dann seine Hörer das Gleichnis verstehen, zumal wenn wir uns, wie Lk. 13,22—30 es nahelegt, die Menge als Hörerschaft vorstellen? Das plötzliche Kommen des Bräutigams (V. 6) hat seine Entsprechung im plötzlichen Anbruch der Sintflut, im un-

---

[1] S. S. 110f.

[2] Den Nachweis führte ich in: *νύμφη, νυμφίος*, ThWBNT. IV, S. 1094f. Vgl. ferner: J. Gnilka, „Bräutigam" — spätjüdisches Messiasprädikat?, in: Trierer Theol. Zeitschrift 69 (1960), S. 298—301 (zu 1QJes³ 61,10). Inzwischen fand ich in der rabbinischen Literatur einen Beleg: „Das Gewand, in das Gott dereinst den Messias kleiden wird, wird hell und immer heller leuchten von einem Ende der Welt bis zum anderen, vgl. Jes. 61,10: ‚Gleich einem Bräutigam, der den priesterlichen Kopfputz aufsetzt'" (Pesiq. 149a). Der vereinzelte und sehr späte Beleg ändert nichts am Gesamtbild.

[3] Auch Mk. 2,19a (Mt. 9,15a; Lk. 5,34) liegt die Allegorie Bräutigam = Messias nicht vor. Denn der Nebensatz *ἐν ᾧ ὁ νυμφίος μετ' αὐτῶν ἐστιν* dürfte ursprünglich lediglich eine Umschreibung für: „während der Hochzeitsfeier" sein. Auf die Frage, warum seine Jünger nicht fasten, antwortet also Jesus mit der Gegenfrage: „Können denn Hochzeitsgäste während der Hochzeitsfeier fasten?" Ebenso sinnlos wäre ein Fasten der Jünger, die jetzt schon in der Freude der Heilszeit stehen! Erst Mk. 2,20 (Mt. 9,15b; Lk. 5,35) liegt die Allegorie Bräutigam = Messias vor. Aber dieser Vers, der im Widerspruch zu Mk. 2,19a doch ein Fasten der Jünger Jesu ankündigt, ist — auch aus anderen Gründen (vgl. ThWBNT. IV, S. 1096, 19ff.) — Gemeindebildung.

[4] Vgl. weiter zu der Frage, ob eine Allegorie vorliegt oder ob eine wirkliche Hochzeit geschildert wird, die Ausführungen auf S. 171ff.

erwarteten Einbruch, in der überraschenden Heimkehr des Hausherrn vom Gastmahl oder von der Reise[1]. Überall ist die Plötzlichkeit Bild für die unerwartet einbrechende Katastrophe. Die Krisis steht vor der Tür. Sie kommt so überraschend wie im Gleichnis der mitternächtliche Ruf: „Der Bräutigam kommt!" Und sie bringt unerbittlich die Scheidung, auch wenn für Menschenaugen keinerlei Unterschied da ist (vgl. Mt. 24,40f.; Lk. 17,34f.; ThEv. 61a). Wehe denen, die diese Stunde ungerüstet findet! So, als aufrüttelnden Weckruf angesichts der bevorstehenden eschatologischen Krisis, wird Jesus das Gleichnis gemeint und wird die Menge es verstanden haben.

Die Urkirche deutete den Bräutigam auf Christus und sein mitternächtliches Kommen auf die Parusie. Sie entfernte sich damit insofern nicht vom ursprünglichen Sinn, als eschatologische Katastrophe und messianische Parusie, wie wir S. 48 sahen, ja letztlich nur zwei Aspekte desselben Ereignisses sind; die Ankündigung der Scheidung zwischen klugen und törichten Jungfrauen blieb auch bei der christologischen Deutung des Bräutigams Ziel und Höhepunkt des Textes. Und doch bedeutete es eine wesentliche Akzentverschiebung, wenn aus dem Weckruf an die Menge jetzt ein Mahnwort an die Jüngerschar und aus dem Gleichnis eine Allegorie auf den himmlischen Bräutigam Christus und die ihn erwartende Gemeinde wurde.

Das dritte der hier zu besprechenden „Parusie"gleichnisse, das Gleichnis vom Türhüter (Mk. 13,33—37; Lk. 12,35—38 vgl. Mt. 24,42), weist bei den drei Synoptikern ungewöhnlich große Verschiedenheiten auf; es ist besonders stark zersagt und unter dem Einfluß des Parusiemotivs überarbeitet und erweitert worden — ein Zeichen, wie wichtig der Urkirche der Ruf zur Wachsamkeit war. Gehen wir von Lk. 12,35—38 aus, so fällt zunächst die Belohnung der wachsamen Knechte auf: „Amen, ich sage Euch, er (der Hausherr) wird sich umgürten, sie an ihre Plätze führen und sie bedienen" (12,37b). So handelt kein irdischer Hausherr (vgl. Lk. 17,7). Wohl aber hat Jesus so gehandelt (Lk. 22,27; Joh. 13, 4—5). Und Er wird wieder so handeln als der Wiederkehrende. V. 37b ist also ein allegorisierender Zug[2], der den Rahmen des Gleichnisses ebenso wie den Zusammenhang zwischen V. 37a und 38

---

[1] Vgl. Dodd, S. 172.
[2] Dodd, S. 161 A. 1; B. T. D. Smith, S. 107.

sprengt und auf das messianische Freudenmahl bei der Parusie blickt[1]. Auffallend ist bei Lukas noch ein zweiter Zug: während bei Markus nur der Türhüter — seinem Amte gemäß — den Befehl erhält, wach zu bleiben, bis der Hausherr heimkehrt, ist es bei Lukas eine Mehrzahl von Knechten, ja offenbar die gesamte Knechteschar, die wach bleiben soll[2]; ohne Frage schlägt bei Lukas auch hier die Deutung auf die Gemeinde in das Gleichnis hinein. — Die Markus-Fassung des Gleichnisses (13,33—37) ist darin ursprünglich, daß der Befehl, wach zu bleiben, nur dem Türhüter gegeben wird (V. 34 b). Aber sie ist an zwei Stellen sekundär durch verwandte Gleichnisse beeinflußt. Aus dem Gleichnis von den anvertrauten Geldern (Mt. 25,14) dürften die Worte ὡς ἄνθρωπος ἀπόδημος (V. 34) stammen; denn der Befehl an den Türhüter, nachts wach zu bleiben, paßt wohl zur Einladung des Hausherrn zu einem Festmahl[3] (Lk. 12,36), das sich bis tief in die Nacht ausdehnen kann, nicht dagegen zu einer längeren Reise, bei der der Tag der Rückkehr in unbestimmter Ferne liegt und bei der außerdem — angesichts der Abneigung des Morgenländers gegen nächtliche Reisen — eine nächtliche Rückkehr unwahrscheinlich ist. Wie der ἄνθρωπος ἀπόδημος, so paßt zweitens auch die Übergabe der Vollmacht an die Knechte (δοὺς τοῖς δούλοις αὐτοῦ τὴν ἐξουσίαν Mk. 13,34) nicht zum Gleichnis vom Türhüter. Sie wird aus dem Gleichnis von dem mit der Aufsicht betrauten Knecht (Mt. 24,45; Lk. 12,42) herzuleiten sein, in dem es um gewissenhafte Verwaltung des Anvertrauten während einer längeren Abwesenheit des Hausherrn geht; ein Hausherr, der nur einer Einladung folgt, hat es kaum nötig, besondere Vollmachten auszuteilen[4]. — Bei Matthäus schließlich ist das Gleichnis verschwunden und nur die Anwendung geblieben: „So wachet nun, denn Ihr wißt nicht, an welchem Tage Euer Herr kommt" (24,42 vgl. 25,13). Vergleicht man Mk. 13,35: „So wachet nun, denn Ihr wißt nicht, wann der Hausherr kommt, ob am Abend, um Mitternacht, um Hahnenschrei oder gegen

---

[1] V. 37 b ist zwar sekundär, jedoch vorlukanisch, wie das bei Lukas seltene (6 Belege) ἀμήν und das semitisierende Füllwort παρελθών zeigen.
[2] Dodd, S. 163.
[3] Zu γάμοι = Festmahl s. S. 22.
[4] Sekundär dürfte bei Markus auch die 2. ps. in V. 35—36 sein (anders Lk. 12,37a.38!); hier schlägt die Anwendung in das Gleichnis hinein. Daß Mk. 13,33.37 paränetische Rahmungsverse seien, ist schon öfter vermutet worden, wohl mit Recht.

Morgen", so sieht man: aus dem Hausherrn ist „Euer Herr", aus den Nachtwachen ist „der Tag" geworden — die christologische Verdeutlichung ist offenkundig. Sie findet sich nicht nur Mt. 24,42 und Lk. 12,37b, sondern auch Apk. 3,20, hat sich also rasch in der ganzen Kirche durchgesetzt.

Als Kern bleibt somit ein Gleichnis vom Türhüter, der den Auftrag erhalten hat, wach zu bleiben (Mk.13,34b) und sofort zu öffnen, wenn sein vom Gastmahl heimkehrender Herr anklopft (Lk.12,36). Wohl ihm, wenn ihn der Herr wachend findet, gleichviel in welcher Nachtwache er heimkehrt (Lk.12,37a.38; Mk.13,35f.). Was hat Jesus im Auge? An welche Hörer richtete er den Ruf zur Wachsamkeit? Wenn Jesus das Gleichnis zu seinen Jüngern sprach, so ist der Aufruf zum Wachen in Gethsemane zu vergleichen: „Wachet und betet darum, daß ihr nicht in Versuchung geratet" (Mk.14,38), wobei an den Peirasmos der Endzeit gedacht ist, den Anbruch der eschatologischen Trübsal, den Angriff Satans auf die Heiligen Gottes, dessen Anbruch Jesus im Zusammenhang mit seinem Leiden erwartete[1]. Sprach Jesus zur Menge, so wäre etwa das Sintflutgleichnis zu vergleichen: unberechenbar wie die Rückkehr des Hausherrn droht das Verhängnis! Seid wachsam! Am wahrscheinlichsten dünkt mich, daß das Gleichnis vom Türhüter zu denen gesagt ist, die die Schlüssel des Himmelreichs innezuhaben beanspruchen (Mt.23,13; Lk.11,52), zu den Schriftgelehrten: laßt Euch nicht schlafend finden, wenn die Stunde der Krisis kommt! Wer immer die ursprünglichen Hörer waren, deutlich ist: wir haben ein Krisisgleichnis vor uns, das wiederum höchstens verhüllt eine Selbstaussage Jesu enthält. Die Urkirche wendet das Gleichnis auf ihre Situation an, die Situation zwischen den zwei Krisen, die Situation der sich verzögernden Parusie. Darum erweitert sie das Gleichnis durch eine Reihe neuer, allegorisierender Züge: der Hausherr geht jetzt auf weite Reise (Markus), er gibt allen seinen Knechten den Befehl zu wachen (Lukas), er vergibt vor der Reise Vollmachten an seine Knechte (Markus), der Tag (nicht: die Nachtwache) seiner Wiederkunft ist ungewiß (Matthäus), selbstloser Dienst an den Seinen beim messianischen Freudenmahl ist der Lohn, den er gibt (Lukas).

---

[1] Dodd, S. 166 A. 1 (im Anschluß an und in Auseinandersetzung mit M. Dibelius).

Ein ganz ähnliches Schicksal hat das eng verwandte Gleichnis von dem mit der Aufsicht betrauten Knecht — denn so müssen wir es überschreiben: es ist von einem, nicht von zwei Knechten die Rede[1] — gehabt (Mt. 24, 45—51; Lk. 12, 41—46). Dieser Knecht hat einen Vertrauensposten erhalten, und bei der unerwarteten Rückkehr seines Herrn von der Reise wird sich zeigen, ob er des Vertrauens wert war oder ob ihn die Verzögerung der Rückkehr seines Herrn verleitet hat, seine Macht zu Terror und Genußleben zu mißbrauchen. Matthäus und Lukas haben, wie der Kontext (Mt. 24, 44; Lk. 12, 40) und die Erwähnung der Höllenstrafe in Mt. 24, 51 b c; Lk. 12, 46 c zeigen, den κύριος des Gleichnisses auf den als Weltenrichter wiederkehrenden Menschensohn gedeutet und in dem Gleichnis eine Mahnung an die Jünger Jesu gesehen, angesichts der sich verzögernden Parusie in der Treue nicht zu erlahmen. Die Lukas vorliegende Tradition[2] ist noch einen Schritt weitergegangen; veranlaßt durch die Überordnung des Knechtes über seine Mitknechte[3], hat sie den Knecht auf die Apostel gedeutet (Lk. 12, 41) und die Geltung des Gleichnisses auf sie beschränkt. Ihnen ist großes Vertrauen geschenkt, ihnen — so fügt das lukanische Sondergut 12, 47 f. hinzu — ist der Wille ihres Herrn vor anderen bekannt und ihnen ist mehr als anderen übergeben; von ihnen wird daher besonders strenge Rechenschaft verlangt werden, wenn sie sich durch die Verzögerung der Parusie zum Mißbrauch ihres Amtes verleiten lassen. Indes — wir werden in diesen Anwendungen, die dem Gleichnis bei Matthäus und Lukas gegeben werden, schwerlich das Ursprüngliche erblicken dürfen.

Zunächst: vom Kontext werden wir völlig abzusehen haben. Denn sowohl bei Matthäus wie bei Lukas steht das Gleichnis in einer Sammlung von Parusiegleichnissen (Mt. 24, 32—25, 46; Lk. 12, 35—59), und in beiden Evan-

---

[1] Das zeigt das Wort ἐκεῖνος Lk. 12, 45. Auch Mt. 24, 48 ist das ausgezeichnet bezeugte ἐκεῖνος zu lesen; ὁ κακὸς δοῦλος ἐκεῖνος Mt. 24, 48 heißt: „jener Knecht, weil er schlecht ist" (W. Michaelis, Die Gleichnisse Jesu, Hamburg 1956, S. 71. 76).

[2] S. S. 98 A. 4.

[3] Diese Überordnung wird bei Lukas durch das Wort οἰκονόμος (12, 42) unterstrichen; aber es ist, wie die Matthäus-Parallele (24, 45: δοῦλος) und Lukas V. 43.45.46.47 (überall: δοῦλος) zeigt, nicht ursprünglich. Es paßt auch nicht zum Inhalt des Gleichnisses: der Auftrag an den Knecht enthielte nichts Besonderes und Neues, wenn es sich um den Verwalter handeln würde. Die Änderung von δοῦλος in οἰκονόμος hat ihren Grund darin, daß Lukas, wie 12, 41 zeigt, das Gleichnis auf die Apostel beschränkt (W. Michaelis, ebd. S. 72. 74).

gelien läßt außerdem der Rahmen die formende Hand der Überlieferung erkennen. Die bei Matthäus fehlende einleitende Frage Lk. 12, 41 weist nämlich mehrere Spracheigentümlichkeiten der lukanischen Quelle auf[1], und den Schluß bilden bei Lukas zwei ursprünglich selbständige Logien (12, 47 f.)[2]; bei Matthäus schließt das Gleichnis mit einer für ihn kennzeichnenden Wendung (24, 51 c)[3], und das nächste Gleichnis ist mit *τότε* angeschlossen, das eine seiner Vorzugspartikeln darstellt[4]. Ferner: die den Rahmen des Gleichnisses sprengende Erwähnung der Höllenstrafe dürfte, wie mehrere Forscher unabhängig voneinander erkannt haben[5], auf eine irrige Wiedergabe des aramäischen Urtextes zurückzuführen sein[6]. Ursprünglich blieb der Schluß im irdischen Rahmen. Vor allem: in der Geschichte liegt auf der Verzögerung der Rückkehr des Hausherrn kein Ton[7]; mit *χρονίζει μου ὁ κύριος* (Mt. 24, 48; Lk. 12, 45) soll ursprünglich lediglich das Versuchliche der Lage illustriert werden, in der der Knecht sich befindet („mein Herr kommt gewiß noch lange nicht"). Der Ton liegt vielmehr auf der plötzlichen Prüfung seines Verhaltens.

Wollen wir den ursprünglichen Sinn des Gleichnisses ermitteln, so müssen wir wieder fragen, wie das Bild von dem mit besonderem Vertrauen und besonderer Verantwortung ausgezeichneten Knecht,

---

[1] S. S. 98 A. 4.

[2] Lk. 12, 42—46 handelt es sich um gerechtfertigtes und mißbrauchtes Vertrauen, dagegen V. 47.48a (antithetisches Satzpaar) um die verschieden hohe Strafe derer, die Gottes Willen kennen und nicht kennen, V. 48b (synonymes Satzpaar) um die größere Verpflichtung, die die größere Gabe Gottes bedeutet.

[3] S. S. 58 A. 1.   [4] S. S. 81 A. 1.

[5] A. Mingana, C. C. Torrey, T. W. Manson, K. A. Offermann (mit verschiedenen Vorschlägen für das aramäische Äquivalent von *διχοτομήσει*, von denen aber keiner voll befriedigt).

[6] Lk. 12, 46: *καὶ διχοτομήσει αὐτὸν καὶ τὸ μέρος αὐτοῦ μετὰ τῶν ἀπίστων* (Mt. 24, 51: *ὑποκριτῶν*) *θήσει·* (Mt. 24, 51: + *ἐκεῖ ἔσται ὁ κλαυθμὸς καὶ ὁ βρυγμὸς τῶν ὀδόντων*). Dazu ist zu bemerken: a) Der seltsame Übergang von irdischer zu überirdischer Strafe wird sich vom Aramäischen her erklären. Sämtliche syrischen Übersetzungen geben das Verbum *διχοτομεῖν* (zerteilen) mit *pallegh* wieder (teilen, verteilen, zuteilen, zerteilen). Im Aramäischen ist *j*ᵉ*phallegh leh* als Urtext vorauszusetzen (zur Konstruktion mit *l*ᵉ vgl. J. Levy, Chaldäisches Wörterbuch über die Targumim, Leipzig 1881, II 265 b). Der Übersetzer verstand das *leh* irrig als Akkusativ: „er wird ihn zerteilen", während der ursprüngliche Sinn des *leh* dativisch war: „er wird ihm (Schläge, vgl. K. A. Offermann, Aramaic Origin of the New Testament, o. J., Downers Grove, Illinois, Selbstverlag, S. 22 f.) zuteilen", oder: „er wird ihm (sein Teil) zuteilen". b) Die rätselhafte Nennung der „Heuchler" (*τῶν ὑποκριτῶν*) bei Matthäus (24, 51) dürfte auf diesen selbst zurückgehen, da *ὑποκριτής* zu seinen Vorzugsworten (Mt. 14mal, Mk. 1mal, Lk. 3mal) gehört.   c) *Τὸ μέρος τινὸς τιθέναι μετὰ* ... ist Semitismus „jemanden behandeln als". Also: „Er wird ihm Schläge zuteilen und ihn als Ruchlosen behandeln."

[7] Dodd, S. 159.

der überraschend von dem heimkehrenden Herrn kontrolliert wird, auf Jesu Hörer wirken mußte. Ihnen war aus dem AT. die Bezeichnung der führenden Männer, der Regenten, Propheten und Gottesmänner als „Knechte Gottes" geläufig[1]; ihnen galten die Schriftgelehrten als die von Gott eingesetzten Verwalter, denen die Schlüssel des Himmelreichs anvertraut waren (Mt. 23,13; Lk. 11,52)[2]. Sie mußten daher bei dem Gleichnis von dem mit der Aufsicht betrauten Knecht an die religiösen Führer ihrer Zeit denken. Mit dieser Erkenntnis hat das Gleichnis eine akute Beziehung zur Situation des Lebens Jesu gewonnen. Es ist einer der zahlreichen drohenden Weckrufe an die Führer des Volkes, insbesondere an die Schriftgelehrten. Ihnen ruft Jesus zu, daß die Rechenschaftsforderung bevorstehe, bei der Gott prüfen wird, ob sie das ihnen geschenkte Vertrauen gerechtfertigt oder mißbraucht haben.

Die Urkirche deutet das Verziehen des Hausherrn begreiflicherweise auf die Verzögerung der Parusie; der Hausherr ist jetzt der zum Himmel gefahrene und überraschend zum Weltgericht wiederkehrende Menschensohn; der Knecht wird auf die Glieder bzw. (Lukas) Führer der Gemeinden gedeutet, die gemahnt werden, sich durch das Ausbleiben der Parusie nicht in Versuchung führen zu lassen.

Ein ausführlicheres Seitenstück zu dem eben besprochenen Gleichnis von dem mit der Aufsicht betrauten Knechte stellt das **Gleichnis von den Knechten, denen Gelder anvertraut wurden,** dar. Es ist uns dreifach überliefert: Mt. 25,14—30; Lk. 19,12—27 und im Nazaräerevangelium[3]. Wir beginnen, rückwärts gehend, mit derjenigen Fassung, die sich am weitesten vom Ursprünglichen entfernt. Im Nazaräerevangelium tritt zu dem Knecht, der das anvertraute Geld vielfach vermehrte, und demjenigen, der das Talent verbarg, als dritter ein Knecht, der das Geld mit Dirnen und Flötenspielerinnen verpraßte; der erste erhält Anerkennung, der zweite wird nur getadelt, der dritte ins Gefängnis geworfen. Diese Umgestaltung, die die Untreue erst beim Prassen einsetzen läßt (vgl. Lk. 15,30; 12,45), ist eine moralisierende Vergröberung,

---

[1] Dodd, S. 160.

[2] Bill. I, S. 741c; ThWBNT. III, S. 747 A. 42; S. 749 unter b.

[3] E. Klostermann, Apocrypha II[3] (= Kleine Texte für Vorlesungen und Übungen, herausgegeben von H. Lietzmann 8), Bonn/Berlin 1929, S. 9, Fragm. 15.

die das Gleichnis in der judenchristlichen Kirche erfahren hat. Bei Lukas hat das Gleichnis gegenüber Matthäus eine völlig andere Einkleidung. Dem Großkaufmann des Matthäus entspricht bei Lukas ein Edelmann, der verreist, um sich das Königtum verleihen zu lassen (V. 12); eine Gesandtschaft seiner Mitbürger versucht, das zu vereiteln (V. 14); er aber kehrt als König zurück (V. 15a, vgl. noch die „Städte" in V. 17 und 19) und läßt seine Feinde vor seinen Augen niedermachen (V. 27). Vermutlich haben wir in diesen Zügen ein ursprünglich selbständiges zweites Gleichnis vom Thronprätendenten vor uns, das an die historische Situation des Jahres 4 v.Chr. anknüpfte. Damals fuhr Archelaos nach Rom, um sich seine Herrschaft über Judäa bestätigen zu lassen; zugleich reiste eine jüdische Gesandtschaft von 50 Köpfen, die seine Ernennung zu verhindern suchte, nach Rom[1]. Die im Volke unvergessene blutige Rache, die Archelaos nach seiner Rückkehr nahm, scheint Jesus benutzt zu haben, um seine Hörer in einem Krisisgleichnis vor falscher Sicherheit zu warnen. So unvermutet wie damals Rückkehr und Rache des Archelaos für seine Gegner kam, so unvermutet wird das Verderben über Euch hereinbrechen. Dieses Gleichnis vom Thronprätendenten hatte schon die vorlukanische Überlieferung mit unserem Gleichnis verschmolzen[2]; die Naht wird besonders deutlich in V. 24f.: die zusätzliche Belohnung des ersten Knechtes mit 1 Mine (= 100 Denare) sowie der Einwand der Umstehenden, der erste Knecht habe ja bereits 10 Minen (= 1000 Denare) erhalten, ist „sinnlos"[3], nachdem dieser eben zum Gouverneur einer Dekapolis ernannt worden ist. Vorangestellt ist dem fusionierten Gleichnis ein Rahmenwort (19,11), das in gehäufter Zahl lukanische Spracheigentümlichkeiten aufweist, aber nicht notwendig von Lukas selbst stammen muß[4]; es besagt, daß das Gleichnis erzählt sei, um falsche Erwartungen über ein unmittelbar bevorstehendes Erscheinen der Basileia zurückzuweisen. Wir sehen aus 19,11, wie Lukas unser Gleichnis verstanden hat: gegenüber einer enthusiastischen Parusieerwartung kündigt Jesus

---

[1] Josephus, Bell. Jud. 2, 80; Ant. 17, 299f.

[2] Zu den Gleichnisfusionen vgl. S. 93ff. Die Fusion wird älter als Lukas sein, da dieser solche Fusionen nicht vorzunehmen pflegt.

[3] W. Foerster, Das Gleichnis von den anvertrauten Pfunden, in: Verbum Dei manet in aeternum (Festschrift für O. Schmitz), Witten 1953, S. 39.

[4] S. S. 98 A. 5.

den Aufschub der Parusie an und belehrt über den Grund dafür — die Zwischenzeit ist Bewährungszeit für seine Jünger. Lukas hat also in dem Edelmann, der sich die Königswürde holt und der nach seiner Rückkehr von seinen Knechten Rechenschaft fordert, den gen Himmel gefahrenen und zum Gericht wiederkehrenden Menschensohn erblickt. Sicher zu Unrecht! Denn Jesus hat sich ganz gewiß weder mit einem Mann verglichen, „der abhebt, wo er nicht eingezahlt hat[1], erntet, wo er nicht gesät hat" (Lk. 19, 21), d. h. der raffgierig hinter dem Gelde her ist, rücksichtslos auf den eigenen Vorteil bedacht, noch mit einem rohen orientalischen Despoten, der sich am Tode der vor seinen Augen (V. 27: ἔμπροσθέν μου) niedergemachten Feinde weidet. Die, wie der Einzelvergleich zeigt, ursprünglichste Fassung hat Matthäus bewahrt. Doch sind auch bei ihm einige sekundäre Züge festzustellen[2]. Auch Matthäus hat unser Gleichnis (wie wir eben bei Lukas sahen, zu Unrecht!) als Parusiegleichnis verstanden; denn er stellt es zwischen die Parusiegleichnisse 24, 32—25, 13 und 25, 31—46. Es soll, wie das γάρ der Einleitung (25,14) zeigt, die Mahnung zur Wachsamkeit angesichts der ungewissen Stunde der Parusie (25,13) begründen. An zwei Stellen schlägt bei ihm diese christologische Deutung in das Gleichnis hinein: in der Wendung: „Gehe hinein zum Freudenmahl[3] Deines Herrn" (25, 21.23) und in dem Befehl, den unnützen Knecht „in die äußerste Finsternis" zu werfen (25, 30). In beiden Sätzen redet nicht ein irdischer Kaufmann, sondern der Christus der Parusie, der Anteil verschenkt an der neuen Welt und der zur ewigen Verdammnis verurteilt[4]. Beide Züge gehören nicht zum ursprünglichen Bestand: für 25, 21.23 ergibt sich dieser Schluß aus dem Vergleich

---

[1] Αἴρεις ὃ οὐκ ἔθηκας sind banktechnische Ausdrücke; die Wendung ist sprichwörtlich für eine raffgierige Person (vgl. Brightman in: Journ. of Theol. Studies 29 [1928], S. 158).

[2] Bei Matthäus erhalten die Knechte riesige Summen, müssen also etwa als Gouverneure vorgestellt werden, wozu sie bei Lukas erst nach der Abrechnung ernannt werden (s. S. 58 A. 6). Es ist deutlich, daß die bescheidenere Geldsumme von je 100 Denaren, die Lukas nennt, ursprünglich ist (s. S. 23).

[3] Χαρά = ḥādhweᵗha = 1. Freude, 2. Freudenfest (G. Dalman, Die Worte Jesu I², Leipzig 1930, S. 96; Bill. I, S. 972f.). An unseren beiden Stellen liegt die zweite Bedeutung vor wegen des bildhaften εἰσέρχεσθαι = „eingehen" in das Reich Gottes, vgl. J. Schneider, ἔρχομαι κτλ., in: ThWBNT. II, S. 674f. Die beiden Knechte werden zum Mahl geladen; Tischgemeinschaft bedeutet Gleichstellung!

[4] Vgl. B. T. D. Smith, S. 166.

mit Lukas, bei dem die Belohnung im irdischen Rahmen bleibt, und die (bei Lukas fehlenden) ebenfalls den irdischen Rahmen des Gleichnisses überschreitenden drohenden Worte in Mt. 25,30 geben sich dadurch als redaktionelle Ausgestaltung zu erkennen, daß sie Vorzugswendungen des Matthäus enthalten[1] und daß sie die Strafe verdoppeln, indem sie zur irdischen Strafe (V. 28) die Höllenstrafe hinzufügen.

Wenn wir von den erwähnten moralisierenden und allegorisierenden Erweiterungen absehen, so haben wir die Geschichte von einem reichen, von seinen Knechten als rücksichtslos und habgierig gefürchteten Großkaufmann vor uns, der bei Antritt einer weiten Reise dreien[2] seiner Knechte je 100 Denare[3] zur Nutzung anvertraute (entweder lediglich, um sein Geschäftskapital während seiner Abwesenheit nicht brach liegen zu lassen[4], oder darüber hinaus mit der Absicht, die Knechte auf die Probe zu stellen[5]) und der bei der Rückkehr Rechenschaft forderte. Die beiden treuen Knechte werden mit vermehrter Verantwortung belohnt[6]. Der Ton liegt auf der Abrechnung mit dem dritten Knecht[7], der die faule Ausrede vorbringt, er habe sein Geld aus ängstlicher Vorsicht ungenutzt verwahrt, weil er die Raffgier seines Herrn kenne und befürchtet habe, daß dieser bei Mißlingen der geschäftlichen Operation in äußerste Wut über den Verlust seines Geldes geraten würde. Nach Lukas wäre der dritte Knecht zudem mit unverantwortlicher Leichtfertigkeit zuwege gegangen. Während er nämlich nach Mt. 25,18 das ihm anvertraute Geld wenigstens durch Vergraben sicherzustellen suchte, hätte er es nach Lk. 19,20 in einem Tuch (es ist ein baumwollenes Kopftuch gemeint, einen Meter im Quadrat groß) aufbewahrt und damit die elementarste Sorgfaltspflicht ver-

---

[1] *Εἰς τὸ σκότος τὸ ἐξώτερον* V. 30a (vgl. Mt. 8,12; 22,13) und *ἐκεῖ ἔσται ὁ κλαυθμὸς καὶ ὁ βρυγμὸς τῶν ὀδόντων* V. 30b (vgl. Mt. 8,12; 13,42.50; 22,13; 24,51) sind Wendungen, die Matthäus als Abschluß liebt, vgl. vor allem die gleiche Kombination beider Wendungen 8,12 und 22,13.

[2] Lukas hat zwar 19,13 zehn Knechte, bestätigt aber im Fortgang (vgl. besonders *ὁ ἕτερος* 19,20) die Ursprünglichkeit der Dreizahl.

[3] S. 57 A. 2.

[4] W. Michaelis, Die Gleichnisse Jesu, Hamburg 1956, S. 107f.

[5] So T. W. Manson, Sayings, S. 315, der diese Absicht aus der Art der Belohnung (s. Anm. 6) folgert.

[6] T. W. Manson, ebd. S. 247, verweist auf das schöne Wort Pirqe Abh. 4, 2: „Der Lohn für Pflichterfüllung ist (neue) Pflicht." Nach Lk. 19,17.19 wird der eine Gouverneur einer Dekapolis, der andere einer Pentapolis.

[7] Dodd, S. 150.

letzt[1]. Wie mußten Jesu Hörer das Gleichnis verstehen? Woran mußten sie insbesondere bei dem sein Talent vergrabenden Knecht denken? Dachten sie an das jüdische Volk, dem viel anvertraut wurde, das aber sein Pfand nicht nutzte[2]? Dachten sie an die Pharisäer, die persönliche Sicherheit in minutiöser Gesetzeserfüllung suchten, aber durch ihre selbstsüchtige Abschließung die Religion unfruchtbar machten[3]? Wir sahen schon, daß die Hörer Jesu bei den Knechten zunächst an die religiösen Führer, insbesondere an die Schriftgelehrten, denken mußten. Da Jesus diesen auch Lk. 11, 52 vorwirft, daß sie ihren Mitmenschen den Anteil an Gottes Gabe vorenthalten[4], dürfte sich die Annahme empfehlen, daß Jesus das Gleichnis von den anvertrauten Pfunden ursprünglich zu den Schriftgelehrten sprach[5]. Großes ist ihnen anvertraut: Gottes Wort[6]. Aber wie die Knechte im Gleichnis werden sie in Bälde Rechenschaft ablegen müssen, wie sie das anvertraute Gut verwendet haben: ob sie es nach Gottes Willen genutzt haben oder ob sie, dem dritten Knechte gleich, durch Selbstsucht und leichtfertige Mißachtung der Gabe Gottes verleitet, das Wort Gottes um seine Wirkung gebracht haben.

Wieder bezieht die Urkirche dieses Gleichnis in mehrfacher Weise[7] auf ihre konkrete Situation. Diese Entwicklung beginnt damit, daß der Befehl: „Nehmt ihm seine Mine und gebt sie dem, der zehn Minen hat" (Lk. 19, 24 vgl. Mt. 25, 28) durch das generalisierende Deutewort Mt. 25, 29 par. Lk. 19, 26 begründet wird: „Denn jeder, der hat, dem wird Gott[8] geben[9]; wer nicht hat, dem wird Er[8] auch das nehmen, was er hat"[10]. Das ist eine sachlich

---

[1] Vergraben (Mt. 25, 18) gilt nach rabbinischem Recht als der sicherste Schutz vor Dieben: wer ein Pfand oder ein Depositum gleich nach Empfang vergrub, war von der Haftpflicht befreit (b. B. M. 42a). Wer dagegen anvertrautes Geld in ein Tuch einband, war wegen ungenügender Vorsorge für den Schutz regreßpflichtig (B. M. 3, 10f.). Man beachte, daß sowohl Matthäus wie Lukas palästinische Verhältnisse voraussetzen.

[2] M. Dibelius, Jesus, Berlin 1939, S. 107.     [3] Dodd, S. 151f.
[4] Vgl. ThWBNT. III, S. 746f.     [5] B. T. D. Smith, S. 168.
[6] Der Vergleich des göttlichen Wortes mit einem von Gott anvertrauten Depositum auch 1. Tim. 6, 20; 2. Tim. 1, 12. 14.
[7] Dodd, S. 152f.
[8] Die Passiva δοθήσεται / ἀρθήσεται umschreiben wieder den Gottesnamen.
[9] Matthäus fügt sowohl 25, 29 wie 13, 12 noch καὶ περισσευθήσεται hinzu; die Überlieferung liebt solche Verstärkungen.
[10] V. 29 (par. Lk. 19, 26) reißt V. 28 und 30 auseinander; der Vers ist ein ursprünglich isoliertes Logion (Mk. 4, 25; Mt. 13, 12; Lk. 8, 18; ThEv. 41), das dem Gleichnis als generalisierender Schlußsatz (s. S. 110f.) angefügt wurde, und zwar, wie die Übereinstimmung zwischen Matthäus und Lukas zeigt, schon in der hinter beiden liegenden Überlieferung. Das Logion ist vielleicht ursprünglich ein Sprichwort: so ist das Leben, so ungerecht.

durchaus zutreffende Erläuterung jenes Befehls: in der Tat wird ja der fleißige Knecht noch mehr belohnt, dem faulen Knecht dagegen wird das, was er hat, genommen. Und doch gibt die Zufügung dieses Deuteworts dem ganzen Gleichnis ein verändertes Gesicht, weil das Deutewort durch seine Stellung unmittelbar vor dem Schlußsatz aus der Deutung eines einzelnen Verses (Mt. 25, 28 par.) zur Deutung des gesamten Gleichnisses wurde. Ein Nebenzug (V. 28) erhält jetzt den Hauptton, und das ganze Gleichnis wird infolgedessen als Belehrung über die Art und Weise der göttlichen Vergeltung verstanden. Sie ist scheinbar ungerecht, wenn sie den Reichen noch reicher macht, dem Armen das Letzte nimmt. Bei Lukas ist die Verwunderung hierüber ausdrücklich ausgesprochen: „Herr, er hat schon zehn Minen" (Lk. 19, 25). Aber so ist Gottes Gerechtigkeit, lehrt die urchristliche Paränese. Um so mehr gilt es, alle Kraft einzusetzen, daß wir nicht versagen! Im Nazaräerevangelium hat sich der Akzent noch handgreiflicher auf die Paränese verlagert; das Gleichnis wird zur Warnung an die Gemeinde vor zügellosem Lebenswandel.

Mit der paränetischen Anwendung des Gleichnisses verbindet sich jedoch schon früh eine andere: die Deutung auf die Verzögerung der Parusie und im Zusammenhang damit die Allegorisierung treten in den Vordergrund. Während ursprünglich die Reise und Abwesenheit des Hausherrn nur erwähnt war, um die den Knechten gegebene Bewährungsfrist zu begründen, wird jetzt dieser Nebenzug immer mehr zum zentralen Anliegen: der Kaufmann wird bei Matthäus allegorisch auf Christus, seine Reise auf die Himmelfahrt, seine μετὰ πολὺν χρόνον (Mt. 25, 19) erfolgende Rückkehr auf die Parusie gedeutet, die den Einen den Zugang zum messianischen Freudenmahl, den Anderen die Verstoßung in die äußerste Finsternis bringt. Noch weiter auf dem Wege der Allegorisierung geht die Lukasfassung: der Kaufmann wird zum König, das ganze Gleichnis zur Ankündigung und Begründung des Aufschubs der Parusie.

Ursprünglich sind die besprochenen fünf „Parusie"gleichnisse sämtlich Krisisgleichnisse gewesen. Sie wollen ein verblendetes Volk und seine Führer aufrütteln angesichts des furchtbaren Ernstes der Stunde. So unerwartet wird die Katastrophe kommen wie der nächtliche Einbrecher, der um Mitternacht erscheinende Bräutigam, der vom Gastmahl zu später Stunde heimkehrende Hausherr, der von weiter Reise zurückkommende Herr. Laßt euch nicht unvorbereitet überraschen! Erst die Urkirche deutet die fünf Gleichnisse christologisch[1] und als Worte an die Gemeinde, die ermahnt wird, über dem Ausbleiben der Parusie nicht lässig zu werden.

---

[1] Jesus selbst hat sich vor der Öffentlichkeit expressis verbis nur ein einziges Mal als Messias bekannt: Mk. 14, 62 Par.

## b) Die missionierende Kirche

Das Gleichnis vom großen Abendmahl ist uns im NT. doppelt, bei Matthäus und Lukas, überliefert (Mt. 22,1—14; Lk. 14,16—24). Außerdem findet es sich auch im ThEv. als Logion 64, dessen Fassung S. 175 f. wiedergegeben ist. Allen drei Fassungen des Gleichnisses ist gemeinsam, daß die geladenen Gäste die Einladung ablehnen und daß an ihrer Stelle die ersten besten gerufen werden. Wir haben eines der zahlreichen Gleichnisse vor uns, die sich — wie die schon besprochenen Gleichnisse von den Arbeitern im Weinberg und vom verlorenen Schaf — an die Kritiker und Gegner Jesu wenden und ihnen gegenüber die Frohbotschaft rechtfertigen: Ihr gleicht den Gästen, die die Einladung mißachten! Ihr habt nicht gewollt! Darum ruft Gott die Zöllner und Sünder und bietet ihnen das Heil an, das Ihr verscherzt habt!

Wir achten auf die Abweichungen der Fassungen. Bei Matthäus ist das Gleichnis stark allegorisiert (s. S. 65 ff.), ein zweites Gleichnis (22,11—13) und ein generalisierender Abschluß (22,14, s. S. 105) angefügt. Bei Lukas dient das Gleichnis als Beispielerzählung zu der Mahnung 14,12—14, die Ärmsten einzuladen (s. S. 41); ferner ist es um eine zweite Einladung der Ungeladenen erweitert (14,22 f.)[1]. Uns interessiert hier zunächst die Erweiterung Lk. 14,22 f. Nachdem der Knecht von den Straßen und Gassen der Stadt die Armen, Krüppel, Blinden und Lahmen gerufen hat (V. 21), ist immer noch Platz im Festsaal (V. 22). Da erhält er Befehl, von den „(Land-)Straßen und (Weinbergs-)Umfriedungen"[2] weitere Gäste zu rufen (V. 23); er soll also vor die Tore der Stadt gehen und von außerhalb die Landstreicher zu den Stadtarmen (V. 21) hinzurufen. Da Matthäus (22,9 f.) und das ThEv. (64) nur von einer Einladung der Ungeladenen wissen, wird ihre Verdoppelung eine Erweiterung des Gleichnisses sein. Diese Ausgestaltung wollte in der lukanischen Quelle sicherlich nur illustrieren, wie dem Hausherrn alles daran liegt, daß auch der allerletzte Platz in seinem Hause besetzt sei. Dagegen dürfte Lukas in die zweifache Einladung mehr hineingelesen haben. Er wird bei der ersten Einladung der Ungeladenen, die sich innerhalb der Stadt abspielt, an die Zöllner und Sünder in Israel denken, bei der Einladung der außerhalb der Stadt Befind-

---

[1] Ob dagegen auch der Abschlußsatz Lk. 14,24 sekundär ist, ist fraglich (s. S. 177).

[2] W. Michaelis in: ThWBNT. V, S. 69.

lichen an die Heiden. Denn schon Matthäus hat, wie namentlich der Vergleich mit Mt. 21,43 (im unmittelbar vorhergehenden Gleichnis) zeigt, bei den Ungeladenen wahrscheinlich an die Heiden gedacht. Aber bei Lukas ist das Bild durch die Verdoppelung farbiger geworden; die Einbeziehung der Heiden in die Gottesherrschaft wird bei ihm besonders deutlich hervorgehoben. Es ist die Kirche in der Missionssituation, die das Gleichnis als Missionsbefehl deutet; das geschieht schon sehr früh, wie die Übereinstimmung von Matthäus und Lukas zeigt, trifft aber trotzdem schwerlich den ursprünglichen Sinn (s. o. S. 61). Nicht, als ob die Beteiligung der Heiden am Gottesreich außerhalb des Gesichtskreises Jesu gelegen hätte! Wohl aber hat Jesus, wie hier nur angedeutet werden kann, sie sich anders vorgestellt: nicht in Form der Mission, sondern des Hinzuströmens der Heiden in der nahe bevorstehenden eschatologischen Stunde (Mt. 8,11f.)[1]. Wir lernen: die Urkirche deutet und erweitert Jesu Gleichnis aus ihrer Missionssituation.

Eine ganz ähnliche Beobachtung gibt der Schluß der Matthäus-Fassung unseres Gleichnisses an die Hand. Seit jeher hat der Matthäus-Schluß (22,11—13) der Exegese Kopfzerbrechen verursacht, weil es rätselhaft erschien, woher die von der Straße Hereingerufenen ein Hochzeitsgewand haben sollten. Die beliebte Auskunft, es sei Sitte gewesen, den Geladenen ein Festgewand zu schenken (vgl. 2. Kön. 10,22), scheidet aus, weil eine solche Sitte für die Zeit Jesu nicht belegt ist[2]. Vielmehr zeigt das Fehlen der Verse bei Lukas und im ThEv. sowie der auffällige Wechsel von δοῦλοι (V. 3. 4. 6. 8. 10) und διάκονοι (V. 13), daß V. 11—13 eine Erweiterung darstellt, und zwar führt der Vergleich mit einem analogen rabbinischen Gleichnis[3] auf den Schluß, daß es sich bei der Episode mit dem Mann ohne Festgewand um ein von Hause aus selbständiges Gleichnis handelt; der Anfang dieses zweiten Gleichnisses vom Mann ohne Festgewand könnte in 22,2 erhalten sein und die Umgestaltung des ursprünglich von einem Privatmann handelnden (Lk. 14,16) Gleichnisses vom Abendmahl in ein Königsgleichnis (Mt. 22,2) veranlaßt haben. Warum fügt Matthäus (oder seine Überlieferung) das zweite Gleichnis an? Offensichtlich soll einem Mißverständnis gewehrt werden, das durch

---

[1] J. Jeremias, Jesu Verheißung für die Völker[2], Stuttgart 1959, S. 47ff.

[2] Bei dem S. 130 erwähnten Ehrenkleid handelt es sich um eine besondere Auszeichnung, nicht um eine allgemeine Sitte.

[3] b. Schab. 153a (par. Midhr. Qoh. 9,8; Midr. Spr. 16,11); s. u. S. 187.

die wahllose Einladung[1] der Ungeladenen (V. 8ff.) entstehen konnte, nämlich als ob es auf das Verhalten der Menschen, die gerufen werden, überhaupt nicht ankomme. Jesus hat dieses Mißverständnis nicht befürchtet, wie die anderen Frohbotschaftsgleichnisse (S. 120 ff.) — beispielsweise das Gleichnis vom Verlorenen Sohn — zeigen; das ist nicht verwunderlich, wenn man sich klarmacht, daß die Frohbotschaftsgleichnisse, wie wir noch sehen werden, ausnahmslos zu den Gegnern und Kritikern gesprochen sind. Wohl aber mußte das genannte Mißverständnis notwendig auftauchen, sobald man unser Gleichnis auf die Gemeinde anwendete; denn damit wurde V. 10 zu einer Aussage über die Taufe: sie öffnet „Bösen und Guten" (s. A. 1) die Tür zum Hochzeitssaal. Aber war diese Aussage über die Taufe nicht sehr ungeschützt und unvollständig? Die missionierende Kirche erlebt es immer wieder, wie das Evangelium von der freien Gnade Gottes dahin mißdeutet wird, daß die ethische Verpflichtung für die Getauften aufgehoben sei (Röm. 3, 8; 6, 1.15; Jud. 4). Um diesem Mißverständnis den Boden zu entziehen, wird dem Gleichnis vom großen Abendmahl das Gleichnis vom hochzeitlichen Kleid angefügt, das das Prinzip der Würdigkeit nachträgt und die Umkehr als die Voraussetzung für das Bestehen im Gericht einschärft. Wieder sehen wir: die Kirche bezieht das Gleichnis auf ihre konkrete Lage und erweitert es aus ihren missionarischen Erfahrungen heraus.

In dem Bildwort von der Lampe sagt Matthäus, daß das Licht „allen, die im Hause sind" leuchtet (5,15). Bei Lukas heißt es dagegen, daß „die Eintretenden den Schein sehen sollen" (11,33). In der lukanischen Fassung spiegelt sich die hellenistische Bauweise (s. S. 22) und — die Missionssituation der Kirche[2].

Auch Mt. 13, 38 (ὁ δὲ ἀγρός ἐστιν ὁ κόσμος)[3] meldet sich die Mission zu Wort.

## c) Die Ordnung der Leitung der Gemeinden

Wir waren im bisher Gesagten wiederholt auf den Vorgang gestoßen, daß Gleichnisse, die ursprünglich zu den religiösen Führern Israels[4] oder zu Jesu Gegnern[5] gesagt waren, sekundär auf die

---

[1] Πονηρούς τε καὶ ἀγαθούς (V. 10) betont, wie Mt. 5, 45 zeigt, die Wahllosigkeit.

[2] T. W. Manson, Sayings, S. 93.      [3] Vgl. dazu S. 79 f.

[4] S. 52 (Gleichnis vom Türhüter); S. 54 f. (Gleichnis von dem mit der Aufsicht betrauten Knecht); S. 59 (Anvertraute Gelder).

[5] S. 35—37 (Gleichnis vom verlorenen Schaf).

Führer der Gemeinde angewendet wurden. Diese Übertragungen waren durch die verwendeten Bilder (Knecht, Hirt) nahegelegt, zugleich aber auch durch das Bedürfnis nach Weisungen Jesu für die leitenden Männer der Gemeinden. Wie lebhaft dieses Bedürfnis war, zeigt die unter diesem Gesichtspunkt stehende[1] Redekomposition Mt. 18. Auch dieser Faktor war also an der Umdeutung einzelner Gleichnisse beteiligt.

## 8. Die Allegorisierung

Wir sahen im letzten Abschnitt (S. 45 ff.), daß die Urkirche mehrere Gleichnisse auf ihre Situation, die vor allem durch das Ausbleiben der Parusie und die Mission gekennzeichnet war, bezogen hat. Eines der Hilfsmittel, deren sie sich bei der Umdeutung bediente, war die allegorische Deutung. Im Vordergrund stand die christologische Allegorisierung: Einbrecher, Bräutigam, Hausherr, Kaufmann, König wurden auf Christus gedeutet, während ursprünglich die christologische Selbstaussage höchstens verhüllt und nur bei einigen der Gleichnisse im Hintergrund stand. Aber auch da, wo von Lohn und Strafe die Rede ist, greift man, wie wir sahen, gern zur allegorischen Ausdeutung (Mahl der Heilszeit: Mt. 25, 21.23; Lk. 12, 37b; äußerste Finsternis: Mt. 22,13; 25, 30). Die Zahl der sekundären allegorischen Deutungen ist jedoch weit größer. Alle drei Synoptiker sind sich darin einig, daß sie in den Gleichnissen rätselhafte, den Außenstehenden unverständliche Aussprüche sehen (Mk. 4, 10—12 und Par. im heutigen Zusammenhang). Da jedoch die einzelnen Überlieferungszweige bei der Anwendung der allegorischen Deutung Unterschiede aufweisen, empfiehlt es sich, sie getrennt zu untersuchen. Wir beginnen mit der Untersuchung des Matthäus und Lukas gemeinsamen Redenstoffes (A) und wenden uns dann dem Markus-Stoff (B), dem Matthäus-Sondergut (C), dem Johannesevangelium (D) und zuletzt dem Lukas-Sondergut (E) und dem Thomasevangelium (F) zu.

A. Was zunächst den Matthäus und Lukas gemeinsamen Redenstoff anlangt, so ergab sich bereits, daß hier die Gleichnisse vom Einbrecher (Mt. 24, 43 f.; Lk. 12, 39 f., S. 45 ff.), von dem mit der Aufsicht betrauten Knecht (Mt. 24, 45—51; Lk. 12, 41—46,

---

[1] S. S. 36.

64

S. 53ff.) und von den anvertrauten Geldern (Mt. 25,14—30; Lk. 19,12—27, S. 55ff.) von Matthäus und Lukas übereinstimmend, vom Ursprünglichen abweichend, auf Christus und seine Parusie bezogen werden. Die Übereinstimmung zwischen Matthäus und Lukas in allen drei Fällen berechtigt zu dem Schluß, daß die genannten allegorischen Ausdeutungen nicht das Werk der beiden Evangelisten sind, sondern bereits der hinter ihnen stehenden Tradition angehören.

Aus dem Matthäus und Lukas gemeinsamen Redenstoff bietet einen weiteren Beleg für allegorische Ausdeutungen das Gleichnis vom großen Abendmahl (Mt. 22,1—14; Lk. 14,16—24; ThEv. 64[1]). Dieses Gleichnis weist bei Matthäus gegenüber Lukas und der Thomas-Fassung — neben der schon S. 61ff. besprochenen Erweiterung 22,11—14 und neben bloßen Erzählungsvarianten — eine Reihe von Abweichungen auf, die dem Trieb zum Allegorisieren entstammen. Zwar, daß bei Matthäus aus dem „Mann" (Lk. 14,16; ThEv. 64) ein „König" (Mt. 22,2), aus dem $\delta\varepsilon\tilde{\iota}\pi\nu o\nu$ (ThEv.) bzw. $\delta\varepsilon\tilde{\iota}\pi\nu o\nu$ $\mu\acute{\varepsilon}\gamma\alpha$ (Lk. 14,16) die Hochzeitsfeier für den Königssohn (Mt. 22,2) geworden ist, könnte sich allenfalls daraus erklären, daß wir die Einleitung des Mt. 22,11—13 angefügten Gleichnisses vor uns haben, bei dem es sich um ein von einem Könige veranstaltetes Hochzeitsfest handelt. Aber daß bei Matthäus an die Stelle des einen Knechtes des Lukas (14,17. 21. 22f.) und des ThEv. eine Mehrzahl von Knechten tritt, von denen die erste Gruppe die Einladung zum Mahl überbringt (22,3)[2], während die zweite Gruppe (22,4: $\H{\alpha}\lambda\lambda o\upsilon\varsigma$ $\delta o\acute{\upsilon}\lambda o\upsilon\varsigma$) zum fertigen Mahl ruft, daß ferner bei Matthäus schon jene erste Gruppe abgewiesen wird (22,3b) — das alles ist mehr als bloße Ausschmückung, wie V. 6f. beweist. Diese beiden Verse sind — bis auf die Worte $\delta$ $\delta\grave{\varepsilon}$ $\beta\alpha\sigma\iota\lambda\varepsilon\grave{\upsilon}\varsigma$ $\mathring{\omega}\varrho\gamma\acute{\iota}\sigma\vartheta\eta$ (vgl. Lk. 14,21) — eine Erweiterung; denn sie fehlen bei

---

[1] Den Text des ThEv. s. S. 175f.

[2] Von dieser ersten Gruppe heißt es: $\varkappa\alpha\grave{\iota}$ $\mathring{\alpha}\pi\acute{\varepsilon}\sigma\tau\varepsilon\iota\lambda\varepsilon\nu$ $\tauo\grave{\upsilon}\varsigma$ $\delta o\acute{\upsilon}\lambda o\upsilon\varsigma$ $\alpha\mathring{\upsilon}\tauo\tilde{\upsilon}$ $\varkappa\alpha\lambda\acute{\varepsilon}\sigma\alpha\iota$ $\tauo\grave{\upsilon}\varsigma$ $\varkappa\varepsilon\varkappa\lambda\eta\mu\acute{\varepsilon}\nuo\upsilon\varsigma$ $\varepsilon\mathring{\iota}\varsigma$ $\tauo\grave{\upsilon}\varsigma$ $\gamma\acute{\alpha}\muo\upsilon\varsigma$ (22,3). Das Part. Perf. $\tauo\grave{\upsilon}\varsigma$ $\varkappa\varepsilon\varkappa\lambda\eta\mu\acute{\varepsilon}\nuo\upsilon\varsigma$ scheint zu besagen, daß die eigentliche Einladung schon vorangegangen war, so daß also in V. 3—4 im ganzen von drei Einladungen die Rede wäre (Jülicher II, S. 419; E. Klostermann, Das Matthäusevangelium[2], Tübingen 1927, S. 175 zu Mt. 22,4). In Wahrheit dürfte ein Semitismus vorliegen. Das Part. Pass. hat im Semitischen oft gerundivische Bedeutung (Gesenius-Kautzsch-Bergsträßer, Hebräische Grammatik[29], Leipzig 1926, § 13d, S.69; K. Albrecht, Neuhebräische Grammatik, München 1913, § 107m, S. 120), d.h. $o\acute{\iota}$ $\varkappa\varepsilon\varkappa\lambda\eta\mu\acute{\varepsilon}\nuo\iota$ = die Einzuladenden. Anders Mt. 22,4. 8; Lk. 14,17. 24.

Lukas und im ThEv., sprengen den ursprünglichen Zusammenhang von V. 5 mit V. 8 und durchbrechen radikal den Rahmen der Erzählung. Wir hören nämlich in V. 6, daß die Knechte der zweiten Gruppe nicht bloß abgewiesen, sondern völlig unmotiviert von den λοιποί der Gäste (wer ist das?) mißhandelt, ja getötet werden. Noch erstaunlicher ist die antizipierende Schilderung des Zornes des Königs, der, ehe das (bereits fertiggestellte!) Hochzeitsmahl eingenommen wird, seine Leibwache[1] aussendet, jene Mörder (die alle in einer Stadt wohnen) umbringen und „ihre Stadt" verbrennen läßt (V. 7). Offensichtlich wird in V. 7 — unter Verwendung eines alten Topos für die Schilderung einer Strafexpedition[2] — auf die Zerstörung Jerusalems angespielt, und wir müssen von da aus schließen: bei jener ersten Gruppe von Knechten (V. 3) hat Matthäus an die Propheten und die Ablehnung ihrer Botschaft, bei der zweiten Gruppe (V. 4) an die zu Israel (Jerusalem) gesandten Apostel und Missionare und die Mißhandlungen und Martyrien (V. 6), die einzelne von ihnen erlitten, gedacht, bei der Sendung auf die Straßen (V. 9f.) an die Heidenmission (s. S. 62), beim Eintritt in den Hochzeitssaal (V. 10b) an die Taufe (s. S. 63). Das Mahl, zu dem die Propheten einladen, dessen Bereitsein die Apostel verkündigen, das die Geladenen verschmähen und zu dem die Ungeladenen herbeiströmen, an dem man nur im Hochzeitskleid teilnehmen darf, ist das Mahl der Heilszeit, die Besichtigung der Gäste (V. 11) ist das Endgericht, die „äußerste Finsternis" (V. 13) ist die Hölle (vgl. Mt. 8, 12; 25, 30). So ist bei Matthäus unser Gleichnis durch allegorisierende Ausdeutung zu einem Abriß der Heilsgeschichte vom Auftreten der Propheten des Alten Bundes über die Zerstörung Jerusalems bis zum Jüngsten Gericht ausgestaltet[3]. Dieser Abriß der Heilsgeschichte soll den Übergang der Mission zu den Heiden begründen: Israel hat nicht gewollt.

---

[1] Τὰ στρατεύματα αὐτοῦ ist generalisierender Plural (vgl. zu diesem Semitismus P. Joüon, L'Évangile de Notre-Seigneur Jésus-Christ, Paris 1930, S. 135; J. Jeremias, Beobachtungen zu neutestamentlichen Stellen an Hand des neugefundenen griechischen Henoch-Textes, in: ZNW. 38 [1939], S. 115f.) und bezeichnet wie 4. Makk. 5, 1; Mekh. Ex. zu 15, 2; Lk. 23, 11 die Leibwache, vgl. K. H. Rengstorf, Die Stadt der Mörder (Mt. 22, 7), in: Judentum, Urchristentum, Kirche (BZNW. 26), Berlin 1960, S. 108.

[2] S. S. 29.

[3] Und zwar in z. T. wörtlicher Anlehnung an Mt. 21, 33ff.: ἀπέστειλεν τοὺς δούλους αὐτοῦ (22, 3) = wörtlich 21, 34; πάλιν ἀπέστειλεν ἄλλους δούλους (22, 4) = wörtlich 21, 36; die Tötung der Knechte 22, 6 hat ihre Entsprechung

Lukas steht der Allegorie zurückhaltender gegenüber. Gewiß finden sich auch bei ihm einige allegorische Züge, jedoch nicht entfernt in demselben Umfange wie bei Matthäus. Daß auch er bei dem Gastmahl an das Mahl der Heilszeit gedacht hat, zeigt die Einleitung 14,15 und die Wendung „mein Mahl" in V. 24[1]. Und daß auch bei ihm die πόλις Israel ist und das Gleichnis den Ruf an die Heiden versinnbildlicht, sahen wir schon früher (S. 61 f.)[2]. Aber es fragt sich bereits hier, ob diese Allegorisierungen Lukas selbst zugeschrieben werden dürfen. Zum mindesten die allegorische Deutung der πόλις auf Israel und des Mahles auf das Mahl der Heilszeit ist nicht sein Werk, sondern— wie die Übereinstimmung mit Matthäus zeigt — älter als beide. Schon Jesus selbst hat das Gleichnis zwar nicht als Allegorie auf das Mahl der Heilszeit (dagegen spricht der irdische Rahmen der Erzählung, vgl. S. 175 ff.!), wohl aber im Blick auf dieses und auf die Ablehnung der Einladung durch Israels Führer gesprochen.

Gelegentlich hat bei Gleichnissen des Logienstoffes nur Mt. (nicht Lk.) allegorisiert. So ist das Gleichnis vom verlorenen Schaf bei Lukas die Schilderung eines Vorganges aus dem Leben geblieben (15,4—7), bei Matthäus dagegen zur ekklesiologischen Allegorie (18,12—14) geworden: der Hirt steht für den Gemeindeleiter, das verlorene Schaf für das irrende Gemeindeglied.

B. Wir wenden uns dem Markus-Stoff zu. Da ist zunächst daran zu erinnern, daß sich Mk. 2,19b—20 eine sekundäre Deutung des Bräutigams (s.S. 49 A. 3), Mk.13,33—37 des Hausherrn (S. 50 ff.) auf Christus fand. Da die letztgenannte Deutung ebenfalls bei Lukas (12,35—38) und Matthäus (24,42) vorliegt, obwohl Lukas und wahrscheinlich auch Matthäus hier eigener Überlieferung folgen, müssen wir schließen, daß sie bereits der hinter Markus liegenden Tradition entstammt.

Als weiteres Beispiel für allegorische Deutung bei Markus ist das Gleichnis von den bösen Weingärtnern (Mk.12,1—11; Mt. 21,33—44; Lk. 20,9—18; ThEv. 65) zu nennen. Dieses an das

---

21,35f.; mit ἀπώλεσεν τοὺς φονεῖς ἐκείνους vgl. 21,41 ἀπολέσει αὐτούς. Die Mt. 22,6 unmotivierte Mißhandlung der Knechte (sie überbringen ja eine Einladung!) ist 21,35f. motiviert, wo sie eine Forderung eintreiben sollen.

[1] S. S. 177 zu Lk. 14,24.

[2] Daß Lukas auch den Knecht (V.17.21.22f.) auf Jesus gedeutet hätte (Jülicher II, S. 416; E. Klostermann, Das Lukasevangelium[2], Tübingen 1929, S. 151), ist eine durch den Singular nicht gerechtfertigte Annahme, die an V. 22f. scheitert: hat Lukas denn in Jesus den Heidenmissionar gesehen?

„Lied vom Weinberg" Jes. 5,1—7 anknüpfende Gleichnis steht mit seinem allegorischen Charakter einzig da unter den synoptischen Gleichnissen Jesu: der Weinberg ist offensichtlich Israel, die Pächter seine Regenten und Führer, der Grundherr ist Gott, die Boten sind die Propheten, der Sohn ist Christus, die Bestrafung der Winzer versinnbildlicht die Verwerfung Israels, das „andere Volk" (Mt. 21,43) ist die Heidenkirche. Scheinbar ist das Ganze eine reine Allegorie. Ein Vergleich der Texte modifiziert jedoch diesen Eindruck wesentlich. Schon in den früheren Auflagen hatte der Vergleich zu dem Ergebnis geführt, daß die allegorischen Züge, die sich bereits bei Markus, besonders aber bei Matthäus finden, sekundär sind. Dieses Ergebnis ist jetzt durch das ThEv. voll bestätigt worden.

1. Was zunächst die Einleitung des Gleichnisses anlangt, so schildern Markus (12,1) und Matthäus (21,33) die sorgfältige Anlage des Weinberges in engem Anschluß an das Lied vom Weinberg Jes. 5,1—7. Aus Jes. 5,1f. stammt der Zaun, die Kelter und der Turm. Durch diese Bezugnahme auf die Schrift wird sofort in den ersten Sätzen deutlich, daß nicht von einem irdischen Weinbergbesitzer und seinem Weinberg, sondern von Gott und Israel die Rede ist, daß also eine Allegorie vorliegt. Diese Anknüpfung an Jes. 5 ist jedoch bei Lukas weggelassen (20,9). Schwerer wiegt, daß sie im ThEv. fehlt, wo der Anfang des Gleichnisses lautet: „Ein gütiger Mann hatte einen Weinberg; er gab ihn Bauern, damit sie ihn bearbeiteten und er von ihnen seine Frucht bekäme." Vor allem macht gegen die Ursprünglichkeit der Bezugnahme auf Jes. 5 bedenklich, daß die Septuaginta benutzt ist[1]. Die Anknüpfung an Jes. 5 dürfte somit sekundäre Ausgestaltung sein.

2. Noch deutlicher läßt sich bei der Sendung der Knechte beobachten, daß die Allegorisierung sich erst nachträglich des Stoffes bemächtigt hat. Im ThEv. heißt es im Anschluß an die eben zitierte Einleitung weiter: „Er sandte seinen Knecht, damit die Bauern ihm die Frucht des Weinberges gäben. Sie aber ergriffen seinen Knecht, schlugen ihn, und es fehlte nicht viel, so hätten sie ihn getötet. Der Knecht kam und sagte es seinem Herrn.

---

[1] Die Benutzung der Septuaginta wird am deutlichsten in der Wendung περιέθηκεν φραγμόν (Mk. 12,1) greifbar; im hebräischen Text von Jes. 5,2 steht hier nämlich „er grub ihn um", während es in der LXX statt dessen φραγμὸν περιέθηκα „ich umzäunte ihn" heißt.

Sein Herr sagte: vielleicht war er ihnen unbekannt[1]. Er sandte einen anderen Knecht; (aber) die Bauern schlugen (auch) den anderen." Diese Schilderung bleibt ganz im Rahmen einer einfachen Erzählung; nichts weist auf eine tiefere allegorische Bedeutung hin. Wir beachten besonders, daß nach dem ThEv. beide Male nur ein Knecht ausgesandt wird. Dieser Zug kehrt auch bei Markus — wenigstens zunächst (12,2—5a) — wieder, nur daß bei ihm die Zahl der Sendungen auf drei erhöht ist. Dreimal wird je ein Knecht ausgesandt; der erste wird verprügelt, der zweite durch Faustschläge ins Gesicht entehrt, der dritte getötet. Markus ordnet also die Beschimpfungen in Form einer Klimax; wenn ihn diese Anordnung dazu verleitet, den dritten Knecht getötet werden zu lassen, so ist das eine volkstümliche Übersteigerung, die ungeschickt ist, weil sie durch Vorwegnahme des Schicksals, das der Sohn erleidet, den Gang der Erzählung abschwächt[2]. Allegorische Bedeutung hat dieser Zug nicht. Aber bei Markus wird abschließend in V. 5b die volkstümliche regel-de-tri verlassen, indem außerdem noch summarisch eine Vielzahl von Knechten folgt, die teils geprügelt, teils getötet werden. Kein Zweifel: das sind die Propheten und ihr Schicksal! Diese das Bild überwuchernde Allegorie ist sicher eine Erweiterung[3]. Es ist bezeichnend für Lukas (12,10—12), daß er weder die Tötung des dritten Knechtes noch den allegorischen Abschluß von Markus übernommen hat. Er läßt es bei der dreimaligen Sendung und Mißhandlung je eines Knechtes bewenden, wobei er die Trias in die Form einer tadellosen Symmetrie goß[4]. Ob er bei dieser nüchter-

---

[1] Wörtlich: vielleicht kannte er sie nicht.

[2] Viel zurückhaltender ist das ThEv., das von dem zuerst gesandten Knecht sagt: „es fehlte nicht viel, so hätten sie ihn getötet". Lukas (20,12) läßt den dritten Knecht nur verwundet werden.

[3] V. 5b stört die Satzkonstruktion; denn zu πολλοὺς ἄλλους muß ein Verbum (etwa ἐκάκωσαν, Jülicher II, S. 389) ergänzt werden, weil sich δέροντες mit dem regierenden Verbum ἀπέκτειναν V. 5a stößt (Hinweis von Ernst Haenchen). Doch fand Markus V. 5b wohl schon vor, denn das bei ihm seltene μέν — δέ ist auch an den beiden übrigen Stellen (14,21.38) offenbar von ihm übernommen (W. G. Kümmel in: Aux sources de la tradition chrétienne, Goguel-Festschrift, Neuchâtel-Paris 1950, S. 122 A. 12).

[4] Die tadellose Symmetrie in Lk. 20,10—12 wird nach Ausweis des sprachlich-stilistischen Befundes Werk des Lukas sein, da sich in diesen Versen die lukanischen Spracheigentümlichkeiten (vgl. die Liste von J. C. Hawkins, Horae Synopticae², Oxford 1909, S. 16ff.) häufen: V. 10 (ἐξαποστέλλειν), V. 11 (προστιθέναι für πάλιν Mk. 12,4, ἕτερος, δὲ καί, ἐξαποστέλλειν),

nen Zurückhaltung nur von seinem Stilempfinden oder auch von der mündlichen Tradition geleitet wurde, können wir nicht mehr sagen. Ganz anders Matthäus (21,34—36)! Er ist den Weg der Allegorisierung konsequent zu Ende gegangen. Die Klimax, die wir bei Markus finden, ist völlig vernichtet. Es wird sofort eine Vielzahl von Knechten ausgesandt, und gleich diese Ersten werden teils mißhandelt, teils getötet, teils gesteinigt. Dann folgt nur noch eine Sendung: wieder eine Vielzahl, mehr als die Ersten, ihr Schicksal ist das gleiche. Matthäus denkt bei den beiden Sendungen an die früheren und die späteren Propheten, besonders deutlich weist die Steinigung auf das Prophetengeschick (2. Chr. 24, 21; Hebr. 11, 37 vgl. Mt. 23, 37; Lk. 13, 34). Von der schlichten Erzählung, wie wir sie im ThEv. sowie bei Lukas lesen und aus Markus erschließen können, die nur davon sprach, daß je ein Bote zu wiederholten Malen von den Pächtern mit leeren Händen und mit Schimpf und Schande davongejagt wird, ist nichts mehr geblieben.

3. Was die Sendung des Sohnes anlangt, so will zunächst beachtet sein, daß die eigentliche Erzählung abrupt mit seiner Ermordung abschließt. So ist es auch im ThEv., das folgenden Text bietet: „Da sandte der Herr seinen Sohn. Er sagte: Vielleicht werden sie sich vor meinem Sohn scheuen! Da jene Bauern wußten, daß er der Erbe des Weinberges war, ergriffen sie ihn und töteten ihn. Wer Ohren hat, der höre!" Schon dieser Schluß verbietet es schlechterdings, in dem Gleichnis eine Allegorie der Urkirche zu sehen, die Jesus in den Mund gelegt worden wäre; denn für die Urkirche hatte die Auferstehung Jesu eine so zentrale Bedeutung, daß sie sie sicherlich im Rahmen der Erzählung erwähnt haben würde[1]. In der Situation Jesu aber, auf die wir damit gewiesen sind, werden wir zwischen der Meinung Jesu und dem Verständnis der Hörer unterscheiden müssen. Jesus selbst hat bei der Sendung des Sohnes ohne Frage seine eigene Sendung im Auge, für die Menge seiner Hörer aber war die messianische Deutung des Sohnes nicht ohne weiteres gegeben, weil „Sohn Gottes" im vorchristlichen

---

V. 12 (προστιθέναι, δὲ καί, τοῦτον = ihn). Ganz analog ist es kein Zufall, daß in dem Gleichnis vom großen Abendmahl (Lk. 14, 15—24) gerade die Verse 18—20 mit den symmetrisch gebauten Entschuldigungen lukanischen Sprachgebrauch aufweisen.

[1] V. Taylor, Jesus and His Sacrifice, London 1937, S. 107; A. M. Brouwer, De Gelijkenissen, Leiden 1946, S. 68. Zuerst gesehen von F. C. Burkitt.

palästinischen Judentum als Messiasprädikat nicht nachweisbar ist[1]. „Kein Jude konnte sich daher, wenn er in unserem Gleichnis von der Sendung und Tötung des ‚Sohnes' hörte, dadurch veranlaßt sehen, an die Sendung des Messias zu denken."[2] Es ist bezeichnend, daß im rabbinischen Gleichnis vom König und den bösen Pächtern[3] unter dem Sohn der Patriarch Jakob (als Repräsentant des Volkes Israel) dargestellt wird. Das heißt: die christologische Spitze des Gleichnisses mußte für die Hörer in der Verhüllung bleiben.

Die Urkirche hat hier früh verdeutlicht. Es fällt nämlich auf, daß der Sohn bei Markus innerhalb des Weinberges getötet wird und dann erst der Leichnam aus dem Weinberg hinausgeworfen wird (V. 8). Der Zug schildert lediglich das Ausmaß der Ruchlosigkeit: die Winzer schänden noch den Leichnam, indem sie ihn über die Mauer werfen und dem Ermordeten das Begräbnis versagen; nichts erinnert an die Ereignisse der Passion Jesu. Anders Matthäus (21,39) und Lukas (20,15): bei ihnen wird umgekehrt der Sohn erst aus dem Weinberg hinausgestoßen und dann außerhalb desselben umgebracht — eine Anspielung auf die Tötung Jesu außerhalb der Stadt (Joh.19,17; Hebr.13,12f.). Wir stoßen hier also bei Matthäus und Lukas auf eine Verdeutlichung der christologischen Spitze des Gleichnisses. Ihre ersten Spuren liegen jedoch schon bei Markus vor: einmal in dem Anklang von υἱὸν ἀγαπητόν (12,6) an die Himmelsstimme 1,11 und 9,7[4], andererseits in V. 10—11, wo in Gestalt des alttestamentlichen Bildwortes von dem verworfenen Stein, den Gott[5] zum Schlußstein[6] gemacht hat (Ps. 118,22f.), ein beliebter Beweistext der frühen Kirche für die Auferweckung und Erhöhung des verworfenen Christus[7] zitiert wird. Dieser Schriftbeweis, der sich wörtlich an die Septuaginta anschließt, wurde wahrscheinlich angefügt, weil man das Bedürfnis empfand, das Schicksal des Sohnes aus der

---

[1] Äth. Hen. 105,2 ist durch den Chester-Beatty-Papyrus (ed. C. Bonner, The Last Chapters of Enoch in Greek, London 1937, S.76f.) als Interpolation erwiesen; 4.Esr.7,28f.; 13,32.37.52; 14,9 geht das *filius meus* der latein. Übers. auf griech. παῖς μου = „mein Knecht" zurück (ThWBNT. V, S. 680 A. 196). Erst in nachchristlicher Zeit finden sich einige spärliche Belege für die Bezeichnung des Messias als Sohn Gottes in der rabbinischen Literatur im Anschluß an Ps.2,7 (Bill. III, S. 19f.).

[2] W. G. Kümmel (s. o. S. 69 A. 3), S.130.

[3] Siphre Dt. 32,9 § 312 (Bill. I, S. 874).

[4] Kümmel, ebd. S. 123.

[5] Ἐγενήθη (Mk.12,10): Umschreibung des Gottesnamens durch das Passiv.

[6] Κεφαλὴ γωνίας (Luther: Eckstein) ist der Schlußstein über dem Portal, vgl. J. Jeremias, Der Eckstein, in: Angelos 1 (1925), S. 65ff.; ZNW. 29 (1930), S. 264ff.; ThWBNT. I, S. 792f.; K. H. Schelkle, Art. Akrogoniaios, in: RAC. I (1950), Sp. 233f. Die wichtigste Belegstelle ist Test. Sal. 22,7ff. (ed. McCown, S. 66ff.).

[7] Vgl. Apg.4,11; 1.Pt.2,7.

Schrift zu begründen und die vermißte Erwähnung der Auferstehung nachzutragen[1]. Diese christologischen Verdeutlichungen fehlen ohne Ausnahme im ThEv.[2].

4. Was schließlich die Schlußfrage anlangt, die sich bei allen drei Synoptikern findet (Mk. 12,9 Par.), so fehlt sie im ThEv. Sie knüpft wiederum (s. S. 68 Nr. 1) an Jes. 5 an (V. 5), und zwar ist auch hier nicht der hebräische Text benutzt (der nicht die Frageform hat), sondern die Septuaginta. Mit der Schlußfrage, an deren Stelle das ThEv. den Weckruf hat (s. S. 70), fällt auch die Antwort, die sie findet, als ursprünglicher Bestandteil der Überlieferung.

Aber selbst wenn das Gesagte richtig ist, daß die Anknüpfung an Jes. 5 am Anfang und am Schluß sekundär ist, daß die Sendung der Knechte ursprünglich nicht allegorisch gemeint war und daß die christologische Spitze für Jesu Hörer nicht ohne weiteres offenkundig war, so fragt sich doch, ob nicht das Gleichnis als Ganzes so völlig aus dem Rahmen des wirklichen Lebens heraustritt, daß man es trotzdem als Allegorie ansprechen muß. Man denke an die erstaunliche Geduld des Besitzers, an die sinnlose Hoffnung der Pächter, daß die Tötung des Sohnes sie in den Besitz des Landes bringen werde (Mk. 12,7), an die Tötung des Sohnes — konnte all so etwas vorkommen? Diese Frage dürfte, so überraschend das scheinen mag, zu bejahen sein. Das Gleichnis schildert nämlich, wie Dodd erkannt hat[3], realistisch die revolutionäre Stimmung der galiläischen Bauern gegen die landfremden Großgrundbesitzer, wie sie der in Galiläa beheimatete Zelotismus geweckt hatte. Wir müssen uns klarmachen, daß nicht nur der ganze obere Jordangraben und wahrscheinlich auch das Nord- und Nordwestufer des Sees Genezareth[4], sondern auch große Teile des galiläischen Berglandes damals Latifundiencharakter trugen und daß diese galiläischen Latifundien zum großen Teil in der Hand

---

[1] B. T. D. Smith, S. 224. Die Zufügung des Schriftbeweises ist älter als Markus, da für diesen das Fehlen des Weissagungsbeweises charakteristisch ist; an den wenigen Stellen, an denen er ihn bringt, folgt er älterer Überlieferung.

[2] Interessanterweise läßt das ThEv. nur insofern einen Ansatz zu dem oben geschilderten Prozeß der Ausdeutung erkennen, als es auf das abgeschlossene Gleichnis (65) als selbständiges Logion (66) das Wort vom Schlußstein folgen läßt.

[3] Dodd, S. 124ff.

[4] A. Alt, Die Stätten des Wirkens Jesu in Galiläa, in: ZDPV. 68 (1949), S. 67f.

von landfremden Besitzern waren[1]. Es ist für das Verständnis des Gleichnisses zu beachten, daß der Grundbesitzer offenbar im Auslande lebt (Mk. 12,1: καὶ ἀπεδήμησεν), vielleicht sogar als Ausländer gedacht ist. Nur weil ihr Herr in der Ferne ist, können sich die Pächter so viel gegen seine Boten herausnehmen. Weil er im Auslande lebt, muß er sich, nachdem seine Boten schimpfvoll davongejagt sind, nach einem Boten umsehen, der eine Respektsperson für die Aufsässigen ist. Wenn er fern im Ausland lebt, erklärt sich auch am einfachsten die sonst unglaublich törichte Berechnung der Pächter, es werde ihnen gelingen, nach der Beseitigung des Alleinerben[2] ungehindert in den Besitz des Grundstücks zu gelangen (Mk. 12,7). Sie haben den Rechtssatz vor Augen, daß ein Nachlaß unter bestimmten Voraussetzungen als herrenloses Gut galt, das sich jedermann aneignen konnte[3], wobei derjenige das Vorrecht hatte, der zuerst die Besitzergreifung vollzog[4]; das Er-

---

[1] So hören wir aus der Zeit des großen Aufstandes (66 n.Chr.) von Getreide, das in den Dörfern von Obergaliläa um Gischala (ed-dschisch) für Rechnung des Cäsars lagerte (Jos. Vita § 71); diese Dörfer gehörten also zu kaiserlichen Domänen. Ebenfalls große Mengen Getreide hatte damals die Prinzessin Berenike in Besara, an der Grenze des Stadtgebiets von Ptolemais (Akko), aufspeichern lassen (§ 119). In frühere Zeit führt einer der Zenonpapyri, aus dem hervorgeht, daß Apollonius, 261—246 v.Chr. Finanzminister des ptolemäischen Reiches, in Baitianata in Galiläa ein Landgut (κτῆμα) besaß, von dem ihm Wein nach Ägypten geschickt wurde (Pubblicazioni della Società Italiana. Papiri Greci e Latini 6 [1920], Nr. 594); der gleiche Ort wird in den Zenonpapyri als Proviantstation genannt, welche die das Land bereisenden ägyptischen Beamten mit Mehl versorgte (Catalogue général du Musée du Caire 79, Nr. 59004. 59011); noch in talmudischer Zeit gilt beth ʿana als „verschlungene Stadt", d.h. als nichtjüdische Ortschaft in jüdischer Umgebung (Tos. Kil. 2,16; j. ʿOrla 3,63b), vgl. A. Alt in: Palästina-Jahrbuch 22 (1926), S. 56; J. Herz, ebd. 24 (1928), S. 109. Der Latifundiencharakter weiter Teile des galiläischen Berglandes erklärt sich daraus, daß dieses ursprünglich Königsland war (A. Alt, ebd. 33 [1937], S. 87f.); Nedh. 5,5, wo von der Verschreibung von Besitzrechten an Fürsten die Rede ist, heißt es: „Die Galiläer haben solche Verschreibungen nicht nötig, weil ihre Vorfahren längst (ihren Grundbesitz) an sie (die Fürsten) verschrieben haben."
[2] Ἀγαπητός (Mk. 12,6) hat hier den Beiklang „einzig" (und darum über die Maßen geliebt), vgl. C. H. Turner in: JThSt. 27 (1926), S. 120f.; Dodd, S. 130 A. 1. Er ist also Alleinerbe.
[3] Dieser Fall trat z.B. ein, wenn das Erbe binnen bestimmter Frist nicht angetreten wurde. Vgl. E. Bammel, Das Gleichnis von den bösen Winzern (Mk. 12,1—9) und das jüdische Erbrecht, in: Revue Internationale des Droits de l'Antiquité, 3e Série, 6 (1959), S. 11—17, hier S. 14f.
[4] J. Jeremias, Jerusalem zur Zeit Jesu³, Göttingen 1962, S. 363 (mit Belegen). Bei Grundstücken geschah die Besitzergreifung dadurch, daß man ein noch so kleines Stück „abgrenzte, verzäunte oder mit einem

scheinen des Sohnes läßt sie annehmen, daß der Besitzer verstorben sei und daß der Sohn komme, um sein Erbe in Besitz zu nehmen.[1] Wenn sie ihn töten, wird, so spekulieren sie, der Weinberg herrenloses Gut, von dem sie als Erste an Ort und Stelle Besitz ergreifen können. Indes, so fragt man sich, ist die Ermordung des Sohnes nicht doch ein allzu krasser Zug für eine aus dem Leben genommene Erzählung? Nun, der Eindruck, den die Erzählung erzielen wollte, forderte eine Steigerung in der Schilderung der Aufsässigkeit der Pächter, deren Wucht sich kein Hörer entziehen konnte. Ihre Verkommenheit mußte möglichst kraß veranschaulicht werden. Die Logik der Erzählung, nicht theologische Reflexion über die Gottessohnschaft des Messias, hat zur Einführung der Gestalt des einzigen Sohnes geführt[2]: das schließt nicht aus, sondern ein, daß das Gleichnis mit der Tötung des Sohnes des Weinbergbesitzers auf die aktuelle Situation der Ablehnung der abschließenden und letzten Gottesbotschaft hinweist. So dürfte es dabei bleiben: Mk. 12,1ff. ist nicht eine Allegorie, sondern ein an reale Verhältnisse anknüpfendes Gleichnis.

Erst jetzt kann die Frage beantwortet werden, was der ursprüngliche Sinn des Gleichnisses ist. Es will, wie so viele andere Gleichnisse Jesu, die Darbietung der Frohbotschaft an die Armen rechtfertigen. Ihr, die Pächter des Weinbergs und Führer des Volkes, habt nicht gewollt, habt Widersetzlichkeit gegen Gott auf Widersetzlichkeit gehäuft! Auch den letzten Gottesboten weist ihr ab! Das Maß ist voll! Darum wird Gottes Weinberg „anderen" gegeben (Mk. 12, 9), bei denen — es wird von Markus und Lukas nichts Näheres darüber gesagt, wer darunter zu verstehen ist — nach Analogie der verwandten Gleichnisse (S. 128) an die $\pi\tau\omega\chi o\iota$ zu denken sein wird[3].

Für unseren Zusammenhang ergibt sich: durch die Erwähnung des Weinberges besaß das Gleichnis von vornherein einen Ansatz zur Allegorisierung. „Der Weinberg des Herrn der Heerscharen ist das Haus Israel" (Jes. 5,7), diesen Vers kannte jeder

Zugang versah" (B. B. 3,3); wir hören von einem konkreten Fall, in dem die Besitzergreifung eines Gartens, der einem ohne Hinterlassung eines Erben verstorbenen Proselyten gehörte, durch das „Malen einer Figur", also durch das Anbringen eines Zeichens, erfolgte (b. B. B. 54a).

[1] Bammel, a.a.O. S. 13, möchte die Annahme vorziehen, daß der Sohn schon bei Lebzeiten des Vaters durch Schenkung Besitzer des Landes geworden war (s. S. 128f. zu Lk. 15,12) und daß er kinderlos ist, so daß der Vater ihn beerbt. Aber dann wäre der Vater der Erbe, nicht der Sohn.

[2] Dodd, S. 130.      [3] Vgl. Mt. 5,5: $\pi\rho\alpha\varepsilon\tilde{\iota}\varsigma\ \varkappa\lambda\eta\rho o\nu o\mu\acute{\eta}\sigma o\upsilon\sigma\iota\nu\ \tau\grave{\eta}\nu\ \gamma\tilde{\eta}\nu$.

Hörer. Damit war gegeben, daß mit den Pächtern Israels Führer gemeint sein mußten (Mk. 12,12 b; Lk. 20,19 b). Schon die vormarkinische Überlieferung hat nun aber die Allegorisierung weitergetrieben, indem sie die Deutung der Knechte auf die Propheten (Mk. 12,5 b) hinzufügte und durch die Auferstehungsweissagung (12,10 f.) die christologische Spitze deutlicher machte[1]. Matthäus ist auf diesem Wege noch erheblich weitergegangen; bei ihm ist das Gleichnis (wie das Gleichnis vom großen Abendmahl, s. S. 65 f.) geradezu ein Abriß der Heilsgeschichte von der Bundesschließung am Sinai (so wird er das ἐξέδοτο in 21,33 verstanden haben) über die Zerstörung Jerusalems (21,41 vgl. 22,7) und die Gründung der Heidenkirche (21,43)[2] bis zum Endgericht (21,44)[3] geworden. Lukas zeigt große Zurückhaltung gegenüber der Allegorisierung, ohne ihr doch ganz entgangen zu sein (20,13.15.17 f.). Das Thomasevangelium ist (bis auf einen Ansatz im Kontext s. S. 72 A. 2) völlig frei von allegorischen Zügen. C. H. Dodd (S. 129) hatte als ursprüngliche Fassung des Gleichnisses eine solche erschlossen, die, frei von Allegorie, nach dem Gesetz der regel-de-tri die Sendung zweier Knechte und danach des Sohnes schilderte — im Thomasevangelium haben wir jetzt diese Fassung vor uns.

Im Rahmen des Markus-Stoffes ist schließlich noch die Deutung des Gleichnisses vom Säemann Mk. 4,13—20 (die Parallelen Mt. 13,18—23; Lk. 8,11—15 sind nach Ausweis des Kontextes von Markus abhängig) zu besprechen. Ich habe mich lange gegen den Schluß gesträubt, daß diese Gleichnisdeutung der Urkirche zugeschrieben werden muß. Aber er ist, schon aus sprachlichen Gründen, unausweichlich. 1. Absolut gebrauchtes ὁ λόγος ist ein von der Urkirche geprägter und häufig gebrauchter terminus technicus für das Evangelium[4]; im Munde Jesu findet sich dieses absolut gebrauchte ὁ λόγος nur in der Deutung des Säe-

---

[1] Vgl. S. 72 A. 1.

[2] Die Deutung der ἄλλοι auf die Heiden (nur Mt. 21,43) wird älter sein als Matthäus, da ἡ βασιλεία τοῦ θεοῦ (nur viermal bei Matthäus) nicht sein eigener Sprachgebrauch ist; er selbst sagt ἡ βασιλεία τῶν οὐρανῶν (32 mal, sonst im NT. nur noch als Variante zu Joh. 3,5).

[3] V. 44 ist ausgezeichnet bezeugt und daher nicht zu streichen, s. S. 107 A. 1.

[4] Mk. 1,45 (markinisches Summarium); 2,2 (redaktionelle Einleitung zur Geschichte vom Gichtbrüchigen, durch Wortresponsionen mit 1,45 verknüpft); 4,33 (Sammelbericht); 8,32 (?); Ps.-Mk. 16,20; Lk. 1,2; Apg. 4,4; 6,4; 8,4; 10,36.44; 11,19; 14,25; 16,6; 17,11; 18,5; Gal. 6,6; Kol. 4,3; 1. Thess. 1,6; 2. Tim. 4,2; Jak. 1,21; 1. Petr. 2,8; 3,1; 1. Joh. 2,7.

mannsgleichnisses (bei Markus 8mal, bei Matthäus 5mal, bei Lukas 3mal) — sonst nie! Dem entspricht, daß sich in dem kleinen Stück eine Fülle von Aussagen über „das Wort" finden, die der sonstigen Predigt Jesu fremd, dagegen der apostolischen Zeit geläufig sind[1]: der Prediger breitet das Wort aus[2]; das Wort wird aufgenommen[3], und zwar mit Freude[4]; Verfolgung erhebt sich wegen des Wortes[5]; das Wort wirkt Anstoß[6]; das Wort „wächst"[7]; das Wort bringt Frucht[8]. 2. In gehäufter Zahl finden sich Mk. 4, 13—20 Worte, die bei den Synoptikern sonst nicht vorkommen, dagegen der übrigen neutestamentlichen Literatur, insbesondere Paulus, vertraut sind[9]: σπείρειν übertr. für verkündigen[10]; ῥίζα übertr. für innerliche Festigkeit[11]; πρόσκαιρος (ein Gräzismus, dem im Aramäischen kein entsprechendes Adjektiv gegenübersteht)[12]; ἀπάτη[13]; πλοῦτος[14]; ἄκαρπος[15]; παραδέχεσθαι[16]; καρποφορεῖν übertr.[17]. In anderem Sinn und Gebrauch begegnet noch einmal bei Lukas: ἐπιθυμία[18]. Nur je noch einmal begegnet bei den Synoptikern: διωγμός[19]; μέριμνα[20]. Singulär ist die Wendung αἱ μέριμναι τοῦ αἰῶνος[21]. 3. Die Deutung des Säens auf die Verkündigung (Mk. 4,14)

[1] J. Schniewind in: Das Neue Testament Deutsch 1 zu Mk. 4,14ff.
[2] Mk. 1,45 διαφημίζειν τὸν λόγον (Subjekt in V. 45a dürfte, wie sicher in V. 45b, Jesus sein; denn ἤρξατο ist aramaisierendes Füllwort, das im Deutschen unübersetzt bleiben muß), vgl. Apg. 8,4; 2. Tim. 4,2 u. ö.
[3] 1. Thess. 1,6; 2,13; Apg. 17,11; 2. Kor. 11,4; Jak. 1,21.
[4] 1. Thess. 1,6 u. ö.    [5] 1. Thess. 1,6; 2. Tim. 1,8; 2,9.    [6] 1. Petr. 2,8.
[7] Apg. 6,7; 12,24; 19,20; Kol. 1,6.    [8] Kol. 1,6. 10.    [9] Dodd, S. 13f.
[10] Im NT. nur noch: 1. Kor. 9,11, vgl. Joh. 4,36f. Zu Mt. 13,37 s.u. S. 79ff.
[11] Im NT. nur noch: Kol. 2,7 und Eph. 3,17: ἐρριζωμένοι.
[12] P. Joüon, L'Évangile de Notre-Seigneur Jésus-Christ, Paris 1930, S. 87; G. Dalman, Viererlei Acker, in: Palästina-Jahrbuch 22 (1926), S. 125f. Im NT. nur noch: 2. Kor. 4,18; Hebr. 11,25.
[13] Im NT. nur noch: Eph. 4,22; Kol. 2,8; 2. Petr. 2,13 und mit Genitiv (wie Mk. 4,19) 2. Thess. 2,10; Hebr. 3,13. In der Bedeutung „Lust, Genuß" (die Mk. 4,19 gemeint sein dürfte) nur 2. Petr. 2,13.
[14] Fehlt sonst in den Evangelien. Im übrigen NT. 19mal, davon 15mal in der paulinischen Literatur.
[15] Sonst noch 1. Kor. 14,14; Eph. 5,11; Titus 3,14; 2. Petr. 1,8; Jud. 12.
[16] Sonst noch Apg. 15,4; 16,21; 22,18; 1. Tim. 5,19; Hebr. 12,6.
[17] Sonst nur noch Röm. 7,4f.; Kol. 1,6.10.
[18] Lk. 22,15: in gutem Sinn und im Singular.
[19] Mk. 10,30 (Mt. 19,29 und Lk. 18,30 fehlend, vielleicht sekundär).
[20] Lk. 21,34 (in der späten, jedoch alten Stoff verarbeitenden Komposition Lk. 21,34—36).
[21] Der auffällige absolute Gebrauch von ὁ αἰών für ὁ αἰὼν οὗτος hat im NT. eine entfernte Entsprechung nur in der dem Matthäus eigentümlichen (s. S. 82 A. 8) Wendung (ἡ) συντέλεια (τοῦ) αἰῶνος.

entspricht nicht dem Sprachgebrauch Jesu[1]; er hat vielmehr die Verkündigung mit dem Einbringen der Ernte verglichen[2]. 4. Zu diesen sprachlichen Feststellungen kommt die schwerwiegende Beobachtung, daß die Deutung des Säemannsgleichnisses die eschatologische Spitze des Gleichnisses verfehlt (s. u. S. 149f.). Vielmehr ist der Akzent vom Eschatologischen auf das Psychologische verlagert[3]. Das Gleichnis wird in der Deutung zu einer Mahnung an die Konvertiten[4], die ihre Herzensbeschaffenheit darauf prüfen sollen, ob es ihnen mit der Bekehrung ernst ist. 5. Daß das ThEv. das Gleichnis (9) ohne Deutung überliefert, bestätigt diese kritischen Erwägungen.

Wir müssen schließen: Die Deutung des Säemannsgleichnisses gehört der Urkirche an. Diese hat in dem Gleichnis eine Allegorie gesehen und hat es dementsprechend Zug für Zug allegorisch ausgelegt. Zunächst wird der Same auf das Wort, dann in einer Art Tabelle das vierfach beschriebene Ackerfeld auf vier Menschengruppen gedeutet. Dabei haben zwei von Hause aus ganz verschiedene Gedanken Pate gestanden, die beide auch im 4. Esrabuche begegnen: einerseits der Vergleich des göttlichen Wortes mit Gottes Saat[5], andererseits der Vergleich der Menschen mit Gottes Pflanzung[6]. Die Deutung ist älter als Markus, da sie nach Ausweis des Sprachschatzes (s. S. 75ff.) und der literarkritischen Analyse (s. S. 10 A. 5) nicht seine Schöpfung ist.

---

[1] Zu Mt. 13,37 s. u. S. 79ff.

[2] Mt. 9,37f.; Lk. 10,2; Joh. 4,35.38 vgl. Dodd, S. 187, ferner S. 118ff. dieser Arbeit.

[3] F. Hauck, Das Evangelium des Markus, Leipzig 1931, S. 51.

[4] B. T. D. Smith, S. 59.

[5] 4. Esr. 9,31: „Heute säe ich mein Gesetz in Euer Herz, das wird in Euch Frucht bringen", vgl. 8,6. Der Vergleich der göttlichen Gebote mit dem Samen ist dem AT. unbekannt; er dürfte unter dem Einfluß der hellenistischen Vorstellung vom λόγος σπερματικός gebildet worden sein (vgl. K. H. Rengstorf, in: Das Neue Testament Deutsch 3⁹, Göttingen 1962, z. St.).

[6] 4. Esr. 8,41: „Denn wie der Landmann viele Saatkörner aufs Land streut und viele Pflanzen pflanzt, aber nicht alles Gesäte zu seiner Zeit aufgeht noch alle Pflänzlinge Wurzel schlagen, so werden auch von denen, die in diese Weltzeit gesät sind, nicht alle gerettet werden." Der Vergleich der Gemeinde mit Gottes Pflanzung schon im AT.: Jes. 61,3 u.ö., vgl. Ph. Vielhauer, Oikodome, Diss. Heidelberg 1939, S. 12f. Nachalttestamentlich: äth. Hen. 62,8: „Die Gemeinde der Heiligen und Auserwählten wird gesät werden"; Ps. Sal. 14,3ff.; Jub. 1,16; 21,24; 36,6; oft in Qumran. Rabbinisch: Num. r. 16 (Bill. I, S. 666; vgl. ferner 721; III, S. 290). Neutestamentlich: Mt. 15,13; 1. Kor. 3,6f.; Hebr. 12,15.

Im ganzen ergibt sich, daß, gemessen an dem relativ geringen Umfang des Gleichnisstoffes bei Markus, die allegorische Deutung bei ihm schon einen breiten Raum einnimmt. Ganz überwiegend gehört sie bereits der hinter ihm liegenden Tradition an[1].

C. Wir wenden uns als dritter Überlieferungsschicht dem Matthäus-Sondergut zu. Nach den bisherigen Ergebnissen sind wir nicht überrascht, auch bei der Untersuchung der diesem zugehörenden Gleichnisse[2] weitgehend allegorischen Deutungen zu begegnen. Daß das Gleichnis von den zehn Jungfrauen — zu Unrecht — als Allegorie auf die Parusie des himmlischen Bräutigams Christus verstanden wurde, sahen wir ja bereits[3]. Ebenso fanden wir am Schluß des kleinen, gleichfalls zum Matthäus-Sondergut gehörenden Gleichnisses vom Hochzeitsgast ohne Festgewand (Mt. 22,11—13)[4] eine sekundäre — weil den Rahmen der Erzählung sprengende und für Matthäus charakteristische — allegorische Deutung, wenn der Eindringling in die „äußerste Finsternis", wo „Heulen und Zähneknirschen sein wird"[5], d. h. die Hölle, verstoßen wird.

Das Gleichnis von den beiden ungleichen Söhnen (Mt. 21,28—32) findet in V. 32 eine überraschende Anwendung — nämlich auf den Täufer. Er hat erlebt, was dem Hausherrn widerfuhr: Ablehnung bei denen, die sich dem Dienste Gottes verschrieben hatten, und Gehorsam bei denen, die in der Gottesferne lebten. Indes ist diese Anwendung kaum ursprünglich. Zwar die Erwägung, daß V. 32 insofern nicht zu dem Gleichnis passe, als von einer Sinnesänderung der beiden einander gegenübergestellten Gruppen des Volkes in ihrem Verhalten zum Täufer nichts bekannt ist, ist allein noch nicht durchschlagend; eine solche Inkonzinnität wäre bei dieser „Vexierfrage" tragbar[6]. Schwerer wiegt, daß V. 32 sich bei Lukas (7,29f.) als selbständiges Logion findet; der Vers ist offenbar durch Stichwortzusammenhang (vox: οἱ τελῶναι καὶ αἱ πόρναι) an Mt. 21,31 angewachsen; zudem gibt sich V. 31b durch die wieder-

---

[1] S. zu Mk. 13,33—37: S. 67; zu 12,1—12: S. 72 A. 1; zu 4,13—20: S. 77.
[2] 13,24—30 (mit 36—43). 44.45f.47—50; 18,23—35; 20,1—15; 21,28—32; 22,11—14; 25,1—13.31—46.
[3] S. 48ff.
[4] S. S. 62f.
[5] Zu dieser für Matthäus charakteristischen Wendung s. S. 58 A. 1; 104.
[6] W. Salm, Beiträge zur Gleichnisforschung, Diss. Göttingen 1953, S. 152.

78

holt ein Gleichnis abschließende[1] Wendung ἀμὴν λέγω ὑμῖν als ursprünglicher Gleichnisschluß zu erkennen. Wieder stellen wir fest: ein Gleichnis, das ursprünglich die Frohbotschaft rechtfertigen will (Ihr habt nicht gewollt, die Verachteten haben sich dem Rufe Gottes erschlossen, darum gilt ihnen die Verheißung!), findet bei Matthäus durch die Beziehung auf den Täufer eine heilsgeschichtliche Anwendung, die ihm von Hause aus fremd ist und die der heilsgeschichtlichen Ausdeutung des Winzergleichnisses[2] und des Gleichnisses vom großen Abendmahl[3] bei Matthäus verwandt ist. Doch dürfte in unserem Falle die Deutung auf den Täufer nicht Werk des Matthäus sein, sondern bereits von der älteren Überlieferung vollzogen worden sein. Denn Matthäus fügt unser Gleichnis ad vocem Ἰωάννης (21,25/21,32) in sein Evangelium ein, fand also das Gleichnis vermutlich schon mit dem Schlußvers 32 vor.

Von besonderer Wichtigkeit ist in unserem Zusammenhang die Untersuchung der Deutung des Gleichnisses vom Unkraut unter dem Weizen (Mt.13,36—43), das ebenfalls zum Matthäus-Sondergut gehört. Diese Deutung besteht aus zwei sehr verschiedenartigen Teilen: V. 37—39 werden die sieben wichtigsten Größen des Gleichnisses eine nach der anderen allegorisch gedeutet, so daß sich ein kleines „Lexikon" allegorischer Deutungen ergibt; die Verse 40—43 dagegen beschränken sich darauf, das gegensätzliche Schicksal von Unkraut und Weizen, wie es V. 30b geschildert war, auf das Geschick der Sünder und Gerechten im Endgericht zu deuten, so daß eine kleine Apokalypse entsteht[4]. An dieser Deutung fällt auf: 1. Sie berührt mit keinem Wort den springenden Punkt des Gleichnisses, nämlich die Mahnung zur Geduld. Sie verfehlt also die Spitze des Gleichnisses[5]. 2. Sie weist einige Wendungen auf, die Jesus aus sprachlichen Gründen schwerlich gebraucht haben kann: ὁ κόσμος = die „Welt" (V. 38), weil das Vorkommen von ʿalᵉma in der Bedeutung „Welt" nach den sorgfältigen Untersuchungen des Sprachgebrauchs durch Dalman für

---

[1] Mt.5,26 vgl. Lk.14,24; 15,7.10; 18,14.
[2] S. 75.          [3] S. 65f.
[4] M. de Goedt, L'explication de la parabole de l'ivraie (Mt. XIII, 36—43), RB. 66 (1959), S. 32—54. Dazu J. Jeremias, Die Deutung des Gleichnisses vom Unkraut unter dem Weizen (Mt. xiii, 36—43), in: Neotestamentica et Patristica (O. Cullmann-Festschrift), Leiden 1962, S. 59—63.
[5] R. Bultmann, Die Geschichte der synoptischen Tradition³, Göttingen 1958, S. 203.

die vorchristliche Zeit bezweifelt werden muß[1]; ὁ πονηρός = „der Teufel" (V. 38 vgl. V. 19), weil biša im Aramäischen (Entsprechendes gilt für harac im Hebräischen und Neuhebräischen) als Bezeichnung des Teufels unbekannt ist; ἡ βασιλεία ohne Zusatz = „die Königsherrschaft Gottes" (V. 38), weil malkhuth ohne Zusatz stets die jeweilige weltliche Regierung bezeichnet[2]. Dazu stimmt, daß ὁ διάβολος (V. 39) in den Evangelien einer späteren Überlieferungsschicht angehört; die alte Überlieferung nennt den Teufel σατανᾶς = saṭana[3]. 3. Auch inhaltlich bietet die Deutung des Gleichnisses vom Unkraut unter dem Weizen einige Eigenheiten, die sich dem Rahmen der Verkündigung Jesu nicht einfügen. Singulär ist zunächst die Wendung οἱ υἱοὶ τῆς βασιλείας (V. 38) als Bezeichnung der wahren Bürger des Gottesreiches; denn die Wendung begegnet im NT. nur noch Mt. 8,12 und hat dort ganz anderen Sinn; sie ist dort nämlich Bezeichnung der Juden, die den Anspruch auf das Gottesreich verscherzt haben; wir haben also 13,38 eine Verchristlichung der Wendung vor uns. Auffällig ist sodann, daß in V. 41 von den Engeln des Menschensohnes die Rede ist; denn diese Wendung findet sich, abgesehen von zwei weiteren Stellen des Mt.-Evangeliums (16, 27; 24, 31), sonst im NT. nicht. Vor allem aber ist höchst seltsam der Satz, daß die Engel „aus seinem (d. h. des Menschensohns) Reich" alle Verführer und Verführten sammeln werden (V. 41); denn ἡ βασιλεία τοῦ υἱοῦ τοῦ ἀνθρώπου ist eine Matthäus eigentümliche Wendung (im NT. nur Mt. 13, 41; 16, 28), und die Vorstellung vom Christusreich ist der ältesten Überlieferungsschicht fremd[4]; an unserer Stelle ist das „Reich des Menschensohns" (V. 41), das bei der Parusie (V. 40) vom Gottesreich (V. 43) abgelöst wird, geradezu Bezeichnung der Kirche[5], ein in den Evangelien völlig singulärer Sprachgebrauch. 4. Die

---

[1] G. Dalman, Die Worte Jesu I², Leipzig 1930, S. 132—136.  [2] Ebd., S. 78 f.
[3] In den Evangelien findet sich διάβολος in der Versuchungsgeschichte (Mt. 4, 1. 5. 8. 11; Lk. 4, 2. 3. 6. 13) und Mt. 13, 39; 25, 41; Lk. 8, 12; Joh. 6, 70; 8, 44; 13, 2. Das Wort fehlt also bei Markus gänzlich. In der Versuchungsgeschichte hat er σατανᾶς (1,13). In der Deutung des Säemannsgleichnisses hat er ebenfalls σατανᾶς (4,15), Lukas ersetzt das aramäische Wort durch διάβολος (8,12). Ebenso ist Mk. 8, 33 und Lk. 22, 3 (vgl. Joh. 13, 27) σατανᾶς ursprünglicher als διάβολος Joh. 6, 70; 13, 2.
[4] Vgl. Mt. 16, 28 mit Mk. 9, 1 und Lk. 9, 27; ferner Lk. 22, 30 mit Mt. 19, 28; schließlich Mt. 20, 21 mit Mk. 10, 37. Die älteste synoptische Überlieferung kennt den Chiliasmus nicht.
[5] E. Klostermann, Das Matthäusevangelium², Tüb. 1927, z. St.; Dodd, S. 183.

genannten sprachlichen und sachlichen Eigenheiten finden ihre Erklärung durch die Feststellung, daß Mt. 13, 36—43 in geradezu einzigartiger Häufung die Spracheigentümlichkeiten des Evangelisten Matthäus aufweist.

V. 36: τότε[1], ἀφείς[2], οἱ ὄχλοι[3], ἦλθεν[4], εἰς τὴν οἰκίαν[5], προσῆλθον[6] αὐτῷ οἱ μαθηταὶ αὐτοῦ[7], λέγων[8], φράσον[9] ἡμῖν τὴν παραβολήν[10], ἡ παραβολὴ τῶν ζιζανίων τοῦ ἀγροῦ[11], τοῦ ἀγροῦ[12]. V. 37: ὁ δὲ ἀποκριθεὶς εἶ-

---

[1] 90 mal bei Matthäus und eines seiner Hauptcharakteristika. In der Erzählung (wie an unserer Stelle) bei Matthäus 60 mal, bei Markus nie, bei Lukas 2 mal. Die vom klassischen Gebrauch (τότε = „damals") abweichende Verwendung als Übergangspartikel (τότε = „darauf") ist Aramaismus.

[2] Einleitende Partizipialkonstruktion zur Verknüpfung mit dem Vorhergehenden ist typisch für Matthäus (E. Klostermann, a. a. O. S. 10).

[3] Der Plural im NT.: Mt. 32-, Mk. 1-, Lk. 15-, Joh. 1-, Apg. 7-, Apk. 1 mal.

[4] Die Folge Part. Aor. / Ind. Aor. zur Beschreibung eines aus zwei Handlungen bestehenden Vorgangs ist typisch für Matthäus (A. Schlatter, Der Evangelist Matthäus, Stuttgart 1929, S. 23).

[5] Εἰς τὴν οἰκίαν in der Bedeutung „nach Hause" findet sich im NT. nur bei Matthäus (9, 28; 13, 36; 17, 25).

[6] Vorzugswort des Matthäus (Mt. 52-, Mk. 5-, Lk. 10 mal).

[7] Die Wendung ist Eigentümlichkeit des Matthäus (5, 1; 13, 36; 14, 15; 24, 3; vgl. 24, 1; 26, 17).

[8] Stileigentümlichkeit des Matthäus (A. Schlatter, a. a. O., S. 16 f.), 112 mal bei ihm. Dem Stil des Matthäus entspricht es ferner, daß in direkter Rede um die Deutung des Gleichnisses gebeten wird; denn an den beiden anderen Stellen, an denen Jesus im Anschluß an ein Gleichnis befragt wird, hat Matthäus jedesmal die indirekte Rede des Markus (4, 10: ἠρώτων αὐτὸν ... τὰς παραβολάς; 7, 17: ἐπηρώτων αὐτὸν ... τὴν παραβολήν) in direkte Rede umgesetzt (Mt. 13, 10; 15, 15).

[9] Im NT. nur bei Matthäus (13, 36; 15, 15). — Die v. l. διασάφησον ist trotz guter Bezeugung (B$\aleph$*Θpc it sy gegenüber φράσον CDWλφ $\mathfrak{R}$ lat) als frühe redaktionelle Änderung zu beurteilen, weil sie das vieldeutige φράζειν durch ein präziseres Verbum ersetzt (vgl. Jülicher I, S. 47: sieht mir „etwas nach Emendation aus"). Übrigens kommt auch διασαφεῖν nur bei Matthäus (13, 36 v. l.; 18, 31) und Apg. 10, 25 D vor.

[10] Die Wendung φράσον ἡμῖν τὴν παραβολήν kehrt wörtlich Mt. 15, 15 wieder und ist hier durch den Vergleich mit Mk. 7, 17 als spezifisch matthäisch gesichert.

[11] Die Benennung von Gleichnissen findet sich im NT. nur bei Matthäus (13, 18. 36).

[12] Singularisches ὁ ἀγρός hat Mt. 15-, Mk. 2-, Lk. 6 mal, was aber allein nichts besagt, weil ὁ ἀγρός in unserem Falle durch das Gleichnis (Mt. 13, 24. 27) vorgegeben war. Ins Gewicht fällt jedoch 1., daß Matthäus die Worte ἐπὶ τῆς γῆς (Mk. 4, 31) in ἐν τῷ ἀγρῷ (Mt. 13, 31) geändert hat, und 2., daß er als einziger Autor des NT. den adnominalen Genitiv τοῦ ἀγροῦ (Semitismus) hat: 6, 28 sagt er τὰ κρίνα τοῦ ἀγροῦ (Lk. 12, 27: τὰ κρίνα), 6, 30 τὸν χόρτον τοῦ ἀγροῦ (Lk. 12, 28: ἐν ἀγρῷ τὸν χόρτον), 13, 36 τῶν ζιζανίων τοῦ ἀγροῦ.

πεν[1].V.38: ὁ κόσμος[2], οὗτοι (casus pendens)[3], ἡ βασιλεία (ohne Zusatz)[4], οἱ υἱοὶ τῆς βασιλείας[5], ὁ πονηρός (= der Teufel)[6], οἱ υἱοὶ τοῦ πονηροῦ[7]. V. 39: συντέλεια αἰῶνος[8]. V. 40: ὥσπερ[9], οὖν[10], οὕτως ἔσται[11], ἡ συντέλεια τοῦ αἰῶνος[12]. V. 41: οἱ ἄγγελοι αὐτοῦ (scil. τοῦ υἱοῦ τοῦ ἀνθρώπου)[13], ἡ βασιλεία αὐτοῦ (scil. τοῦ υἱοῦ τοῦ ἀνθρώπου)[14], τὸ σκάνδαλον[15], ἡ ἀνομία[16]. V. 42: ἡ κάμινος τοῦ πυρός[17], ἐκεῖ ἔσται

---

[1] Ἀποκριθεὶς εἶπεν ist ein Hebraismus (genauer Septuagintismus), der für Matthäus (44mal) und Lukas (30mal) typisch ist; Markus, der andere Formulierungen bevorzugt, hat nur 10 Beispiele, Johannes keines. Die Wendung ὁ δὲ ἀποκριθεὶς εἶπεν findet sich im NT. nur bei den Synoptikern: Mt.17-, Mk. 2-, Lk. 3mal.

[2] Vorzugswort des Matthäus (Mt. 9-, Mk. 2-, Lk. 3mal), später in noch höherem Maße des Joh.-Evangeliums.

[3] Der casus pendens findet sich bei Mt.13-, bei Mk. 4-, bei Lk. 8/9mal. Matthäus hat ihn an fünf Stellen in den Markustext eingefügt und in allen fünf Fällen (ebenso Mt. 13,38!) οὗτος verwendet.

[4] Der auffällige Sprachgebrauch (s. S. 80) bei Mt. 6mal, sonst in den Evangelien nur noch Lk. 12,32.

[5] Nur Mt.8,12; 13,38. Der Sinn differiert an beiden Stellen (s. S. 80); da wir 8,12 die traditionelle Deutung auf Israel vor uns haben (vgl. die Lukasparallele 13,28), wird die Verchristlichung des Begriffs, die 13,38 vorliegt, als Sprachgebrauch des Matthäus anzusprechen sein.

[6] Τοῦ πονηροῦ in der Wendung οἱ υἱοὶ τοῦ πονηροῦ muß maskulinisch (= der Teufel) verstanden werden, weil es keinen Beleg für bar, ben, υἱός, τέκνον mit nachfolgendem substantiviertem Adj. neutr. im Genitiv gibt, wohl aber υἱὸς διαβόλου (Apg. 13,10), τέκνα τοῦ διαβόλου (1. Joh. 3, 10) belegt ist. Ὁ πονηρός = der Teufel begegnet in den synoptischen Evangelien nur noch Mt. 13,19 (für ὁ σατανᾶς Mk. 4,15).

[7] Nur hier im NT. Auch außerhalb des NT. nicht belegt. Wahrscheinlich Analogiebildung des Matthäus zu οἱ υἱοὶ τῆς βασιλείας.

[8] Nur bei Mt. begegnende Wendung (5mal). Mit Gen. plur. τῶν αἰώνων noch Hebr. 9,26. Das Fehlen des Artikels nach Analogie des Status constr. ist ein bei Matthäus häufiger Semitismus.

[9] Vorzugswort des Matthäus (Mt. 10-, Mk. 0-, Lk. 2mal), vgl. J. C. Hawkins, Horae Synopticae[2], Oxford 1909, S. 8 (im folgenden zitiert: Hawkins).

[10] Οὖν in Verbindung mit anderen Partikeln: Mt.11-, Mk. 0-, Lk. 5mal.

[11] Οὕτως ἐστίν, ἦν, ἔσται: Mt. 12-, Mk. 2-, Lk. 3mal.

[12] S. A. 8.

[13] S. S. 80.

[14] S. S. 80.

[15] Mt. 5-, Mk. 0-, Lk. 1mal. Σκάνδαλον von Menschen, die die Rolle eines σκάνδαλον spielen, nur bei Matthäus (13,41 und 16,23). Da Mt. 16,23 σκάνδαλον εἶ ἐμοῦ Zusatz des Matthäus zu Mk. 8,33 ist, liegt sicher Matthäus-Sprachgebrauch vor.

[16] In den Evangelien nur bei Matthäus (7,23; 13,41; 23,28; 24,12).

[17] Im NT. nur bei Matthäus begegnende Gen.-Verbindung (Mt. 13,42.50); der überflüssige Genitiv τοῦ πυρός ist Semitismus.

ὁ κλαυθμὸς καὶ ὁ βρυγμὸς τῶν ὀδόντων[1]. V. 43: τότε[2], οἱ δίκαιοι[3], ἐκλάμπειν[4], ὡς ὁ ἥλιος[5], ἡ βασιλεία τοῦ πατρός[6], ὁ πατὴρ αὐτῶν[7], ὁ ἔχων ὦτα ἀκουέτω[8].

Angesichts dieser erdrückenden Zahl von 37 Belegen muß der Schluß als zwingend bezeichnet werden: die Deutung des Gleichnisses vom Unkraut unter dem Weizen stammt von Matthäus selbst[9]. Dieser Schluß wird durch das ThEv. bestätigt, das wohl das Gleichnis (57), nicht aber die allegorisierende Deutung überliefert. Auf Matthäus muß dann auch die Deutung des Gleichnisses vom Fischnetz (Mt. 13,49f.) zurückgeführt werden, die lediglich eine verkürzte Wiedergabe von 13,40b—43 darstellt: V. 49: οὕτως ἔσται (s. S. 82 A. 11), ἡ συντέλεια τοῦ αἰῶνος (s. S. 82 A. 8), ἀφορίζειν[10], οἱ δίκαιοι (s. A. 3). V. 50: ἡ κάμινος τοῦ πυρός (s. S. 82 A. 17), ἐκεῖ ἔσται κτλ. (s. A. 1). Bei der Übertragung der Deutung des Unkrautgleichnisses auf das Fischnetzgleichnis ist jedoch übersehen, daß ἐξελεύσονται (V. 49) wohl zu

[1] Für Matthäus kennzeichnende Wendung. Im NT.: Mt. 6-, Mk. 0-, Lk. 1mal.

[2] S. S. 81 A. 1.

[3] Δίκαιος mit Bezug auf das Endgericht und unter Anspielung auf Dan. 12,2f. nur bei Matthäus (13,43 mit Nachhall in V.49; 25,46).

[4] Alleinwort des Matthäus (neutestamentliches Hapaxlegomenon), Anspielung auf Dan.12,3. Der Umstand, daß οἱ δίκαιοι und ἐκλάμψουσιν nicht dem hebräischen Text, sondern einer Vorform der theodotianischen Übersetzung folgen, spricht für eine Zuweisung an Matthäus.

[5] Der Vergleich mit der Sonne in den Evangelien nur bei Matthäus (13,43; 17,2).

[6] Die Wendung „Königsherrschaft des Vaters" expressis verbis im NT. nur bei Matthäus (13,43; 26,29) und 7mal im ThEv. (57; 76; 96; 97; 98; 99 [„meines Vaters"]; 113). Sonst im NT. nur mit Pronomen: Mt. 6,10 par. Lk. 11,2 („deine Königsherrschaft") und Lk. 12,31 („seine Königsherrschaft").

[7] Πατήρ σου, ἡμῶν, ὑμῶν, αὐτῶν ist eine für Matthäus besonders bezeichnende Umschreibung des Gottesnamens (Mt. 20-, Mk. 1-, Lk. 3mal, Joh. nur 20,17), vgl. Hawkins, S. 7. 31. Mit Pron. pers. der 3. Person nur hier im NT.

[8] Der Weckruf kommt bei den Synoptikern 7mal vor, aber in der Form ὁ ἔχων ὦτα ἀκουέτω (ohne den Infinitiv ἀκούειν nach ὦτα und mit dem Plural ὦτα) im ganzen NT. nur bei Matthäus (11,15; 13,9.43).

[9] Die weitaus überwiegende Zahl der S. 81ff. festgestellten Spracheigentümlichkeiten beschränkt sich nicht auf das Sondergut des Matthäus, sondern kehrt im ganzen ersten Evangelium wieder. An dieser Feststellung scheitert die übliche Zuweisung von Mt. 13,36—43 an die Sonderquelle des Matthäus.

[10] Von der Scheidung im Endgericht im NT. nur bei Matthäus, und zwar an allen drei Stellen (13,49; 25,32 zweimal).

den Schnittern, nicht aber zu den Fischern, ἡ κάμινος τοῦ πυρός wohl zu Lolch und Stroh, nicht aber zu den Fischen paßt[1].

Wir haben also Mt. 13, 36—43 und 49—50 zwei allegorisierende Gleichnisdeutungen aus der Feder des Matthäus vor uns[2]. Die beiden Gleichnisse, die ursprünglich die Ungeduldigen zur Geduld aufriefen — noch ist nicht die Zeit der Scheidung, Gottes Stunde bringt sie! — sind bei Matthäus im Dienste der Paränese zur allegorischen Schilderung des Endgerichtes geworden, die vor falscher Sicherheit warnen will.

Mit besonderer Deutlichkeit bestätigen diese beiden Gleichnisdeutungen die starke Neigung des Matthäus zur allegorischen Deutung. In welchem Umfange ihm bei seinem Sondergut der Überlieferungsstoff bereits Handhaben zu ihr bot, ist angesichts des fehlenden Vergleichsmaterials nicht zu sagen. Daß es aber an solchen nicht fehlte, zeigt die Beobachtung, daß sowohl die Deutung des Gleichnisses von den zwei Söhnen auf den Täufer und seine Wirksamkeit (Mt. 21, 32, s. S. 78 f.) als auch die Deutung der ἄλλοι (Mt. 21, 43) auf die Heiden im Winzergleichnis (s. S. 75 A. 2) älter als Matthäus sein wird.

D. Aus Gründen der Übersichtlichkeit empfiehlt es sich, an dieser Stelle das Johannesevangelium ins Auge zu fassen, ehe wir uns zuletzt Lukas und dem Thomasevangelium zuwenden. Im vierten Evangelium stoßen wir auf zwei Gleichnisse: vom guten Hirten (10, 1—30) und vom Weinstock und seinen Reben (15, 1—10). Das Gleichnis vom guten Hirten ist formal ganz ebenso aufgebaut wie die drei mit ausführlichen Deutungen versehenen synoptischen Gleichnisse vom Säemann (Mk. 4, 1—9. 14—20 Par.), vom Unkraut unter dem Weizen (Mt. 13, 24—30. 36—43) und vom Fischnetz (Mt. 13, 47—50): in klarer Abgrenzung folgt auf das Gleichnis (Joh. 10, 1—6) eine (sehr viel umfangreichere) allegorisierende Ausdeutung (V. 7—18)[3]. Die Bildrede vom Weinstock und seinen Reben setzt dagegen sofort mit der allegorisierenden Ausdeutung ein (ἐγώ εἰμι ἡ ἄμπελος ἡ ἀληθινή, καὶ ὁ πατήρ μου ὁ γεωργός ἐστιν), die das gedeutete Gleichnis

---

[1] A. T. Cadoux, The Parables of Jesus, New York 1931, S. 28 (nach McNeile).

[2] Die Deutung des Säemannsgleichnisses, die er bei Markus las (Mk. 4, 14—20), diente ihm vermutlich als Vorbild (C. W. F. Smith, The Jesus of the Parables, Philadelphia 1948, S. 89).

[3] J. A. T. Robinson, The Parable of John 10, 1—5, in: ZNW. 46 (1955), S. 233—240; J. Jeremias, ποιμήν, in: ThWBNT. VI, S. 484—498, bes. 493 ff.

oder Bildwort ganz in sich aufgenommen hat. Daran wird sichtbar, wie stark sich im vierten Evangelium die allegorische Deutung in den Vordergrund geschoben hat. Doch hat Johannes daneben auch Bildworte, die nicht allegorischen Charakter tragen: Joh. 3, 8 (vom Wind); 8, 35 (vom Sklaven und Sohn, wo εἰς τὸν αἰῶνα nicht „ewiglich", sondern „für immer" heißt[1]); 11, 9f. und 12, 35f. (vom Wandersmann in der sinkenden Sonne); 12, 24 (vom Weizenkorn); 13, 16 (vom Sklaven und Boten); 16, 21 (von der gebärenden Frau). Näher bei der Allegorie steht das Bildwort vom Brautführer 3, 29, die Logiengruppe von der Ernte 4, 35—38 sowie die große Zahl bildlicher Wendungen, die von den Hörern mißverstanden werden (3, 3; 4, 32; 6, 27; 7, 33; 8, 21. 32; 13, 33; 14, 4 u. ö.).

E. Überraschenderweise bietet sich uns ein völlig anderes Bild dar, wenn wir uns nunmehr Lukas und seinem Sondergut zuwenden. Zwar hat Lukas in denjenigen Gleichnissen, die er mit Markus und Matthäus oder nur mit Matthäus gemeinsam hat, eine Reihe allegorischer Deutungen, jedoch nicht entfernt in demselben Umfange wie Markus und vollends Matthäus. Er deutet allegorisch, wie wir sahen: das Sämannsgleichnis (Lk. 8, 11—15, S. 75ff.), die wartenden Knechte und den sie bedienenden Herrn (12, 35—38, S. 50ff.), den Einbrecher (12, 39f., S. 46f.), das Gleichnis von dem zum Verwalter bestellten Knecht (12, 41—46, S. 53ff.), das große Abendmahl mit der zweimaligen Ladung der Ungeladenen (14, 16—24, S. 61ff. 65ff.), das Gleichnis von den anvertrauten Geldern (19, 11—27, S. 55ff.) und das Winzergleichnis (20, 9—18, S. 67ff.). Aber diese Allegorisierungen sind vermutlich ausnahmslos nicht Werk des Lukas, sondern der hinter ihm liegenden Tradition, da sie sich fast sämtlich auch bei den Seitenreferenten finden. Außerdem sind die allegorisierenden Wendungen und Verse ausgesprochen arm an lukanischen Spracheigentümlichkeiten. Vor allem aber bietet das umfangreiche lukanische Sondergut an Gleichnissen[2], soviel ich sehe, keine Beispiele

---

[1] Vgl. M. Meinertz, Die Gleichnisse Jesu[4], Münster 1948, S. 47.
[2] Lk. 7, 41—43; 10, 30—37; 11, 5—8; 12, 16—21; 13, 6—9; 14, 7—11. 28—32; 15, 8—10. 11—32; 16, 1—8. 19—31; 17, 7—10; 18, 1—8. 9—14. Alle diese Gleichnisse geben sich sprachlich als vor-lukanische Überlieferung zu erkennen, vgl. z. B. die Bemerkung über das Praes. hist. in den lukanischen Gleichnissen S. 182.

für allegorische Ausdeutungen[1]! Vielmehr ist das Lukas-Sondergut an Gleichnissen, soweit es überhaupt überarbeitet worden ist, durchweg in anderer Weise, nämlich in der Richtung auf die direkte paränetische Anwendung, erweitert und ausgedeutet worden[2]. Lukas hat also vorgefundene allegorische Deutungen übernommen, selbst aber seinen Stoff nicht in dieser Richtung überarbeitet.

F. Werfen wir schließlich noch einen Blick auf die Gestalt, in der uns die synoptischen Gleichnisse im Thomasevangelium überliefert sind, so stellen wir fest, daß sich hier allegorische Züge nur in der ersten der zwei Fassungen des Gleichnisses vom Einbrecher (21b) finden. „Deswegen sage ich: Wenn der Hausherr weiß, daß der Dieb kommt, wird er wachen, bevor er kommt, und ihn nicht einbrechen lassen in sein Haus seines Königreichs, daß er seine Habe wegtrage. Ihr aber, wacht angesichts der Welt." Hier sind die beiden Wendungen „seines Königreiches" und „angesichts der Welt" allegorisierende gnostische Interpretamente, die die „Habe" auf die dem Gnostiker geschenkte, mit der $\beta\alpha\sigma\iota\lambda\epsilon\iota\alpha$ identische $\gamma\nu\tilde{\omega}\sigma\iota\varsigma$ deuten und die ihn aufrufen, sich diese Erkenntnis nicht von der Welt rauben zu lassen. Abgesehen von diesen beiden Zusätzen, ist auch das Gleichnis vom Einbrecher frei von Allegorie. Das Fehlen allegorischer Züge im ThEv.[3] ist deshalb völlig überraschend, weil der gnostische Redaktor (oder Kompilator) der Logiensammlung die Gleichnisse ganz sicher allegorisch verstanden hat und verstanden wissen wollte. Darauf weist schon der fünfmal an ein Gleichnis sekundär angefügte Weckruf „Wer Ohren hat (zu hören), der höre!" hin[4], der den Leser aufrufen will, den geheimen Sinn dieser Gleichnisse zu ergründen[5].

---

[1] J. A. T. Robinson weist mich auf eine Ausnahme hin: das Gleichnis von der verschlossenen Tür (Lk. 13, 24—30) ist in der Tat allegorisch. Doch darf von dieser sekundären Kompilation (s. S. 94 f.), die nur mit Einschränkung als „Gleichnis" gelten kann, hier abgesehen werden.

[2] Lk. 11, 5ff., s. S. 157ff.; 12, 21, s. S. 105f.; 14, 28ff., s. S. 111 A. 1; 16, 1ff., s. S. 42ff.; 18, 1ff., s. S. 156f.; 18, 9ff., s. S. 92. 156.

[3] Vgl. C.-H. Hunzinger, Außersynoptisches Traditionsgut im Thomas-Evangelium, in: ThLZ. 85 (1960), Sp. 843—846; H. Montefiore, A Comparison of the Parables of the Gospel According to Thomas and of the Synoptic Gospels, in: NTS. 7 (1960/61), S. 220—248, hier S. 235ff.

[4] S. u. S. 109.

[5] Vgl. den Prolog und Logion 1 des ThEv.: „Dies sind die geheimen Worte, die Jesus, der Lebendige, gesprochen hat ... Wer die Deutung dieser Worte findet, wird den Tod nicht schmecken."

So dürften die Gnostiker z. B. im Gleichnis von der Perle (76) die Perle ebenso als Metapher für die γνῶσις verstanden haben wie im Gleichnis vom Einbrecher (21 b) die Habe, die der Dieb wegträgt. Daß trotzdem der Wortlaut der Gleichnisse nicht allegorisch umgestaltet ist, sondern (bis auf die zwei Zusätze zum Gleichnis vom Einbrecher) unangetastet blieb, verleiht der Gleichnisüberlieferung des ThEv. hohen Wert. Stehen wir doch vor dem Befund, daß die Gleichnisse im ThEv. genauso frei von allegorischer Umgestaltung überliefert sind wie im Lukas-Sondergut.

Ein seltsames Ergebnis: der Matthäus-Lukas-Redenstoff, der Markus-Stoff, das Matthäus-Sondergut, das Markus-, Matthäus-, Lukas-, Johannes-Evangelium weisen allegorische Deutungen auf, dagegen das Lukas-Sondergut und das Thomasevangelium nicht! Da sich die allegorischen Deutungen fast durchweg als sekundär erweisen ließen, müssen wir schließen: so frei von allegorisierenden Ausdeutungen wie das Lukas-Sondergut und das Thomasevangelium war ursprünglich der gesamte Gleichnisstoff. Jesus hat sich darauf beschränkt, die üblichen, fast ausnahmslos dem AT. entstammenden und damals jedermann geläufigen Metaphern (Gott = Vater, König, Richter, Hausherr, Weinbergsbesitzer, Gastgeber; die Menschen Ihm gegenüber = Kinder, Knechte, Schuldner, Gäste; das Gottesvolk = Weinberg, Herde; gut / böse = weiß / schwarz [vgl. Mt. 25, 32]; das Endgericht = Ernte; die Hölle = Feuer, Finsternis; die Heilszeit = Hochzeit und Festmahl; die Heilsgemeinde = Hochzeitsgäste usw.) in seiner Predigt reichlich zu verwenden und ihnen gelegentlich neue Metaphern zuzugesellen, z. B. das Weltende = zweite Sintflut[1]. Wir können immer wieder beobachten, wie ein solcher Vergleich für ihn die Ausgangsmetapher eines Gleichnisses ist.

Gewiß ist, wie wir sahen (S. 16 f.), die scharfe begriffliche Unterscheidung zwischen Gleichnis, Metapher und Allegorie nicht palästinisch; insbesondere sind die Übergänge zwischen Metapher und Allegorie fließend. Aber man braucht nur die — sicher vorchristliche — große Tierallegorie äth. Hen. 85—90, die in ermüdender Breite die Weltgeschichte unter den Bildern der Farren, Schafe und Hirten ab ovo darstellt, mit den lebensnahen Gleichnissen Jesu zu vergleichen, um zu erkennen, wie fern Jesus diese Art der

---

[1] Mt. 24, 37—39 (Lk. 17, 26 f.); Mt. 7, 24—27 (Lk. 6, 47—49). Doch vgl. schon Jes. 28, 15.

Allegoristik liegt. Daß auch im rabbinischen Mašal die bei weitem überwiegende Form diejenige des mit stereotypen metaphorischen Elementen
vermischten Gleichnisses ist[1], ist eine wichtige Stütze unseres Ergebnisses.

Wie früh die allegorische Ausdeutung einzelner Züge der
Gleichnisse einsetzt, ergibt sich daraus, daß sie (wie wir bei der
Untersuchung des Matthäus-Lukas-Redenstoffes, des Markus-
Stoffes und des Matthäus-Sondergutes sahen) älter ist als die synoptischen Evangelien; sie ist offensichtlich zuerst auf palästinischem
Boden aufgekommen[2]. Von den Evangelisten hat Matthäus die
größte Freude an ihr; er bringt 13,37—39 geradezu ein siebenteiliges „Lexikon" allegorischer Deutungen (s. S. 79). Das Thomasevangelium übt die stärkste Zurückhaltung.

Als Motiv für die allegorische Deutung steht, neben der
Freude am Gewinnen eines Tiefsinnes, die Paränese völlig im
Vordergrund. Die Umdeutung des Säemannsgleichnisses in eine
Mahnung an die Konvertiten zur Selbstprüfung, die Beziehung der
Krisisgleichnisse auf die sich verzögernde Parusie, die Auffassung
des Gleichnisses vom ungerechten Haushalter als Mahnung zur
rechten Verwendung des Besitzes zeigt das mit aller Deutlichkeit.
Aber auch die heilsgeschichtlichen Auslegungen, die wir Mt. 21,28ff.
33ff.; 22,2ff. lesen, dürften im Dienst der paränetischen Predigt
stehen; der Missionsauftrag Lk.14,22f. will den Missionseifer
stärken. Auf hellenistischem Gebiet kommt als weiteres Motiv der
Einfluß hellenistischer Allegoristik hinzu, von dem S. 9 die Rede
war.

Ganz überwiegend sind die allegorischen Deutungen, die sich in
der vorliegenden Überlieferungsgestalt der Gleichnisse Jesu in so
weitem Umfange finden, nicht ursprünglich — das ist das Ergebnis
dieses Abschnittes[3]. Das heißt: Erst das Absehen von diesen
sekundären Deutungen und Zügen öffnet uns wieder die Tür zum
Verständnis des ursprünglichen Sinnes der Gleichnisse Jesu.

---

[1] Das ist das Resultat des ersten Hauptteils der breit angelegten Untersuchung von M. Hermaniuk, La Parabole Évangélique, Bruges-Paris-Louvain
1947, S. 169.

[2] T. W. Manson, Göttg. Gel. Anzeigen 207 (1953), S. 145.

[3] Auf anderem Wege kommt T. W. Manson, Sayings, S. 35, zu demselben
Ergebnis: die Gleichnisse der synoptischen Evangelien sind „for the most
part genuine parables", die wenigen Allegorien sind spätere Ausdeutungen
„of what was originally a parable".

## 9. Gleichnissammlungen und Gleichnisfusionen

### a) Doppelgleichnisse

Wir gehen von der Beobachtung aus, daß uns in den drei ersten Evangelien eine große Zahl von Doppelgleichnissen bzw. Doppelbildworten begegnet. Kennzeichen des Doppelgleichnisses ist, daß die beiden Gleichnisse bzw. Bildworte je denselben Gedanken in verschiedenen Bildern zum Ausdruck bringen[1]. Wir finden zusammengestellt: Flicken und Weinschlauch (Mk. 2, 21f.; Mt. 9, 16f.; Lk. 5, 36—38; ThEv. 47 b in umgekehrter Reihenfolge); gespaltenes Reich und gespaltene Familie (Mk. 3, 24f.; Mt. 12, 25); Leuchter und Maß (Mk. 4, 21—25 s. S. 90); Salz und Licht (Mt. 5, 13—14a); Bergstadt und Leuchter (Mt. 5, 14b—16; ThEv. 32. 33b, hier jedoch durch das Logion über die Predigt von den Dächern getrennt); Vögel und Blumen (Mt. 6, 26—30; Lk. 12, 24—28); Hunde und Schweine (Mt. 7, 6; ThEv. 93); Stein und Schlange (Mt. 7, 9f. vgl. Lk. 11, 11f.); Trauben und Feigen (Mt. 7, 16; Lk. 6, 44; ThEv. 45a); Füchse und Vögel (Mt. 8, 20; Lk. 9, 58; ThEv. 86); Schlangen und Tauben (Mt. 10, 16; ThEv. 39b); Schüler und Sklave (Mt. 10, 24f.); Jungen und Mädchen (Mt. 11, 17; Lk. 7, 32, s. S. 160ff.); zweierlei Bäume und zweierlei Schätze (Mt. 12, 33—35; Lk. 6, 43—45); Unkraut unter Weizen und Schleppnetz (Mt. 13, 24—30. 47f.); Senfkorn und Sauerteig (Mt. 13, 31—33; Lk. 13, 18—21)[2]; Schatz und Perle (Mt. 13, 44—46); Blitz und Geier (Mt. 24, 27f.); Einbrecher und plötzlich heimkehrender Herr (Mt. 24, 43—51; Lk. 12, 39—46); Turmbauer und König (Lk. 14, 28—32); verlorenes Schaf und verlorener Groschen (Lk. 15, 4—10); Sklave und Bote (Joh. 13, 16); Prophet und Arzt (P. Ox. 1, Nr. 6 = ThEv. 31). Ob die Doppelung ursprünglich ist, muß von Fall zu Fall geprüft werden. Bei den beiden Gleichnissen vom Schatz im Acker und der Perle (Mt. 13, 44—46) läßt es der Tempuswechsel fraglich erscheinen, ob sie

---

[1] Wesentlich ist die Verschiedenheit des Bildes! Mt. 7, 24—27 par. Lk. 6, 47—49 (Hausbau auf Fels und Sand), Mt. 7, 13f. (Breite und enge Pforte), Mt. 7, 16—18 par. Lk. 6, 43f. (Guter und schlechter Baum), Mt. 12, 35 par. Lk. 6, 45 (Guter und schlechter Schatz), Mt. 24, 45—51 par. Lk. 12, 42—46 (Treue und Untreue des Knechtes) sind demnach keine Doppelgleichnisse, sondern einheitliche, in Form des antithetischen Parallelismus gegliederte Gleichnisse und gehören nicht hierher. Vgl. W. Salm, Beiträge zur Gleichnisforschung, Diss. Göttingen 1953, S. 97.

[2] Vgl. Röm. 11, 16: Teig und Zweig.

von Anfang an zusammengehören; tatsächlich bietet das ThEv. zwar beide Gleichnisse, aber getrennt (Schatz im Acker: 109; Perle: 76). Dieser Fall ist nicht vereinzelt, vielmehr ergibt die Nachprüfung, daß von den oben aufgezählten Doppelgleichnissen und Doppelbildworten der größte Teil auch allein ohne den Partner oder von ihm durch anderen Stoff getrennt überliefert wird. Selbständig überliefert ist: Leuchter (Lk. 11,33); Maß (Mt. 7,2; Lk. 6,38); Salz (Mk. 9,50; Lk. 14,37); Schüler (Lk. 6,40); zweierlei Bäume (Mt. 7,17f.); zweierlei Schätze (ThEv. 45b); Unkraut unter dem Weizen (ThEv. 57); Senfkorn (Mk. 4,30—32; ThEv. 20); Sauerteig (ThEv. 96); Schatz (ThEv. 109); Perle (ThEv. 76); Blitz (Lk. 17,24); Geier (Lk. 17,37); Einbrecher (ThEv. 21b; 103); verlorenes Schaf (Mt. 18,12—14; ThEv. 107); Prophet (Lk. 4,24). Es wäre jedoch voreilig, in allen diesen Fällen die Kombination für sekundär zu erklären; es kann auch Partnerverlust in einem Zweig der Überlieferung vorliegen. Etwa die beiden Gleichnisse vom verlorenen Schaf und verlorenen Groschen (Lk. 15,4—10) wird man schwerlich auseinanderreißen dürfen, obwohl das erste auch allein überliefert ist.

Als Beispiel für sekundäres Zusammenwachsen zweier Bildworte zu einem Doppelgleichnis sei Mk. 4,21—25 genannt. Die Analyse dieser Verse ergibt: a) Das (wie Mt. 5,15; Lk. 11,33 zeigt) ursprünglich isoliert überlieferte Bildwort vom Licht, das nicht unter den Scheffel, sondern auf den Leuchter gehört (Mk. 4,21), zog als Deutewort das ebenfalls ursprünglich isolierte Logion Mk. 4,22 (vgl. Mt. 10,26; Lk. 12,2) an sich; b) der gleiche Prozeß wiederholte sich beim Wort vom Maß (Mk. 4,24 vgl. Mt. 7,2; Lk. 6,38), das auf dem Wege des Stichwortzusammenhangs προστεθήσεται / δοθήσεται Mk. 4,25 (vgl. Mt. 25,29; Lk. 19,26) als Deutewort anzog; c) die beiden auf diese Weise erweiterten Worte vom Leuchter und vom Maß ließ dann das Stichwort „Maß" (4,21 μόδιος / 4,24 μέτρον) zu einem Gleichnispaar zusammenwachsen; d) daß Markus den Zusammenhang 4,21—25 tatsächlich als Doppelgleichnis (und nicht als Spruchsammlung[1]) in das Gleichniskapitel eingefügt hat, zeigt der zweifache Weckruf: V. 23 (verglichen mit V. 9) und V. 24a (verglichen mit V. 3a).

Es kommt auch der Fall vor, daß ein und dasselbe Bildwort sich mit verschiedenen Partnern verbindet: so ist das Bildwort von den zweierlei Bäumen und ihrer Frucht bald mit dem Wort vom Unkraut, das keine gute Frucht bringt, verbunden (Mt. 7,16—18), bald mit dem Bildwort von den zweierlei Schätzen (Mt. 12,33—35), während das ThEv. die Schätze mit dem

---

[1] So z.B. A. Huck-H. Lietzmann, Synopse der drei ersten Evangelien[9], Tübingen 1936, S. 74; E. Lohmeyer, Das Evangelium des Markus, Göttingen 1937, S. 85.

Wort vom Unkraut zusammenstellt (45a.b); Lk. 6,43—45 sind schließlich alle drei Bildworte kombiniert. Ähnlich steht es mit dem Bildwort vom Leuchter, das Mk. 4,21—25 mit dem Wort vom Maß, Mt. 5,14b—16 hingegen mit dem von der Bergstadt und Lk. 11,33—36 mit dem Wort vom Auge als dem Licht des Menschen verbunden ist. Das Gleichnis vom Sauerteig hat Mt. 13,31—33; Lk. 13,18—21 das Senfkorn zum Partner, im ThEv. dagegen die unachtsame Frau (96—97).

Ohne Widerspruch der Parallelüberlieferungen sind als Paar überliefert nur: Flicken und Weinschlauch; Reich und Familie; Vögel und Blumen; Hunde und Schweine; Stein und Schlange; Trauben und Feigen; Füchse und Vögel; Schlangen und Tauben; Turmbauer und König; Sklave und Bote. Man sieht aus dieser Zusammenstellung, daß sich Jesus vorwiegend bei Bildworten der Doppelung zur Veranschaulichung bedient hat, wobei er die Begriffspaare mit Vorliebe der Natur, insbesondere der Tierwelt, entnahm. Dagegen findet sich in dieser Zusammenstellung nur ein einziges Gleichnispaar: Turmbauer und König. So vertraut uns die Doppelgleichnisse sind, es muß angesichts dieses Tatbestandes in jedem Fall geprüft werden, ob sie wirklich ursprünglich denselben Gedanken zum Ausdruck bringen wollen. Und selbst da, wo diese Frage, wie bei den beiden Gleichnissen vom verlorenen Schaf und verlorenen Groschen, zu bejahen ist, muß im Blick auf den Überlieferungsbefund zum mindesten damit gerechnet werden, daß die Doppelgleichnisse bei verschiedener Gelegenheit je für sich gesprochen wurden und erst sekundär zusammengewachsen sind.

## b) Gleichnissammlungen

Die Urkirche hat früh begonnen, Gleichnissammlungen herzustellen. Bei Markus finden wir neben dem Gleichniskapitel 4,1—34 noch die Zusammenstellung dreier eschatologischer[1] Bildworte 2,18—22 (Hochzeit, Mantel, Wein). Matthäus hat in dem Gleichniskapitel 13 sieben Gleichnisse vereint: er übernimmt von Markus das Gleichnis vom Säemann mit Deutung (V. 1—23) und fügt zunächst eine Sammlung von drei mit ἄλλην παραβολήν eingeleiteten Gleichnissen (V. 24—33) hinzu, dann eine weitere Sammlung von drei mit (πάλιν) ὁμοία ἐστίν eingeleiteten Gleichnissen (V. 44—48)[2].

---

[1] S. S. 116f.

[2] Jeweils am Schluß der beiden Sammlungen bringt Matthäus eine Deutung (V. 36—43.49f.). Vgl. J. W. Doeve, Jewish Hermeneutics in the Synoptic Gospels and Acts, Assen 1954, S. 101f.

Außerdem hat er noch folgende Zusammenstellungen: Kapitel 18 zwei Gleichnisse von den brüderlichen Pflichten; 21,28—22,14 drei Drohgleichnisse; 24,32—25,46 sieben Parusiegleichnisse. Bei Lukas finden wir 6,39—49 eine Gleichnissammlung als dritten Teil der Feldrede[1]; 12,35—59 eine Kette von Parusiegleichnissen; 14,7—24 zwei Mahlgleichnisse; Kapitel 15 drei Gleichnisse vom Verlorenen; Kapitel 16 zwei Gleichnisse von der rechten und von der falschen Verwendung des Besitzes; 18,1—14 zwei Gleichnisse vom rechten Beten: anhaltend soll es sein und demütig[2].

Aber, um bei dem letztgenannten Beispiel zu bleiben, weder 18,9—14 noch wahrscheinlich auch 18,1—8 ist von Hause aus eine Anleitung zum rechten Beten; beide Gleichnisse wollen vielmehr den Hörern Jesu zeigen, wie Gott sich der Verachteten und Bedrängten erbarmt (s.u.S. 138ff. 153ff.)[3]. Wir tun daher gut, bei der Frage nach dem Sinn der Gleichnisse uns nicht ohne weiteres vom Verständnis der Nachbargleichnisse leiten zu lassen. Wie vorsichtig man in dieser Hinsicht sein muß, zeigt die Beobachtung, daß von den Mt. 13 zusammengestellten sieben Gleichnissen alle bis auf das letzte im ThEv. wiederkehren, aber hier je für sich und über das ganze Buch verstreut (9. 57. 20. 96. 109. 76)[4].

Gelegentlich können wir das Wachstum der Gleichnissammlungen noch verfolgen. Die Zusammenstellung der drei Saatgleichnisse (Mk.4,3—9. 26—29.30—32) ist vormarkinisch (s.S. 10 A. 2.5); sie ist sowohl von Markus wie von Matthäus erweitert worden: von Markus durch das Gleichnispaar

---

[1] Die Feldrede zerfällt in einen prophetischen (6,20—26), einen paränetischen (6,27—38) und einen parabolischen (6,39—49) Abschnitt (G.Heinrici, Beiträge zur Geschichte und Erklärung des NT. II, 1900, S. 43).

[2] Das Thomasevangelium hat an vier Stellen Gleichnisse zusammengestellt: das Gleichnis vom großen Fisch (8) ist mit dem vom Säemann (9) verbunden; das Gleichnis vom Senfkorn (20) mit dem von den kleinen Kindern auf dem Felde (21a) und vom Einbrecher (21b); in den Logien 63—65 sind die drei Gleichnisse mit dem Anfang „ein Mann hatte" kombiniert (Törichter Reicher, Großes Abendmahl, Böse Weingärtner); in den Logien 96—98 die Gleichnisse vom Sauerteig, von der unachtsamen Frau und vom Attentäter.

[3] Die Einleitungen beider Gleichnisse sind lukanisch stilisiert (18,1f.: ἔλεγεν δὲ παραβολήν, δεῖν, λέγων; 18,9: εἶπεν πρός, δὲ καί, τὴν παραβολὴν ταύτην); doch wird ihre Zusammenstellung älter sein als Lukas, da in V.1 πάντοτε unlukanisch ist und V.9 im übrigen nicht seinem Stil entspricht. Man beachte auch, daß λέγειν (εἰπεῖν) παραβολήν (18,1.9), obwohl auch lukanisch (Lk.5,36; 20,9; 21,29), auf die lukanische Quelle zurückgehen wird (Lk.6,39; 12,16.41 [s. S. 98 A. 4]; 13,6; 14,7; 15,3; 18,1.9; 19,11).

[4] Vgl. R. McL. Wilson, Studies in the Gospel of Thomas, London 1960, S. 53f.

vom Leuchter und Scheffelmaß (4, 21—25), von Matthäus durch fünf andere Gleichnisse (unter Weglassung der selbstwachsenden Saat). Dabei hat Matthäus den Markusschluß beibehalten, der jetzt bei ihm mitten im Gleichniskapitel steht (Mt. 13, 34f.) und mit seinem eigenen Schluß konkurriert (13, 51f.) — ein besonders deutliches Beispiel für die Erweiterung eines älteren Grundstockes. Ein weiteres Beispiel bieten die beiden Gleichnisse vom Einbrecher und vom Aufsicht führenden Knecht (Mt. 24, 42—51; Lk. 12, 39—46). Sie waren schon vor Matthäus und Lukas zusammengewachsen und finden sich bei beiden Evangelisten je in eine größere Sammlung von Parusiegleichnissen eingebettet (Mt. 24, 32—25, 46; Lk. 12, 35—59).

## c) Gleichnisfusionen

Die Neigung der Überlieferung, Gleichnisse zusammenzustellen, hat gelegentlich dazu geführt, daß zwei Gleichnisse zu einer Einheit verschmolzen. Das deutlichste Beispiel für eine solche Fusion bietet die Matthäus-Fassung des Gleichnisses vom großen Abendmahl (22, 1—14). Hier waren, wie wir sahen[1], ursprünglich zwei Gleichnisse, die beide von einem festlichen Mahl handeln (das Gleichnis von der Einladung der Ungeladenen 22, 1—10 und das Gleichnis vom Gast ohne Festgewand 22, 11—13), zu einem Gleichnispaar zusammengestellt worden und sind dann unter Fortlassung der Einleitung des zweiten Gleichnisses zu einem einzigen Gleichnis geworden[2]. Ein zweites Beispiel für eine solche Fusion bilden die Bildworte von den zweierlei Bäumen und zweierlei Schätzen. Das Bildwort von den zweierlei Bäumen, das Matthäus zweimal bringt (Mt. 7, 17f.; 12, 33), ist in der Bergpredigt als selbständiges Bildwort überliefert, erweitert durch das Wort vom Abhauen des Baumes (Mt. 7, 19 = 3, 10). Es wird dann mit dem Bildwort von den zweierlei Schätzen zu einem Doppelgleichnis zusammengestellt (Lk. 6, 43—45). Mt. 12, 33—37 schließlich sind die beiden Bildworte durch die Zwischenschaltung von V. 34 derart zu einer Einheit verschmolzen, daß das Bildwort von den zweierlei Schätzen seine Selbständigkeit aufgegeben hat und zur Deutung des Bildwortes von den zweierlei Bäumen geworden ist[3]. Ein letztes Bei-

---

[1] S. 62f.

[2] J. Sickenberger, Die Zusammenarbeit verschiedener Parabeln im Matthäus-Evangelium (22, 1—14), in: Byzantinische Zeitschrift 30 (1930), S. 253—261; D. Buzy, Y a-t-il fusion de paraboles évangeliques?, in: RB. 41 (1932), S. 31—49; M. Meinertz, Die Gleichnisse Jesu[4], Münster 1948, S. 52.

[3] Vgl. M. Albertz, Die Botschaft des NT. I, 1, Zürich 1947, S. 89f.

spiel bietet Lk. 11,33—36: das ursprünglich selbständige (vgl. Mt. 6,22f.) Bildwort vom Auge als Leuchter des Körpers (V. 34—36) scheint zur Deutung des Bildwortes vom Leuchter (V. 33) geworden zu sein[1].

Wiederholt vollzieht sich eine Fusion von Gleichnissen so, daß nur ein oder mehrere Züge aus einem Gleichnis auf ein anderes Gleichnis übertragen werden. So begegnen wir in der Markus-Fassung des Gleichnisses vom Türhüter (13,33—37) zwei Zügen aus anderen Gleichnissen: die weite Reise des Hausherrn (ὡς ἄνθρωπος ἀπόδημος 13,34) stammt aus dem Gleichnis von den anvertrauten Geldern, die Übergabe von Vollmachten an die Knechte (13,34) aus dem Gleichnis von dem mit der Aufsicht betrauten Knecht[2]. Und in der Lukas-Fassung desselben Gleichnisses (12,35—38) stammt der Zug von dem die wachsamen Knechte bei Tisch bedienenden Herrn (12,37) aus dem Bildwort vom aufwartenden Heiland (Lk. 22,27) bzw. aus der Gleichnishandlung Joh. 13,1ff.[3] Im ThEv. schließlich hat das Gleichnis von den wachenden Knechten (vgl. Lk. 12,35—38) seinerseits an mehreren Stellen auf das Gleichnis vom Einbrecher eingewirkt. Letzteres heißt dort (in der zweiten Fassung, 103): „Jesus sagte: Selig ist der Mann [vgl. Lk. 12,37], der weiß, in welchem Teil (scil. der Nacht [vgl. Lk. 12,38])[4] die Räuber hereinkommen, damit er aufstehe, sein [...] sammle und sich über seiner Hüfte um den Leib gürte [vgl. Lk. 12,35], bevor sie hereinkommen." Es ist gewiß nicht Zufall, daß die beiden so verwobenen Gleichnisse im Lukasevangelium zusammenstehen (Lk. 12,35—40). Nur eine Vermutung, die aber wohlbegründet ist, ist die Annahme, daß die von der Matthäus-Fassung völlig abweichende Einkleidung, die das Gleichnis von den anvertrauten Geldern bei Lukas gefunden hat (Lk. 19,12—27), sich durch die Verschmelzung mit einem zweiten Gleichnis erklärt[5]; dieses handelte von einem Thronprätendenten, der nach Anerkennung seines Anspruches auf den Thron als König zurückkehrt und an seinen Freunden und Feinden Vergeltung übt.

In einem Falle können wir sogar den Vorgang beobachten, wie aus dem Schlußstück eines Gleichnisses durch Fusion mit Bildworten ein neues Gleichnis entsteht. Es handelt sich um die Verse Lk. 13,24—30, die, wie das ἐκεῖ in V. 28 zeigt, als Einheit gemeint sind. Jesus mahnt, sich rechtzeitig um den Einlaß durch die enge Tür zu mühen (V. 24), ehe der Hausherr sich (vom Liegepolster) erhebt und sie zuschließt (V. 25a). Die Zuspätkommenden wird er abweisen, weil er nichts mit Übeltätern zu tun haben will (V. 25b—27). Heulend und zähneknirschend müssen sie, selbst

[1] Vgl. J. Dupont, Les Béatitudes, Louvain 1954, S. 52. — Eine Fusion zweier Gleichnisse findet J. A. T. Robinson (The Parable of John 10,1—5, in: ZNW. 46 [1955], S. 233—240) auch Joh. 10: das erste handelte nach R. vom Türhüter (V. 1—3a ἀνοίγει), das zweite vom Hirten (V. 3b—5).

[2] S. o. S. 51.

[3] Zwei weitere Beispiele aus Mt. 22,2ff.: zu ἄλλους (Mt. 22,4) vgl. 21,36; zu ὕβρισαν καὶ ἀπέκτειναν (Mt. 22,6) vgl. 21,35 (s. o. S. 66 A. 3).

[4] So ergänze ich mit Till; Quecke: an welcher Stelle.

[5] S. o. S. 56.

ausgeschlossen, mit ansehen, wie die Väter und Propheten beim Heilsmahle zu Tische liegen und die Heiden sich ihnen zugesellen (V. 28 f.). Das Wort von den Letzten, die Erste, und den Ersten, die Letzte werden, bildet den deutenden Abschluß (V. 30). Ein Blick auf die Matthäus-Parallelen zeigt, daß wir ein Mosaik vor uns haben: durch die Fusion eines Gleichnisschlusses (Mt. 25, 10—12) mit drei Bildworten, die ihm im Anschauungsmaterial verwandt sind (Mt. 7, 13 f. 22 f.; 8, 11 f.), ist ein neues Gleichnis entstanden: das Gleichnis von der verschlossenen Tür.

Von allen diesen sekundären Zusammenhängen ist abzusehen, wenn wir den ursprünglichen Sinn der Gleichnisse zu ermitteln versuchen wollen.

## 10. Der Rahmen

Den formgeschichtlichen Untersuchungen verdanken wir die Erkenntnis, daß der Rahmen der Geschichte Jesu weithin sekundär ist. Das gilt auch für den Rahmen der Gleichnisse. Der synoptische Vergleich zeigt, daß die Bildhälfte mit größerer Treue überliefert worden ist als Einleitung, Deutung und Kontext[1]. Für das Verständnis der Gleichnisse Jesu ist diese Erkenntnis von großer Tragweite.

### a) Sekundärer Kontext

Das Gleichnis vom Gang zum Richter (Mt. 5, 25 f.; Lk. 12, 58 f.) gehört, wie wir sahen[2], in die Reihe der Krisisgleichnisse (Deine Lage ist höchst bedrohlich! Bring Deinen Zwist mit Deinem Bruder in Ordnung, ehe es zu spät ist!). Es ist also eines der eschatologischen Gleichnisse, die den Blick auf die unmittelbar bevorstehende Katastrophe lenken. Bei Matthäus ist der Akzent des Gleichnisses vom Eschatologischen auf das Paränetische verlagert. Es dient bei ihm zusammen mit dem Bildwort vom Opfernden (Mt. 5, 23 f.) als Illustration zu der Aufforderung, sich zu versöhnen (Sei nachgiebig, es könnte Dir sonst schlecht ergehen!). Bei Matthäus ist also das Gleichnis sekundär in einen passend erscheinenden Zusammenhang eingefügt. Der gleiche Vorgang läßt sich noch öfter beobachten.

Das Gleichnis vom großen Abendmahl (Lk. 14, 16—24) ist bei Lukas (anders Matthäus!) in den Rahmen von Mahlgesprächen

---

[1] Vgl. N. A. Dahl, Gleichnis und Parabel II 3, RGG[3] II (1958), Sp. 1618.
[2] S. 39 f.

gestellt, bei denen Jesus zuerst die Geladenen (14,7), dann den Gastgeber (14,12) und schließlich einen der Gäste (14,15 f.) anspricht — das Mahlgleichnis schien zu den Mahlgesprächen zu passen[1]; dementsprechend illustriert das Gleichnis im jetzigen Zusammenhang bei Lukas die Mahnung, die Armen, Krüppel, Lahmen und Blinden einzuladen (14,12—14, vgl. die Wiederkehr derselben Gruppen 14,21), während es ursprünglich eines der zahlreichen Gleichnisse ist, die die Frohbotschaft rechtfertigen wollen[2]. Die gleiche Absicht hat ursprünglich das Gleichnis vom verlorenen Schaf (Mt. 18,12—14), das im jetzigen Matthäus-Zusammenhang die Warnung veranschaulicht, keinen der Kleinsten zu verachten[3]. Das Schalksknechtgleichnis illustriert jetzt die vorangehende Mahnung zum unbegrenzt oft wiederholten Vergeben (18,21 f.); das ist schwerlich die ursprüngliche Absicht, da im Gleichnis selbst von der Wiederholung der Vergebung nicht die Rede ist[4]. Ob Lukas 11,5—8 von Hause aus eine Mahnung zum nimmermüden Gebet ist (vgl. 11,9 ff.), wird noch zu fragen sein[5]. Alle diese Beispiele, die sich vermehren lassen, sind eine Aufforderung, in jedem Falle den Kontext, in dem ein Gleichnis überliefert wird, kritisch darauf zu prüfen, ob er mit dem ursprünglichen Sinn des Gleichnisses (soweit wir ihn zu erkennen vermögen) übereinstimmt. Die Frage, ob der Kontext ursprünglich ist, wird dadurch besonders dringlich, daß uns das ThEv. sämtliche Gleichnisse ohne Kontext überliefert.

## b) Redaktionelle Situationsangaben und Überleitungen

Von den oben besprochenen Fällen, in denen ein Gleichnis in einen passend erscheinenden Zusammenhang eingefügt wurde, sind die Fälle zu unterscheiden, in denen eine Situationsangabe zu einem Gleichnis oder seiner Deutung von der Überlieferung hinzugefügt wurde. So begegnet uns in den Evangelien wieder-

---

[1] Beachte die lukanischen Spracheigentümlichkeiten in den Einleitungsversen 14,7 (ἔλεγεν δέ, ἔλεγεν παραβολήν, zweimal λέγειν πρός, ἐπέχειν, ἐκλέγεσθαι) und 14,12 (ἔλεγεν δὲ καί).

[2] S. S. 41. 175 ff.          [3] S. S. 35 ff. 132 ff.

[4] Lukas kennt den Zusammenhang von 17,3 f. mit dem Gleichnis nicht. Und das die Verbindung zwischen Mt. 18,21 f. und dem Schalksknechtgleichnis herstellende διὰ τοῦτο (18,23) ist Spracheigentümlichkeit des Matthäus.

[5] S. S. 157 ff.

holt der Vorgang, daß Jesus eine Rede vor der Öffentlichkeit hält und daß er anschließend im vertrauten Kreise seinen Jüngern den tieferen Sinn seiner Worte enthüllt: Mk.4,1ff./10ff.; 7,14f./17ff.; 10,1ff./10ff.; Mt.13,24ff./36ff.; Joh.6,22ff./60ff. In einem lehrreichen Aufsatz[1] hat D. Daube nachgewiesen, daß es sich hierbei um ein Schema handelt, das seit dem 1. nachchristlichen Jahrhundert in rabbinischen Erzählungen begegnet[2] und insbesondere auch auf jüdisch-christliche Kontroversen angewendet wird[3]: ein Schriftgelehrter wird von einem Heiden oder von Sektierern (in polemischer Absicht) befragt, gibt Auskunft und enthüllt, wenn der Gesprächspartner fortgegangen ist, seinen Jüngern den tieferen Sinn des Problems. Nun wird ohne Frage der Fall oftmals eingetreten sein, daß Jesus in analoger Weise nach einem Streitgespräch den Jüngern im engeren Kreise tiefer eindringende Belehrungen gab. Daß jedoch auch an den genannten Evangelienstellen dieses Schema vorliegt (und nicht historische Reminiszenz), ist deshalb besonders wahrscheinlich, weil die Überleitungsverse zur Jüngerbelehrung mehrfach den Sprachgebrauch der Evangelisten aufweisen[4] und weil wir die auf solche Weise eingeführten allegorischen Deutungen der Gleichnisse vom Säemann (Mk.4,13ff.) und vom Unkraut unter dem Weizen (Mt.13,36ff.) als sekundär erkannt haben. Analog wird auch die Einleitung des Gleichnisses vom Senfkorn im ThEv. (20: „Die Jünger sagten zu Jesus: Sage uns, wem das Königreich der Himmel gleicht") sekundär sein gegenüber Mk.4,30, wo Jesus selbst die Frage stellt, da derartige Jüngerfragen für das ThEv. charakteristisch sind[5].

Auch die Überleitungen zu den Gleichnissen selbst weisen in besonders gehäufter Zahl die Spracheigentümlichkeiten der einzelnen Evangelisten auf[6]. Wir müssen also damit rechnen, daß hier vieles

---

[1] Public Pronouncement and Private Explanation in the Gospels, in: Exp. Times 57 (1945/46), S. 175—177. Wieder abgedruckt in: D. Daube, The New Testament and Rabbinic Judaism, London 1956, S. 141—150.

[2] j. Sanh. 1,19 b; Pesiq. 40 a b; b. Ḥul. 27 b; Lev. r. 4 (zu 4,1f.).

[3] j. Ber. 9,12 d/13a.

[4] Mk. 7,17f.: εἰς οἶκον (nur bei Markus im NT., und zwar stets in redaktionellen Überleitungen), ἐπερωτᾶν, καὶ λέγει (praes. hist.); 10,10f.: πάλιν, ἐπερωτᾶν, καὶ λέγει; zu Mt. 13,36 s. S. 81.

[5] Vgl. z.B. 18. 21a. 24. 37. 51. 53.

[6] Vgl. die Tabellen der Spracheigentümlichkeiten der drei ersten Evangelisten bei Hawkins, S. 4ff. Die Feststellung, daß die sprachlichen und stilistischen Eigentümlichkeiten des Evangelisten sich in den Einleitungen der Gleichnisse häufen, wiederholt sich bei jedem der drei Synoptiker.

auf die Rechnung redaktioneller Kompositionstechnik zu setzen ist. Es ist z. B. nicht Zufall, daß bei den von Matthäus in den Markus-Zusammenhang eingefügten Gleichnissen vom Unkraut unter dem Weizen (Mt. 13, 24—30), von den beiden Söhnen (21, 28—32) und vom Hochzeitsmahl (22, 1—14) gerade die Überleitungen die Hand des Matthäus verraten[1]. Im ThEv. findet sich eine Überleitung nur in Logion 21 b, wo das Gleichnis vom Einbrecher durch die Wendung „deswegen sage ich" eingeführt wird[2].

Daher sind die Situationsangaben bei jedem Gleichnis darauf zu prüfen, ob sie redaktioneller Natur sind. Als Beispiel sei Lk. 12, 41 genannt. Im Anschluß an das Gleichnis vom Einbrecher heißt es bei Lukas: „Es sprach aber Petrus zu ihm: sagst du dieses Gleichnis nur[3] zu uns oder auch zu allen?" — eine Frage, die durch das nun folgende Gleichnis von dem Knecht, der zum Verwalter eingesetzt wurde, im ersteren Sinn beantwortet wird. Schon das Fehlen des Verses bei Matthäus, der im übrigen mit Lukas parallel geht (Mt. 24, 43—51), macht stutzig. Entscheidend aber ist, daß diese Petrusfrage und vollends ihre Beantwortung dem ursprünglichen Sinn der beiden Gleichnisse widerstreitet; denn sie sind ursprünglich beide nicht — wie wir S. 45 ff. 53 ff. sahen — eine an den engen Kreis der Apostel gerichtete Mahnung, angesichts der sich verzögernden Parusie nicht zu erlahmen, sondern eschatologische Weckrufe an die Menge (Gleichnis vom Einbrecher) bzw. die Schriftgelehrten (Gleichnis vom Verwalter). Wir haben also Lk. 12, 41 eine sekundäre Situationsangabe vor uns; der Sprachgebrauch zeigt, daß Lukas sie schon vorfand[4]. Die Überordnung des Knechtes von Lk. 12, 42 ff. über seine Mitknechte hat dazu veranlaßt, das Gleichnis in seiner Geltung ausdrücklich auf die Führer der Gemeinde zu beschränken. Namentlich bei Lukas finden wir mehrfach solche aus dem Inhalt der Gleichnisse erschlossenen Situationsangaben, die sich bei näherer Prüfung nicht als ursprünglich erweisen. Daß das Gleichnis von den anvertrauten Geldern von Hause aus nicht, wie Lk. 19, 11 behauptet, eine Ankündigung der Verzögerung der Parusie ist, sahen wir S. 55 ff.; es ist kein Zufall, daß wir in diesem Verse eine auffallend starke Häufung von Spracheigentümlichkeiten des Lukas und seiner Quelle finden[5]. Daß auch die

---

[1] *Ἄλλην παραβολὴν παρέθηκεν* und *λέγων* (Mt. 13, 24), *τί δὲ ὑμῖν δοκεῖ* (21, 28), *ἀποκριθεὶς εἶπεν* und *λέγων* (22, 1) sind Vorzugswendungen des Matthäus.

[2] S. o. S. 86.

[3] S. o. S. 36 A. 3.

[4] *Εἶπεν αὐτῷ, κύριε* (V. 41) und *ὁ κύριος* von Jesus in der Erzählung (V. 42) sind Eigentümlichkeiten der lukanischen Quelle.

[5] Lukanisch ist die gewandte Periode, ferner *ἀκουόντων δὲ αὐτῶν ταῦτα* (vgl. Lk. 20, 45), *προστιθέναι* (Lk. 7 mal, Apg. 6 mal, übriges NT. 5 mal), *εἶπεν παραβολήν* (Hawkins, S. 39), *διὰ τό* mit Inf. (Mt. 2 mal, Mk. 3 mal, Joh. 1 mal, Lk./Apg. je 7 mal), *εἶναι* nach Präposition und Artikel (Hawkins, S. 39), *Ἰερουσαλήμ* (Lk. in Evang. und Apg. 63 mal, Mt. 2 mal, Mk. nie), *παραχρῆμα* (im NT. außer

Lk. 18,1 dem Gleichnis vom ungerechten Richter vorangestellte Zweckangabe
῎Ελεγεν δὲ παραβολὴν αὐτοῖς πρὸς τὸ δεῖν πάντοτε προσεύχεσθαι αὐτοὺς καὶ μὴ
ἐγκακεῖν (überdrüssig werden) schwerlich das Richtige trifft, werden wir noch
sehen (s. S. 156)[1]. Da der das Gleichnis vom reichen Toren einleitende Dialog
(Lk. 12,13—15) im ThEv. (ohne V. 15) selbständig überliefert wird, dürfte
er ursprünglich nicht zu dem Gleichnis gehört haben (s. S. 164 f.). Doch liegen
die Fälle ganz verschieden: gegen die Situationsangabe Lk. 15,1—2 lassen
sich weder sprachliche noch sachliche Gründe anführen[2]; auch Lk. 18,9 paßt
zu dem folgenden Gleichnis (s. S. 139).

## c) Die Einleitungsformeln

Zwei Grundformen haben die Gleichnisse Jesu ebenso wie die
zeitgenössischen Gleichnisse[3]. Wir finden 1. das Gleichnis mit dem
Nominativanfang (reine Erzählung ohne jede Einleitungsformel): Mk. 4,3 Par.; 12,1 Par.; Lk. 7,41; 10,30; 12,16; 13,6; 14,16;
15,11; 16,1.19; 18,2.10; 19,12; ThEv. 9 (Säemann); 63 (Törichter
Reicher); 64 (Großes Abendmahl); 65 (Böse Weingärtner); diese
Form hat Lukas am häufigsten; 2. das Gleichnis mit Dativanfang
(aram. *le*). Die meisten rabbinischen Gleichnisse beginnen mit
den Worten: *Mašal. Le* (z. B. heißt es außerordentlich häufig:
*Mašal. Lemäläkh šä.* „Ein Gleichnis. Einem König, der")[4]. Diese
Wendung ist eine Breviloquenz, nämlich eine Abkürzung für: *Äm-
šol lekha mašal. Lema haddabhar domä? Le* („Ich will dir ein Gleichnis
erzählen. Womit läßt sich die Sache vergleichen? Es verhält sich

---

Mt. 21,19 f. nur Lk. und Apg. 16 mal), ἀναφαίνεσθαι (nur Lk. und Apg. im
NT.). Man beachte jedoch, daß προστιθέναι, εἶπεν παραβολήν (s. S. 92 A. 3),
διὰ τό mit Infinitiv auch Sprachgebrauch der lukanischen Quelle sind. Lk.
19,11 ist zwar sicher von Lukas stilisiert worden, könnte aber trotzdem in der
Substanz auf die Quelle zurückgehen.

[1] Lukanischer Stil in 18,1 s. o. S. 92 A. 3.

[2] F. Hauck, Das Evangelium des Lukas, Leipzig 1934, S. 195, merkt zwar
zu Lk. 15,2 drei Lukanismen an, aber nicht zu Recht: a) διαγογγύζειν (im
NT. nur Lk. 15,2; 19,7) ist Eigenart der lukanischen Quelle, nicht des Lukas.
b) τε möchte man als lukanisch ansprechen, weil es in Apg. 140 mal vorkommt;
jedoch mahnt zur Vorsicht, daß τε im Lk.-Evangelium nur 8 mal begegnet;
davon aber 6 mal in der lukanischen Quelle, nur 21,11 (2 mal!) in dem von
Markus übernommenen Stoff. Lukas hat also offenbar nicht die Gewohn-
heit, dieses τε in seine Vorlagen einzusetzen, obwohl dazu reichlich Gelegenheit war. c) προσδέχεσθαι findet sich im Lk.-Evangelium zwar 5 mal (Mk.
1 mal), aber nur an unserer Stelle in der Bedeutung „aufnehmen".

[3] P. Fiebig, Rabbinische Gleichnisse, Leipzig 1929, S. 3 A. 4.

[4] Belege bei Bill. II, S. 8, und bei P. Fiebig, Rabbinische Gleichnisse,
Leipzig 1929, S. 3 Z. 4; S. 4 Z. 12; S. 9 Z. 7; S. 10 Z. 15; S. 14 Z. 5 f.; S. 17
Z. 6. 20 f.; S. 21 Z. 11; S. 22 Z. 7; S. 23 Z. 7 u. ö.

mit ihr wie mit ...")[1]. Dafür kann gelegentlich, ganz knapp, der bloße Dativ ($l^e$) stehen[2]. In den Gleichnissen Jesu entspricht dem ausgeführten Dativanfang mit vorangestellter Frage Mk. 4, 30 f. πῶς ὁμοιώσωμεν τὴν βασιλείαν τοῦ θεοῦ ἢ ἐν τίνι αὐτὴν παραβολῇ θῶμεν; ὡς ...[3] oder Lk. 13, 20 f. τίνι ὁμοιώσω τὴν βασιλείαν τοῦ θεοῦ; ὁμοία ἐστὶν ...[4]. Der Kurzform des Dativanfangs entspricht: ὡς[5], ὥσπερ[6], gräzisiert ὁμοιωθήσεται[7], ὡμοιώθη[8], ὁμοιός ἐστιν[9]. Allen diesen fünf Formen liegt das gleiche aramäische $l^e$ zugrunde. Dieses $l^e$ ist, wie wir sahen, Abbreviatur und darf als solche nicht übersetzt werden „Es ist gleich ...", sondern muß übersetzt werden „Es verhält sich mit ... wie mit ..."[10]. Die Beachtung dieser Inkonzinnität der Einleitungsformeln[11], die eine formale Verschiebung des Vergleichspunktes zur Folge hat, wird in vielen Fällen vom Inhalt ganz selbstverständlich erzwungen. Die Königsherrschaft Gottes ist natürlich Mt. 13, 45 nicht „gleich einem Kaufmann", sondern gleich einer Perle; Mt. 25, 1 nicht „gleich zehn Jungfrauen", sondern gleich der Hochzeit; 22, 2 nicht „gleich einem König", sondern gleich einer Hochzeitsfeier; 20, 1 nicht „gleich einem Hausherrn", sondern gleich der Lohnauszahlung; 13, 24 nicht „gleich einem Manne, der guten Samen hatte säen lassen", sondern gleich der Ernte; 18, 23 nicht „gleich einem irdischen König", sondern gleich

---

[1] Belege: Bill. II, S. 8 f.; Fiebig, ebd. S. 27 Z. 3 f.; S. 32 Z. 1 f.; S. 34 Z. 1 f. 13 f. u. ö.

[2] Bill. II, S. 7 f.; Fiebig, ebd. S. 20 Z. 7; S. 38 Z. 6. 14. 17; S. 39 Z. 5. 8 u. ö.

[3] Ebenfalls mit par. membr.: Lk. 7, 31 f.; 13, 18 f.

[4] Ebenfalls ohne par. membr.: Mt. 11, 16. An Stelle der direkten Frage hat eine indirekte Frage: Lk. 6, 47.

[5] Mk. 13, 34; vgl. 4, 31. Mit vorangestelltem οὕτως ἐστίν: 4, 26 (Gräzisierung).

[6] Mt. 25, 14.     [7] Mt. 7, 24. 26; 25, 1.     [8] Mt. 13, 24; 18, 23; 22, 2.

[9] Mt. 13, 31. 33. 44. 45. 47. 52; 20, 1; Lk. 6, 49; 12, 36. Ὅμοιός ἐστιν ist am stärksten gräzisiert. Denn während ὁμοιωθήσεται, ὡμοιώθη auf einen Vorgang blickt, der im folgenden beschrieben wird, erweckt ὁμοιός ἐστιν oftmals den irreführenden Eindruck einer Gleichsetzung.

[10] Ein rabbinisches Beispiel: j. Ber. 2, 5 c (Trauerrede beim Begräbnis des Rabbi Bun): „Wem glich Rabbi Bun bar Rabbi Hijja? $L^e$mäläkh, der viele Arbeiter mietete..." (Rabbi Bun ist ein besonders fleißiger Arbeiter, deshalb läßt Gott ihn früh sterben.) Das darf nicht übersetzt werden: „Er glich einem König, der viele Arbeiter mietete", es muß vielmehr übersetzt werden: „Es verhält sich damit wie mit einem König, der viele Arbeiter mietete", s. S. 137 f.

[11] P. Fiebig, Die Gleichnisreden Jesu, Tübingen 1912, S. 12. 131.

der Abrechnung. In allen diesen Fällen ergibt sich das Richtige, wenn man sich erinnert, daß dem griechischen ὅμοιός ἐστιν ein aramäisches *l*ᵉ zugrunde liegt, das mit „es verhält sich mit ... wie mit ..." übersetzt werden muß. Entsprechendes gilt dann auch für die übrigen Fälle, in denen die Inkonzinnität der Einleitungsformel meist übersehen wird[1]. Mt. 13,31 darf nach dem Gesagten keinesfalls übersetzt werden: „die Königsherrschaft Gottes ist gleich einem Senfkorn", sondern muß übersetzt werden: „mit der Königsherrschaft Gottes verhält es sich wie mit einem Senfkorn", d.h. die Königsherrschaft Gottes wird nicht mit dem Senfkorn verglichen, sondern, wie wir S. 146 sehen werden, mit der hohen Staude, in deren Zweigen die Vögel nisten. Ebenso ist Mt. 13,33 das Himmelreich nicht „gleich dem Sauerteig", sondern gleich dem fertigen, aufgegangenen Teig (vgl. Röm. 11,16), und Mt. 13,47 wird das Himmelreich nicht mit einem Fischnetz verglichen, sondern gesagt, daß es bei seinem Kommen so zugeht wie bei der Auslese der in einem Fischnetz gefangenen Fische.

Der Dativanfang der Gleichnisse begegnet in den Evangelien verschieden häufig. Bei Markus finden wir ihn dreimal (4,26.31; 13,34: immer ὡς), bei Lukas sechsmal (6,48.49; 7,32; 12,36; 13,19.21: immer ὅμοιός ἐστιν bzw. ohne Kopula ὑμεῖς ὅμοιοι), bei Matthäus 15mal (25,14: ὥσπερ; 11,16; 13,31.33.44.45.47.52; 20,1: ὅμοιός ἐστιν; 7,24.26; 25,1: ὁμοιωθήσεται; 13,24; 18,23; 22,2: ὡμοιώθη), bei Thomas 9mal[2]. Während Lukas ganz überwiegend den Nominativanfang verwendet, zieht Matthäus ebenso überwiegend den Dativanfang vor. So findet sich allein die Wendung ὁμοία ἐστίν (bzw. ὡμοιώθη, ὁμοιωθήσεται) ἡ βασιλεία τῶν οὐρανῶν nicht weniger als 10mal bei Matthäus: beim Gleichnis vom Unkraut, Senfkorn, Sauerteig, verborgenen Schatz, Perle, Fischnetz, Schalksknecht, Arbeitern im Weinberg, Hochzeitsmahl, zehn Jungfrauen;

---

[1] Das geschah schon im ThEv., wo (bis auf das Gleichnis vom Senfkorn) die βασιλεία immer mit einem Menschen verglichen wird, auch in den Gleichnissen vom Sauerteig (96: „Das Reich des Vaters gleicht einer Frau, die ..."), vom Schatz im Acker (109: „Das Königreich gleicht einem Menschen, der ...") und vom großen Fisch (8: „Das Königreich [so ist zu konjizieren] gleicht einem klugen Fischer, der ..."). Vgl. H. Montefiore, A Comparison of the Parables of the Gospel According to Thomas and of the Synoptic Gospels, in: NTS. 7 (1960/61), S. 246f.

[2] Senfkorn (20); Kleine Kinder auf dem Felde (21a); Unkraut (57); Perle (76); Sauerteig (96); Unachtsame Frau (97); Attentäter (98); Verlorenes Schaf (107); Verborgener Schatz (109).

das ThEv. bietet acht Belege[1]; Markus hat nur zwei (selbstwachsende Saat, Senfkorn), ebenso Lukas (Senfkorn, Sauerteig); im Sondergut des Lukas fehlt sie ganz. Es handelt sich also um eine Einleitungsformel, die Matthäus und das ThEv. bevorzugen, und es muß mit der Möglichkeit gerechnet werden, daß sie im einen oder anderen Fall zugesetzt worden ist, z.B. Mt. 22,2 (anders Lk. 14,16 und ThEv. 64)[2], ferner ThEv. 107, wo das Gleichnis vom verlorenen Schaf (Mt. 18,12—14; Lk. 15,4—7) zu einem Gleichnis von der βασιλεία geworden ist: „Das Königreich gleicht einem Hirten . . .“

Ein Sonderfall des Nominativanfangs (S. 99) ist das Gleichnis bzw. Bildwort in Frageform: ἐάν . . .[3]; μή . . .[4]; μήτι . . .[5]; τίς . . .[6]; τίς ἐξ ὑμῶν . . .[7]; die zuletzt genannte Frage τίς ἐξ ὑμῶν will den Hörer durch die Anrede zu einer emphatischen Stellungnahme provozieren. Jeder wird die Frage: „Könnt Ihr Euch vorstellen, daß jemand von Euch seinem Sohn, der ihn um ein Stück Brot bittet, einen Stein gibt?“ (Mt. 7,9) mit leidenschaftlicher Entrüstung ablehnen! Dieses τίς ἐξ ὑμῶν ist deshalb bemerkenswert, weil es keine zeitgenössischen Parallelen zu haben scheint[8]. Nur bei den Propheten findet es sich (Jes. 42,23; 50,10; Hagg. 2,3)[9], freilich nicht als Gleichniseinleitung. Wir stehen hier also „in unmittelbarer Nähe der ipsissima verba Domini“[10]. Jesus hat diese emphatischen Fragesätze mit Vorliebe im Streitgespräch mit seinen Gegnern bzw. in Worten an die Menge angewendet[11]. Das ist ausdrücklich gesagt Mt. 12,11 (par. Lk. 14,5); Lk. 15,4 (Gegner) und 14,28 (Menge), mit guten Gründen zu vermuten für Mt. 7,9 (par. Lk. 11,11 s. S. 158) und daher als Möglichkeit zu erwägen für Mt. 6,27 (par. Lk. 12,25 s. S. 171) und Lk. 17,7 (s. S. 192).

---

[1] S. 101 A. 2 mit Ausnahme von Logion 21a.

[2] S. S. 62. 65f. Ganz analog werden in der rabbinischen Literatur Gleichnisse sekundär zu Königsgleichnissen, z.B. Siphre Dt. § 26 zu 3,23; in den Parallelstellen Joma 86b; Num. r. 137 zu 27,14 fehlt die Einkleidung als Königsgleichnis, vgl. G. Kittel, Sifre zu Deuteronomium, Stuttgart 1922, S. 36 A. 5. Wir werden S. 137f. den interessanten Fall kennenlernen, daß ein neutestamentliches Gleichnis, das von einem „Hausherrn“ handelt, in der talmudischen Fassung zu einem Königsgleichnis geworden ist.

[3] Mk. 9,50; Mt. 18,12.

[4] Mk. 2,19 Par.

[5] Mk. 4,21; Lk. 6,39.

[6] Mt. 24,45 (par. Lk. 12,42); Lk. 14,31; 15,8 vgl. Mt. 17,25 (ἀπὸ τίνων).

[7] Mt. 6,27 (par. Lk. 12,25); Mt. 7,9 (par. Lk. 11,11); Mt. 12,11 (par. Lk. 14,5); Lk. 11,5; 14,28; 15,4; 17,7.

[8] H. Greeven, „Wer unter euch . . .?“, in: Wort und Dienst, Jahrb. d. Theol. Schule Bethel, N.F. 3 (1952), S. 100.

[9] Ebd. A. 14.

[10] Ebd. S. 101.

[11] Die einzige Ausnahme dürfte Lk. 11,5 (s. S. 158f.) sein.

## d) Der Schluß der Gleichnisse

Wie sind die Gleichnisse zu deuten? Was haben sie der Gemeinde
zu sagen? Welche praktischen Weisungen, welche Tröstungen,
welche Verheißungen gibt uns der Herr in seinen Gleichnissen? —
das waren die Fragen, die die Urkirche beschäftigten, wenn sie die
Gleichnisse Jesu verkündigte und über sie nachsann. Von hier aus
ist es verständlich, daß sich die folgenschwersten Erweiterungen
und Überarbeitungen der Gleichnisse da finden, wo es um die
Deutung und Anwendung des Erzählten geht, d. h. am Schluß. Die
Gleichnisse sind uns mit sehr verschiedenen Schlüssen überliefert.
Teilweise beschränken sie sich auf die Bildhälfte, teilweise fügen
sie einen kurzen Vergleich oder eine ausführliche Deutung an,
teilweise schließen sie mit einem Imperativ, einer Frage oder
einem Lehrsatz. In welchen Fällen liegt eine Erweiterung vor?
Wir werden gut tun, bei dem Versuch einer Antwort zu unterscheiden zwischen Erweiterungen des Gleichnisstoffes selbst und
solchen, bei denen es sich um die Anwendung handelt.

1. Es ist kein Zufall, entspricht vielmehr dem eben Gesagten, daß
die Fälle vereinzelt sind, in denen der Gleichnisstoff selbst, die
sogenannte Bildhälfte, erweitert wurde. Bisweilen ist in diesen
Fällen der Anlaß für die Erweiterung ganz äußerlich. An das
kleine Gleichnis vom neuen Wein, den man nicht in alte Schläuche
gießen soll (Lk. 5,37 f.), hat die Überlieferung den Satz angefügt:
,,Und niemand, der alten getrunken hat, will neuen; denn er sagt:
der alte ist besser[1]'' (Lk. 5,39; ThEv. 47b mit Voranstellung).
Das ist ein ungeschickter Zusatz, denn während das Gleichnis
die Unvereinbarkeit des Neuen mit dem Alten zum Gegenstand
hat, wobei der neue Wein Abbild der Heilszeit ist, wird in dem
Zusatz der höhere Wert des Alten zum Ausdruck gebracht.
Offensichtlich ist ein ganz äußeres Prinzip für die Anfügung maß-
gebend gewesen: das Stichwort οἶνος νέος[2]. Ähnlich, nur nicht so
kraß, liegt es Lk. 12,42—46, bei dem Gleichnis von dem mit der
Verwaltung betrauten Knecht, dem ein Logion im antithetischen
Parallelismus angefügt ist, das das verschiedene Maß der Strafe un-

---

[1] Χρηστός = besser. Das Semitische hat keinen Komparativ.
[2] Wie Lukas den V. 5,39 im jetzigen Kontext verstanden wissen will, ist
schwer zu sagen. A. T. Cadoux, The Parables of Jesus, NewYork 1931,
S. 128 f. meint, Lukas denke beim alten Wein an das Alte Testament, beim
neuen Wein an die Halakha.

gehorsamer Knechte zum Gegenstand hat, je nachdem sie den Willen ihres Herrn gekannt haben oder nicht (V. 47—48a). Zum Inhalt des Gleichnisses paßt das (bei Matthäus fehlende) Logion schlecht, da es im Gleichnis nicht um Kenntnis oder Unkenntnis des Willens des Herrn, sondern um Rechtfertigung oder Mißbrauch des erwiesenen Vertrauens geht. Die Schilderung der Bestrafung des ungetreuen Knechts (12,46) hat das vom verschiedenen Strafmaß handelnde Logion an sich gezogen. An sonstigen sekundären Abschlußerweiterungen der Bildhälfte ist zu nennen: Mk. 2,19b—20 (s. S. 49 A. 3); Mk. 12,9 (s. S. 72), nochmals erweitert Mt. 21,41b; Mt. 22,11—13 (s. S. 61ff.); Lk. 12,37b (s. S. 50f.); Lk. 19,27 (s. S. 56f.); schließlich hat Matthäus dreimal an ein Gleichnis die für ihn charakteristische (Mt. 6mal, Lk. 1mal) Abschlußformel ἐκεῖ ἔσται ὁ κλαυθμὸς καὶ ὁ βρυγμὸς τῶν ὀδόντων angefügt (Mt. 22,13; 24,51c; 25,30); in zwei Fällen hat er ihr außerdem die ebenfalls für ihn typische Wendung εἰς τὸ σκότος τὸ ἐξώτερον (nur bei Mt. im NT.) vorangestellt (22,13 und 25,30). „Heulen und Zähneknirschen" ist dabei Bild für die Verzweiflung, und zwar stets für die Verzweiflung über das durch eigene Schuld verscherzte Heil.

2. Ungleich häufiger als solche Abschlußerweiterungen der Bildhälfte sind die Fälle, in denen sich die Erweiterung auf die Anwendung des Gleichnisses bezieht, sei es, daß ein Gleichnis ohne Deutung mit einer Anwendung versehen wird oder daß eine ältere Anwendung erweitert wird.

Wir betrachten zunächst die Fälle, in denen Gleichnisse ohne Deutung sekundär mit einer Anwendung versehen worden sind. Acht Gleichnisse enden brüsk ohne deutende Anwendung: Mk. 4,26—29 (geduldiger Landmann); Mk. 4,30—32 (Senfkorn); Mt. 13,33 par. Lk. 13,20f. (Sauerteig); Mt. 13,44 (Schatz im Acker); 13,45f. (Perle); 24,45—51 par. Lk. 12,42—46 (treuer bzw. ungetreuer Knecht); Lk. 13,6—9 (unfruchtbarer Feigenbaum); 15, 11—32 (Liebe des Vaters). Ursprünglich war jedoch die Zahl dieser Gleichnisse, in denen Jesus es dem Hörer überläßt, den Schluß aus dem Gleichnis zu ziehen, wesentlich größer. Das sieht man am ThEv., wo alle Gleichnisse außer denen vom Einbrecher (21b), vom großen Abendmahl (64) und von der Perle (76) ohne Deutung schließen. Begreiflicherweise hatte man früh die Neigung, deutungslose Gleichnisse mit einer Anwendung zu versehen. Das deutlichste Beispiel sind die drei Fälle, in denen sekundär eine ausführliche

Gleichnisdeutung angefügt wurde: Mk. 4,13—20 (s. S. 75 ff.); Mt. 13,36—43.49f.(s.S.79ff.). Diese drei Fälle stehen jedoch nicht allein.

Die Logiengruppe Lk.11,9—13, die Matthäus selbständig überliefert (7,7—11), bildet bei Lukas die Anwendung des Gleichnisses vom bittenden Freund (Lk.11,5—8); da die Überleitung (11,9: κἀγὼ ὑμῖν λέγω mit vorangestelltem betonten ὑμῖν) Eigentümlichkeit der lukanischen Quelle ist[1] und außerdem Ideenassoziation vorliegt (Anklopfen in V. 5 und V. 9f.), ist die Verbindung der beiden Stücke bei Lukas sekundär. Durch diese Erweiterung ist der Akzent des Gleichnisses verschoben worden. Stand ursprünglich, wie wir S. 158f. sehen werden, der um Hilfe gebetene Freund im Mittelpunkt der Erzählung (so bedingungslos wie er hilft Gott), so stellt die lukanische Deutung den bittenden Freund ins Zentrum (werdet nicht müde, laßt nicht nach im Beten!). — Das Gleichnis von den Arbeitern im Weinberg wurde uns erst verständlich, als wir von der sekundären Abschlußdeutung Mt.20,16 absahen (s.S.33f.).— Das Logion, das das Gleichnis vom Abendmahl bei Matthäus deutet: πολλοὶ γὰρ κλητοί, ὀλίγοι δὲ ἐκλεκτοί (22,14), paßt nicht zur Erzählung; denn die Wahrheit, daß nur eine kleine Schar gerettet wird, ist weder Mt. 22,1—10 (der Saal wird ja voll!) noch 22,11—13 (nur ein Unwürdiger wird ja entfernt!) ausgeführt. — Ebenso paßt Lk. 14,33 nicht zu den vorangehenden Gleichnissen vom Turmbauer und vom kriegführenden König (14,28—32), weil es in den beiden Gleichnissen um Selbstprüfung geht, nicht um Selbstentäußerung. — Die Abschlußanwendung Mt.12,45c οὕτως ἔσται (Spracheigentümlichkeit des Matthäus, s. S.82 A. 11) καὶ τῇ γενεᾷ ταύτῃ τῇ πονηρᾷ, die das Gleichnis von der Rückkehr des ausgetriebenen bösen Geistes auf das jüdische Volk deutet, fehlt Lk. 11,26, was um so auffälliger ist, als Mt. 12,43—45 und Lk. 11,24—26 sich sonst bis auf minimale Abweichungen im Wortlaut vollständig decken. — Die das Gleichnis von den zehn Jungfrauen deutende Mahnung zur Wachsamkeit (Mt.25,13) gibt sich dadurch als eine Erweiterung zu erkennen, daß sie zu dem Gleichnis nicht paßt (s.S.48f.).—Auch die das Gleichnis vom reichen Toren abschließende Sentenz: „Ebenso (töricht[2] handelt) der, der Schätze anhäuft und dabei nur an sich selbst denkt[3], statt bei Gott Reichtümer anzusammeln[4]" (Lk. 12,21) dürfte Zusatz sein[5]; sie fehlt im ThEv. (63) und gibt dem Gleichnis einen moralisierenden Sinn, der die Schärfe des Warnrufes verdunkelt. Aus dem eschatologischen Ruf (Narr, wer sich an das Geld hängt und das Damokles-

---

[1] S. S. 42 A. 1.                    [2] Vgl. S. 43 A. 1.

[3] So gibt W. Michaelis, Die Gleichnisse Jesu, Hamburg 1956, S. 221, gut das αὐτῷ wieder.

[4] Πλουτεῖν hat hier denselben aktiven Sinn wie das parallele θησαυρίζειν = „sich bereichern" (P. Joüon in: Recherches de science religieuse 29 [1939], S. 487). Das heißt: ebenso wie Mt. 6,19—21 geht es um den Aufbewahrungsort der Besitztümer: töricht ist, wer sie auf Erden anhäuft; klug dagegen, wer sie Gott anvertraut.

[5] Vgl. D. Buzy, Les sentences finales des paraboles évangéliques, in: RB. 40 (1931), S. 321—344; M. Dibelius, Die Formgeschichte des Evangeliums[2], Tübingen 1933, S. 258.

schwert über seinem Haupt nicht sieht! s.u. S. 164f.) ist die Warnung vor falscher Verwendung des Besitzes geworden (Narr, wer Reichtum anhäuft, statt den Besitz Gott anzuvertrauen!). — Die Gnome Mt. 25, 29 par. Lk. 19, 26 ist uns an anderer Stelle als selbständiges Logion überliefert (s. S. 59 A. 10). — Lk. 12, 47f. fehlt bei Matthäus. — Im ThEv. ist an das Gleichnis von der Perle (76) die folgende paränetische Anwendung angeschlossen: „Sucht auch ihr nach seinem (des Kaufmanns) Schatz, der nicht vergeht, (sondern) bleibt, nach dem Ort, an den keine Motte herankommt, um zu fressen, und wo kein Wurm zerstört"[1].

Ein besonderes Problem stellen die Fälle dar, in denen ein und dasselbe Bildwort oder Gleichnis mit konkurrierenden Anwendungen überliefert wird. So wird das Bildwort vom Licht unter dem Scheffel bei Matthäus auf Jesu Jünger (5,16), bei Markus (4,22) und im ThEv. (33b) offenbar auf das Evangelium angewendet, s.u. S. 120f. — Beim Bildwort vom Salz hat Matthäus die Deutung am Anfang (5,13a: „Ihr seid das Salz der Erde"), Markus eine andersartige Anwendung am Ende (9,50b). — Ganz analog ist dem Gleichnis vom Abendmahl bei Lukas die Anwendung in Gestalt des Logions 14,12—14 vorangestellt, bei Matthäus folgt eine andersartige Anwendung am Schluß (22,14). — Auch bei dem Gleichnis von den Tischgästen ist in der Mt. 20, 28 D überlieferten Fassung eine Anwendung vorangeschickt („Ihr aber sollt vom Kleinen aus zu wachsen, vom Großen aus gering zu werden suchen")[2], Lk. 14, 11 dagegen eine (zwar verwandte, aber doch andersartige) Anwendung nachgestellt („Jeden, der sich erhöht, wird Gott beugen; den aber, der sich beugt, wird Gott erhöhen"). Die letztgenannte Deutung kehrt Lk. 18, 14b als Abschluß des Gleichnisses vom Pharisäer und Zöllner sowie Mt. 23, 12 (vgl. 18,4) als selbständiges Logion wieder, und man möchte daraus schließen, daß sie Lk. 14, 11 sekundär sei. Dieser Schluß wäre falsch — eine Mahnung zur Vorsicht! Denn Lev. r. 1,5 (zu 1,1) wird eine entsprechende Tischregel R. Schimʿon b. ʿAzzaiʾs (um 110): „Halte Dich fern von Deinem (Dir gebührenden) Platz um zwei oder drei Sitze und warte, bis man zu Dir sagt: ‚Rücke herauf' usw." ganz analog abgeschlossen durch das folgende, sich mit Lk. 14, 11 engstens berührende Wort: „Und so hat Hillel (20 v.Chr.) gesagt: ‚Meine Erniedrigung ist meine Erhöhung, und meine Erhöhung ist meine Erniedrigung'." (Dagegen ist nicht ebenso sicher, ob die Sentenz auch Lk. 18,14b ursprünglich ist; sie paßt zwar inhaltlich ausgezeichnet, man hat aber eingewendet, daß sie dem Gleichnis „einen vulgär-ethischen Sinn" gebe, „der seinem Wortlaut fernliegt"[3].) In solchen Fällen konkurrierender Anwendungen muß öfter die Entscheidung darüber offenbleiben, ob Jesus selbst ein und dasselbe Bildwort bei verschiedenen Gelegenheiten in abweichender Weise anwendete oder ob nur

---

[1] Vgl. Mt. 6,19f.; Lk. 12,33.

[2] Vgl. zu diesem Agraphon: J. Jeremias, Unbekannte Jesusworte, Gütersloh 1951, S. 13f.

[3] So M. Dibelius, Die Formgeschichte des Evangeliums², Tübingen 1933, S. 254, etwas überspitzt formulierend und die Möglichkeit, daß sich die Futura auf Gottes Handeln im Endgericht beziehen (s. S.141), nicht beachtend.

eine der Anwendungen ursprünglich ist oder aber ob das Bildwort deutungs-
los überliefert war und sämtliche Anwendungen sekundär sind.

3. Sehr oft wird eine bereits gegebene Deutung umge-
wandelt bzw. erweitert. Ein typisches Beispiel hierfür bietet das
Gleichnis vom ungerechten Haushalter; wir erinnern uns, daß hier
die alte Deutung Lk. 16, 8 a durch eine ganze Reihe weiterer
Deutungen vermehrt wurde (16, 8 b—13, s. S. 43f.). — Beim Gleichnis von den ungetreuen Winzern (Mk. 12, 1—9 Par.) lassen sich
drei Stadien der Erweiterung beobachten: bereits vor Markus war
ein sekundärer Schriftbeweis angefügt worden (V. 10f.); in der
von Matthäus und Lukas gebotenen Fassung des Gleichnisses
ist zu diesem Schriftbeweis eine exegetische Bemerkung hinzu-
gekommen, die die vernichtende Wirkung des in der Schrift-
stelle erwähnten Steines schildert (Mt. 21, 44[1]; Lk. 20, 18), bei
Matthäus außerdem eine Deutung des Gleichnisses auf Israel
und die Heiden (Mt. 21, 43)[2], die sich dadurch als drittes Stadium
zu erkennen gibt, daß sie Schriftzitat (V. 42) und Exegese
des Schriftzitates (V. 44) auseinanderreißt. Die drei Stadien der
Erweiterung sind also: 1) Mk. 12, 10f. = Mt. 21, 42; 2) Mt. 21, 44
par. Lk. 20, 18; 3) Mt. 21, 43. — Mt. 21, 32 erkannten wir als sekundäre Anwendung der Deutung Jesu (21, 31 b) auf den Täufer (S. 78f.). —
Der Abschlußimperativ Mk. 13, 37 fehlt bei Lk. 12, 35—38; den-
selben Imperativ ($\gamma\varrho\eta\gamma o\varrho\varepsilon\tilde{\iota}\tau\varepsilon$) hat Matthäus dem Gleichnis vom
Einbrecher vorangestellt (24, 42), so daß dieses bei ihm (anders bei
Lukas) von zwei sachlich übereinstimmenden Mahnungen ein-
gerahmt ist; im ThEv. ist der Abschlußimperativ des Gleichnisses
vom Einbrecher gegenüber Matthäus und Lukas durch die Mahnung,
die Lenden zu gürten, erweitert (21 b). — Das Gleichniswort vom
Jonaszeichen wird bei Lukas (11, 30) auf die Legitimierung des
Gottgesandten durch die Errettung aus dem Tode gedeutet; bei
Matthäus (12, 40) ist diese Deutung erweitert und ihr Akzent verschoben: das tertium comparationis liefert jetzt die Zeitangabe
drei Tage und drei Nächte (Jona 2, 1)[3]. — Besonders interessant
ist die Art und Weise, auf die das Bildwort von den zweierlei
Bäumen zu einer neuen zweiten Deutung kommt: es verschmilzt

---

[1] Das Fehlen des Verses bei D it sy[sin] berechtigt keinesfalls zur Streichung,
vgl. J. Jeremias, Die Abendmahlsworte Jesu[3], Göttingen 1960, S. 138—145,
über verkürzten Text bei D it vet-syr.

[2] S. S. 75.

[3] Vgl. ThWBNT. III, S. 412, 32ff. und in dieser Arbeit S. 186 A. 2.

derart mit demjenigen von den zweierlei Schätzen, daß dieses zur Deutung des Bildwortes von den zweierlei Bäumen wird (Mt. 12, 33—35)[1]. — Das Doppelbildwort von der Stadt auf dem Berge und vom Leuchter (Mt. 5,14b—15; ThEv. 32.33b) wird bei Thomas durch das eingeschobene Logion von der Predigt auf den Dächern (33a) auf die Verkündigung gedeutet; bei Matthäus hat es sogar zwei Deutungen, eine am Anfang (V. 14a) und eine am Schluß (V. 16); die letztere war vielleicht ursprünglich ein selbständiges Bildwort. — Daß eine bereits gegebene Deutung ihren Sinn verändern kann, auch ohne daß der Wortlaut verändert wird, zeigt Mt. 18, 35: οὕτως καὶ ὁ πατήρ μου ὁ οὐράνιος ποιήσει ὑμῖν, ἐὰν μὴ ἀφῆτε ἕκαστος τῷ ἀδελφῷ αὐτοῦ ἀπὸ τῶν καρδιῶν ὑμῶν. Die Worte ἕκαστος τῷ ἀδελφῷ αὐτοῦ sind wörtliche Übersetzung von aram. g^ebhar l^eaḥuhi, womit die Targume im Anschluß an das hebräische 'iš l^eaḥiw das fehlende Pron. recipr. umschreiben; die Wendung hat also ganz allgemeinen Sinn (= einander, jeder dem anderen), was durch Mt. 6,15 (τοῖς ἀνθρώποις) und Mk. 11,25 (τὶς) bestätigt wird. Matthäus dagegen hat das Wort ἀδελφός in 18, 35 sicher auf den christlichen Bruder beschränkt, die Anwendung des Gleichnisses also verchristlicht; schließt er doch mit 18,35 die Gemeindeleiterregel Kap. 18 ab[2].

---

[1] S. S. 93.

[2] Diese Bedeutungs-Einengung von ἀδελφός ist kennzeichnend für Matthäus. Er scheint das Wort, soweit es nicht den leiblichen Bruder bezeichnet, durchgängig, dem vielfältig belegten urchristlichen Sprachgebrauche folgend, auf den christlichen Bruder zu beziehen. Dieser Sprachgebrauch geht zwar auf Jesus selbst zurück (Mk. 3, 33—35 par.). Aber wenn Matthäus ihn durchgängig voraussetzt, so bedeutet das in den meisten Fällen, wie Mt. 18, 35, eine sekundäre Verchristlichung, die die Reichweite des Wortes einschränkt: so Mt. 5, 22; 18, 15. 21 (Jesus knüpft an diesen Stellen an Lev. 19,17 an: „Du sollst nicht Haß gegen Deinen Bruder im Herzen hegen, sondern Deinen Volksgenossen freimütig zur Rede stellen"); 5, 23f. (wo die Sachparallele Mk. 11, 25 statt ἀδελφός: τὶς hat). 47a (wo die zweite Vershälfte besagt: die Heiden beschränken die im Gruß zum Ausdruck kommende Liebe auf die Volksgenossen); 7, 3—5 (s. z. St. S. 167 A. 3); 25, 40 (s. S. 205). An allen diesen Stellen hat ἀδελφός wahrscheinlich ursprünglich den weiteren Sinn: „Nächster, Volksgenosse". Die Neigung des Matthäus, das Wort ἀδελφός zu verchristlichen, bestätigt sich am Vergleich von Mt. 12, 49 (ἐπὶ τοὺς μαθητὰς αὐτοῦ) mit Mk. 3, 34 (τοὺς περὶ αὐτὸν κύκλῳ καθημένους). Bei Lukas findet sich die sekundäre Verchristlichung von ἀδελφός nur an zwei dieser Stellen (6, 41f.; 17, 3f.), bei Markus nie. Mit Markus stimmt das Nazaräerevangelium überein, in dessen Jesusworten das Wort „Bruder" ebenfalls, soweit es nicht den leiblichen Bruder bezeichnet, den weiteren Sinn von „Volksgenosse" hat (J. Jeremias, Unbekannte Jesusworte³, Gütersloh 1963, S. 47—50. 88f. 89—91): ein Zeichen für alte Überlieferung.

Eine eigene Kategorie der Gleichnisabschlüsse bildet der Weckruf: „Wer Ohren hat (zu hören), der höre." Er findet sich bei allen drei Synoptikern nur nach dem Gleichnis vom unverzagten Säemann (Mk. 4,9; Mt. 13,9; Lk. 8,8), nach dem Bildwort vom Leuchter nur bei Markus (4,23) und nach dem Bildwort vom Salz nur bei Lukas (14,35); schließlich bietet ihn Matthäus nach dem Eliaswort (11,15) und als Abschluß seiner Deutung des Unkrautgleichnisses (13,43). Das ThEv. dagegen setzt den Weckruf an den Schluß von nicht weniger als fünf Gleichnissen[1], ohne Frage als Aufruf an den Gnostiker, den geheimen Sinn der Gleichnisse zu ergründen. Schon diese Übersicht zeigt, daß der Weckruf in den meisten Fällen sekundär sein wird[2].

4. Die wichtigste Beobachtung, die sich bei der Betrachtung der sekundären Deutungen und Deutungserweiterungen ergibt, ist die, daß man mit Vorliebe an die Gleichnisse generalisierende Logien als Abschluß angefügt hat[3]. Wo sich solche Generalisierungen finden, sind sie überwiegend[4] im Kontext sekundär. Wohlgemerkt: im Kontext! Es ist damit also nicht behauptet, daß diese Logien selbst in ihrer Echtheit fragwürdig seien, sondern nur, daß sie ursprünglich nicht als Abschluß der Gleichnisse gesprochen seien[5]. Dafür spricht auch, daß sie im ThEv. völlig fehlen. Man wollte den Gleichnissen mit ihrer Hilfe eine möglichst weite Anwendung sichern. Typisch für diese Tendenz ist, daß das Gleichnis von den Arbeitern im Weinberg zweimal nacheinander durch ein generalisierendes Logion erweitert worden ist (Mt. 20,16a. 16b, s. S. 30f. 33f.) und daß auch das sekundär gebildete Gleichnis von der verschlossenen Tür (Lk. 13,24—30, s. S. 94f.) in V. 30 mit einem generalisierenden Abschluß versehen wurde. Folgende Gleichnisse und Bildworte scheinen nach dem S. 104—109 Ausgeführten einen sekundären verallgemeinernden Abschluß erhalten zu haben[6]:

---

[1] Großer Fisch (8), Törichter Reicher (63), Böse Weingärtner (65), Sauerteig (96), ferner am Schluß des Gleichniskonglomerats (21).
[2] Vgl. z.B. zu Mt. 13,43 S. 83.
[3] B. T. D. Smith, S. 179.
[4] Keineswegs immer! Vgl. die Erwägungen zu Lk. 14,11 S. 106.
[5] Auch die katholische Exegese hat sich weithin dieser Erkenntnis geöffnet, vgl. D. Buzy, s. o. S. 105 A. 5; M. Hermaniuk, La Parabole Évangélique, Bruges-Paris-Louvain 1947, passim.
[6] Die verallgemeinernden Wendungen sind in der Liste gesperrt.

Leuchter (Mk. 4, 22):      οὐ γάρ ἐστίν τι κρυπτόν,
ἐὰν μὴ ἵνα φανερωθῇ·
οὐδὲ ἐγένετο ἀπόκρυφον,
ἀλλ᾽ ἵνα ἔλθῃ εἰς φανερόν.

Maß (Mk. 4, 25)[1]:      ὃς γὰρ ἔχει,
δοθήσεται αὐτῷ·
καὶ ὃς οὐκ ἔχει,
καὶ ὃ ἔχει ἀρθήσεται ἀπ᾽ αὐτοῦ.

Türhüter (Mk. 13, 37):      ὃ δὲ ὑμῖν λέγω, πᾶσιν λέγω, γρηγορεῖτε.

Arbeiter im Weinberg      1) οὕτως ἔσονται οἱ ἔσχατοι πρῶτοι
(Mt. 20, 16 a. 16 b):      καὶ οἱ πρῶτοι ἔσχατοι·
2) πολλοὶ γάρ εἰσιν κλητοί,
ὀλίγοι δὲ ἐκλεκτοί.

Böse Weingärtner      καὶ (Lk.: πᾶς) ὁ πεσὼν ἐπὶ τὸν λίθον
(Mt. 21, 44[2]; Lk. 20, 18):      τοῦτον (Lk.: ἐπ᾽ ἐκεῖνον τὸν λίθον),
συνθλασθήσεται·
ἐφ᾽ ὃν δ᾽ ἂν πέσῃ, λικμήσει αὐτόν.

Hochzeitsmahl (Mt. 22, 14):      πολλοὶ γάρ εἰσιν κλητοί,
ὀλίγοι δὲ ἐκλεκτοί.

Zehn Jungfrauen (Mt. 25, 13):      γρηγορεῖτε οὖν, ὅτι οὐκ οἴδατε τὴν
ἡμέραν οὐδὲ τὴν ὥραν.

Anvertraute Gelder      τῷ γὰρ ἔχοντι παντὶ
(Mt. 25, 29 par. Lk. 19, 26):      δοθήσεται καὶ περισσευθήσεται·
τοῦ δὲ μὴ ἔχοντος
καὶ ὃ ἔχει ἀρθήσεται ἀπ᾽ αὐτοῦ.

Um Hilfe gebetener Freund
(Lk. 11, 10):      πᾶς γὰρ ὁ αἰτῶν λαμβάνει . . .

Törichter Reicher (Lk. 12, 21): οὕτως ὁ θησαυρίζων αὐτῷ
καὶ μὴ εἰς θεὸν πλουτῶν.

---

[1] S. S. 90.
[2] Zur Ursprünglichkeit des Verses s. S. 107 A. 1.

Mit der Verwaltung betrauter  παντὶ δὲ ᾧ ἐδόθη πολύ,
   Knecht (Lk. 12, 48 b):        πολὺ ζητηθήσεται παρ' αὐτοῦ,
                                  καὶ ᾧ παρέθεντο πολύ,
                                  περισσότερον αἰτήσουσιν αὐτόν.

Verschlossene Tür (Lk. 13,30):  καὶ ἰδού εἰσὶν ἔσχατοι,
                                οἳ ἔσονται πρῶτοι,
                                καὶ εἰσὶν πρῶτοι,
                                οἳ ἔσονται ἔσχατοι.

Ungerechter Haushalter        ὁ πιστὸς ἐν ἐλαχίστῳ
        (Lk. 16, 10):      καὶ ἐν πολλῷ πιστός ἐστιν,
                                καὶ ὁ ἐν ἐλαχίστῳ ἄδικος
                                καὶ ἐν πολλῷ ἄδικός ἐστιν.

        (Lk. 16,13):  οὐδεὶς οἰκέτης δύναται δυσὶ κυρίοις
                                δουλεύειν . . .

Pharisäer und Zöllner        ὅτι πᾶς ὁ ὑψῶν ἑαυτὸν ταπεινωθήσεται,
        (Lk. 18,14 b):      ὁ δὲ ταπεινῶν ἑαυτὸν ὑψωθήσεται[1].

Überblickt man das Material, so sieht man, daß es sich bei den generalisierenden Abschlüssen nur vereinzelt um Lebensweisheiten, überwiegend um eschatologische Verheißungen, Drohungen und Mahnungen handelt. Die Erkenntnis, daß diese Abschlüsse im Kontext sekundär sind, ist von großer Wichtigkeit für das Verständnis der betreffenden Gleichnisse, weil deren Akzent fast durchweg durch den neuen Abschluß, oftmals grundlegend, verschoben wird; aber auch da, wo der neue Abschluß mit dem Sinn des Gleichnisses übereinstimmt (Lk. 18, 14 b) oder sich ihm doch wenigstens einfügen läßt (etwa Lk. 12, 21), ist die Feststellung von Bedeutung, weil die betreffenden Gleichnisse durch die Anfügung der allgemeingültigen Sentenz einen moralisierenden Sinn erhalten, der die ursprüngliche Situation, die Kampfeshaltung, die Schärfe des eschatologischen Weckrufes, die Härte der Drohung verdunkelt. Das Gleichnis von den Arbeitern im Weinberg, das in

---

[1] Zu diesen Belegen kommt noch Lk. 14, 33 (οὕτως οὖν πᾶς ἐξ ὑμῶν . . .), falls das Logion — wie die meisten Kommentatoren annehmen — von Hause aus nicht zu dem Doppelgleichnis vom Turmbauer und vom kriegführenden König gehört (zuletzt F. Hauck in: ThWBNT. V, S. 752, 24—26; E. Fuchs, Hermeneutik, Bad Cannstatt 1954, S. 222). In dem Doppelgleichnis geht es ja um die Selbstprüfung, nicht um die Selbsttäuschung.

konkreter Situation die Frohbotschaft gegenüber ihren Kritikern rechtfertigen will (so ist Gott, so gütig!), wird durch den generalisierenden Abschluß (so werden die Letzten Erste und die Ersten Letzte sein) zur allgemeingültigen Belehrung über die Rangordnung im Himmelreich bzw. über die Freiheit der göttlichen Gnade[1]. Das Gleichnis vom ungerechten Haushalter, das die Zögernden angesichts der drohenden Krisis zu dem Entschluß aufruft, einen neuen Anfang zu wagen, wird durch die Sentenz „wer im Geringsten treu ist, der ist auch im Großen treu, und wer im Geringsten untreu ist, der ist auch im Großen untreu" zur allgemeingültigen Moral usw. Wichtig ist die Erkenntnis vom sekundären Charakter der generalisierenden Abschlüsse aber auch für das Gesamtverständnis der Gleichnisse. In der Anfügung des generalisierenden Schlußlogions spricht der christliche Prediger oder Lehrer, der das Wort des Herrn auslegt[2]. Wir sehen an diesen Abschlüssen, wie früh die Tendenz einsetzte, die Gleichnisse Jesu dadurch für die Gemeinde brauchbar zu machen, daß man ihnen einen allgemeingültigen belehrenden oder paränetischen Sinn entnahm. Es ist jene Tendenz, die letztlich Jesus zum Weisheitslehrer macht und die, wie wir S. 15f. sahen, ihre höchsten Triumphe Ende des vorigen Jahrhunderts in der Gleichnisauslegung von Jülicher gefeiert hat. Diesen Weg, der kirchlichen Paränese die Verwendung der Gleichnisse zu erleichtern, hat vorwiegend Lukas (bzw. seine Quelle) beschritten, während Matthäus zum Erreichen des gleichen Zieles die Anwendung der Allegorie bevorzugt hat. Wiederum gilt: erst wenn die Auslegung entschlossen diese Tendenz in Rechnung setzt und in Abzug bringt, darf sie hoffen, den ursprünglichen Sinn der Gleichnisse Jesu wiederzugewinnen.

\* \* \*

Wir fassen zusammen: Die Gleichnisse haben einen zweifachen historischen Ort. Der ursprüngliche historische Ort, wie aller Worte Jesu so auch der Gleichnisse, ist die Wirksamkeit Jesu in ihrer einmaligen konkreten Situation. Dann aber haben sie in der Urkirche „gelebt". Wir kennen die Gleichnisse nur in der Form,

---

[1] S. S. 30—32.
[2] F. C. Grant, A New Book on the Parables, in: Anglican Theological Review 30 (1948), S. 120.

die ihnen die Urkirche gegeben hat, und stehen daher vor der Aufgabe, ihre ursprüngliche Gestalt, soweit wir können, zurückzugewinnen. Dazu hilft die Beobachtung von mehreren Umformungsgesetzen:

1. Die Übersetzung der Gleichnisse ins Griechische brachte unvermeidlich Sinnverschiebungen mit sich.

2. Auch das Anschauungsmaterial wird gelegentlich dabei mit-„übersetzt".

3. Früh beobachten wir die Freude an der Ausschmückung der Gleichnisse.

4. Gelegentlich wirken Schriftstellen und volkstümliche Erzählungsmotive auf die Stoffgestaltung ein.

5. Gleichnisse, die ursprünglich zu den Gegnern oder zur Menge gesagt sind, wendet die Urkirche weithin auf die Gemeinde an.

6. Dabei tritt häufig eine Verschiebung des Akzentes aufs Paränetische, insbesondere vom Eschatologischen auf das Paränetische, ein.

7. Die Urkirche bezieht die Gleichnisse auf ihre konkrete Situation, die vor allem durch die Mission und das Ausbleiben der Parusie gekennzeichnet ist, deutet sie von hier aus um und erweitert sie von hier aus.

8. In steigendem Maße deutet die Urkirche Gleichnisse im Dienste der Paränese allegorisch aus.

9. Sie stellt Sammlungen von Gleichnissen zusammen; gelegentlich verschmelzen auch zwei Gleichnisse.

10. Sie gibt den Gleichnissen einen Rahmen, der oftmals eine Verschiebung des Sinnes bewirkt, insbesondere gibt sie vielen Gleichnissen durch generalisierende Abschlüsse einen allgemeingültigen Sinn.

Die Analyse der Gleichnisse an Hand dieser Umformungsgesetze wurde in den ersten fünf Auflagen des Buches rein am synoptischen Stoff erarbeitet. Inzwischen wurde das Thomasevangelium bekannt. Daß dieses die Ergebnisse in überraschender Weise bestätigt, zeigt, daß die Analyse grundsätzlich auf dem richtigen Wege sein dürfte.

Diese zehn Gesetze der Umformung sind zehn Hilfsmittel, den ursprünglichen Sinn der Gleichnisse Jesu zurückzugewinnen, hier und da den Schleier ein wenig zu lüften, der sich — oft ganz fein, oft fast undurchdringlich — über die Gleichnisse Jesu gelegt hat. Zurück zur ipsissima vox Jesu, heißt die Aufgabe! Welch großes Geschenk, wenn es gelingt, hier und da hinter dem Schleier das Antlitz des Menschensohnes wiederzufinden! Auf Sein Wort kommt alles an! Erst die Begegnung mit Ihm gibt unserer Verkündigung Vollmacht!

# III. Die Botschaft der Gleichnisse Jesu

Trägt man den im II. Hauptteil ermittelten Gesetzen der Umformung Rechnung und versucht man, mit ihrer Hilfe den ursprünglichen Sinn der Gleichnisse Jesu wiederzugewinnen, so wird man auf das Ergebnis geführt, daß sich das Gesamtbild überraschend vereinfacht. Es zeigt sich, daß viele Gleichnisse ein und denselben Gedanken, nur in verschiedenem Bilde, ausdrücken. Differenzierungen, die uns geläufig sind, erweisen sich als sekundär. Dafür treten wenige schlichte Hauptgedanken mit verstärkter Wucht hervor. Jesus ist offenbar nicht müde geworden, die zentralen Gedanken seiner Botschaft in immer neuen Bildern einzuprägen. Von selbst ordnen sich die Gleichnisse und Bildworte zu Gruppen zusammen, und zwar heben sich zehn Gruppen heraus. Sie bilden als Ganzes eine geschlossene Zusammenfassung der Botschaft Jesu. Ehe wir sie darzustellen versuchen, sei nochmals betont, daß in dieser Arbeit das Wort Gleichnis in dem weiten Sinne des aramäischen *mathla* (siehe S. 16f.) gefaßt wird[1].

## 1. Die Gegenwart des Heils

„Blinde sehen,

Lahme gehen,

Aussätzige werden gesund,

Taube hören,

Tote stehen auf,

Armen wird die Frohbotschaft verkündigt",

so antwortet Jesus nach Lk. 7, 22; Mt. 11, 5 dem gefangenen Täufer auf seine Anfrage aus dem Gefängnis. Das ist nicht so gemeint, als ob sich alle jene Wundertaten gerade in Gegenwart der Boten des

---

[1] Bei dieser weiten Fassung des Themas gewinnt der Stoff angesichts der Bildfreudigkeit der Rede Jesu außerordentlich an Umfang. Vollständigkeit ist deshalb nur für die ausgeführten Gleichniserzählungen erstrebt.

gefangenen Täufers abgespielt hätten, diese also ihrem Meister melden sollten, was sie soeben erlebt hätten (so Lk. 7, 21 f.[1]), die Stelle will überhaupt nicht die Wundertaten Jesu aufzählen[2] — sondern es handelt sich um uralte Bilder für die Erlösungszeit, die Jesus aufgreift:

> „Dann werden die Augen der Blinden sich auftun
> Und die Ohren der Tauben sich öffnen,
> Dann wird der Lahme springen wie ein Hirsch,
> Und die Zunge des Stummen wird jauchzen.
> Wasser werden in der Wüste hervorbrechen,
> Bäche im dürren Lande ...“ (Jes. 35, 5 f.)[3].

Jesu Wort ist geradezu ein freies Zitat dieser Stelle in Verbindung mit Jes. 61, 1 (Frohbotschaft für die Armen); wenn dabei die Nennung der Aussätzigen und der Toten über Jes. 35, 5 f. hinausgeht, so heißt das: die Erfüllung transzendiert alle Hoffnungen, Erwartungen, Verheißungen[4]. Ein Jubelruf Jesu! Die Stunde ist da! Die Blinden sehen, und die Lahmen gehen, und Lebenswasser fließt durchs dürre Land — das Heil ist da, die Fluchzeit ist zu Ende, das Paradies kehrt wieder, die Weltvollendung ist angebrochen und manifestiert sich (wie der Geist es stets tut) zwiefältig: in der Tat und im Wort. Das sagt dem Johannes und fügt hinzu: „Selig, wer sich nicht an mir stößt" (Mt. 11, 6; Lk. 7, 23). Selig, wer es glaubt, allem gegenteiligen, armseligen Augenschein zum Trotz[5]!

Aufs engste verwandt ist diesem Bildwort ein anderes Wort Jesu, das ebenfalls eine Jesajastelle (61, 1 f.) aufnimmt: „Der Geist Gottes ruht auf mir, weil er mich salbte! Armen frohe Botschaft zu bringen, sandte er mich, Gefangenen die Befreiung und Blinden das Gesicht zu verkündigen, Mißhandelte freizulassen, das Heilsjahr Gottes

---

[1] Ähnlich auch Matthäus, der nicht zufällig vorher eine Blindenheilung (9,27—31), eine Lahmenheilung (9,1—8), die Heilung eines Aussätzigen (8,1 bis 4), eines κωφός (9,32—34) und eine Totenerweckung (9,18—26) berichtet.

[2] Vgl. M. Dibelius, Jesus, Berlin 1939, S. 65.

[3] Vgl. noch die Fortsetzung 35,7—10, ferner 29,18 u.ö.

[4] Man beachte auch, daß Jesus die Ankündigung der Rache Gottes (Jes. 35,4) fortläßt, s. u. S. 215 A. 6.

[5] J. Jeremias, Jesus als Weltvollender, Gütersloh 1930, S. 19ff. Die Frage, ob eine messianische Anfrage des Täufers vor dem Petrusbekenntnis denkbar sei, ist für unseren Zusammenhang unwichtig, da es uns nur auf das Logion Jesu ankommt.

anzukündigen" (Lk. 4,18 f.)[1]. Es ist so weit. Heute ist dieses Schriftwort erfüllt (Lk. 4,21). Der Schöpfer Geist, der um der Sünde willen mit dem letzten Schriftpropheten erlosch[2], weht wieder übers dürre Land; die Neuschöpfung hat begonnen. Elende hören die Frohbotschaft, die Gefängnistore tun sich auf, die Mißhandelten atmen auf, blinde Pilger stehn im Licht — die Heilszeit ist da.

„Realisierte Eschatologie"[3] — das ist auch der Sinn von Mk. 2,19. Auf die Frage, warum seine Jünger nicht fasten, antwortet Jesus: „Können denn Hochzeitsgäste während der Hochzeitsfeier fasten?"[4]. Die Hochzeit ist in der morgenländischen Sinnbildsprache Bild der Heilszeit; uns ist es als solches vertraut aus der Offb. Joh.: „Herbeigekommen ist die Hochzeit des Lammes!" (Apk. 19,7 vgl. V. 9; 21,2.9; 22,17). Der Freudentag ist angebrochen, der Hochzeitsjubel erschallt. Wie reimt sich damit Kasteiung und Klage? Jetzt schon ist Hochzeitsfreude, wie sollten meine Jünger da fasten?

Die anschließenden Worte vom neuen Mantel und vom neuen Wein (Mk. 2,21 f. par. Mt. 9,16 f.; Lk. 5,36—38; ThEv. 47 b) mögen bei anderer Gelegenheit gesprochen sein; sachlich sind sie mit Recht von den drei Synoptikern mit dem Hochzeitsbild zusammengestellt; denn auch sie reden von einem sinnlosen Handeln (wertvollen, neuen Stoff benutzen, um einen Lumpen zu reparieren[5]; gärenden, neuen Wein in abgenutzte, schadhafte Schläuche gießen!), und auch sie verwenden Sinnbilder für die Heilszeit. Was das Bild vom Mantel anlangt, so braucht das reiche religionsgeschichtliche Material für den Vergleich des Kosmos mit dem Weltenmantel[6] hier nicht dargeboten zu werden, es genüge der Verweis auf zwei neutestamentliche Belege. Hebr. 1,10—12 wird im

---

[1] Wieder (s. S. 116 A. 4) läßt Jesus die Ankündigung der Rache Gottes (Jes. 61,2) fort, s. u. S. 215 A. 6.

[2] J. Jeremias, Jesus als Weltvollender, S. 13 ff.; Bill. II, S. 128 ff; G. Friedrich in: ThWBNT. VI, S. 841,12 f.

[3] Dodd, S. 198.

[4] Mk. 2,19 par. Mt. 9,15; Lk. 5,34. Die Übersetzung, die oben gegeben ist, ist S. 49 A. 3 begründet.

[5] S. o. S. 25.

[6] R. Eisler, Weltenmantel und Himmelszelt, München 1910; A. Jeremias, Das Alte Testament im Lichte des Alten Orients[4], Leipzig 1930, Motivregister s. v. Weltenmantel; J. Jeremias, Jesus als Weltvollender, Gütersloh 1930, S. 25 ff.; H. Windisch in: ZNW. 32 (1933), S. 69 f.; W. Staerk, Die Erlöserwartung in den östlichen Religionen, Stuttgart 1938, S. 18 f.

Anschluß an Ps. 102, 26—28 geschildert, wie Christus bei der Parusie den Kosmos wie einen alten Mantel zusammenfaltet und den neuen Kosmos ausbreitet. Noch deutlicher ist Apg. 10,11 ff.; 11,5 ff., wo Petrus im Bilde des Tuches, das an den vier Zipfeln gehalten wird und Tiere aller Art in sich birgt, den neuen, von Gott restituierten und für rein erklärten Kosmos schaut. Zelt, Tuch, Mantel sind gebräuchliche Abbilder des Kosmos. In diesen Zusammenhang gehört Mk. 2, 21: die Zeit der alten Welt ist abgelaufen; sie gleicht dem alten Mantel, den mit neuem Tuch zu flicken sich nicht mehr lohnt; die neue Zeit ist angebrochen[1]. Wem diese Deutung zu kühn erscheint, der möge sich der zahllosen Belege erinnern, in denen der Wein, von dem der Parallelvers Mk. 2, 22 redet, Symbol der Heilszeit ist. Auch hier mögen einige biblische Beispiele genügen, die außerbiblischen sind Legion. Noah pflanzt nach der Sintflut auf der erneuerten Erde den Weinstock (Gen. 9, 20). An den Weinstock bindet der Erlöser seinen Esel, im Wein wäscht er sein Gewand, es strahlen seine Augen von Wein (Gen. 49, 11—12). Eine Weintraube bringen die Kundschafter aus dem Gelobten Lande mit (Num. 13, 23 f.). Wenn es Joh. 2, 11 vom Kanawunder heißt, daß Jesus seine Doxa enthüllte, so ist auch hier daran gedacht, daß der Wein Symbol der Heilszeit ist: im Spenden der Fülle des Weines offenbart sich Jesus als Bringer der Heilszeit. Alter Mantel — neuer Wein: das Alte ist vergangen, die Heilszeit ist angebrochen[2].

Wie Hochzeit und Wein, so ist die Ernte festes Bild der Bibel für die Heilszeit.

Die Ernte ist die große Freudenzeit:

„Du schenkst viel Jubel,
    schaffst viel Freude.
Man freut sich vor Dir,
    wie man sich freut in der Ernte,
    wie man jauchzt beim Verteilen der Beute" (Jes. 9, 2).
„Wohl geht man hin unter Tränen
    bei der Aussaat des Saatkorns,
doch jauchzend kehrt man wieder,
    mit Garben beladen" (Ps. 126, 6).

---

[1] Über das Anlegen des neuen Gewandes als Sinnbild der Heilszeit s. S. 130.

[2] Joh. Jeremias, Das Evangelium nach Markus[2], Chemnitz 1928, S. 46; Joach. Jeremias, Jesus als Weltvollender, Gütersloh 1930, S. 24 ff. — In diesen Zusammenhang dürfte auch die Geschichte vom kanaanäischen Weibe

Insbesondere sind Ernte und Weinlese Sinnbild des die Heilszeit einleitenden Endgerichtes.

> „Leget die Sichel an, denn die Ernte ist reif!
> Kommt, stampft, denn die Kelter ist voll!
> Die Kufen fließen über — denn ihre Bosheit ist groß"

ruft Joel im Blick auf das Völkergericht aus (4,13). Der Täufer schaut den kommenden Richter als den, der die Worfschaufel in der Hand hält und die Ernte einbringt (Mt. 3,12; Lk. 3,17). Auch Paulus vergleicht das Endgericht mit der Ernte (Gal. 6,7f.).

> „Lege Deine Sichel an und ernte,
> denn die Stunde des Erntens ist angebrochen,
> ja, die Ernte der Erde ist schon dürr geworden"

ruft im letzten Buch der Bibel die Engelstimme dem Menschensohn zu (Apk. 14,15). Und der Engel mit dem Feuerbrand respondiert:

> „Lege Deine scharfe Sichel an
> und schneide die Trauben des Weinstocks der Erde ab,
> denn seine Beeren sind überreif" (14,18).

Es ist so weit, sagt Jesus. Nicht zu säen, sondern zu ernten sendet er seine Jünger aus[1]. Die Felder sind weiß (Joh. 4,35); Saat und Ernte fallen zusammen (4,36). „Die Ernte ist groß, aber der Arbeiter sind wenige. So bittet den Herrn der Ernte, daß er Arbeiter in seine Ernte sende" (Mt. 9,37f.; Lk. 10,2; ThEv. 73). Von der Erntezeit handelt auch das kleine Gleichnis von dem Feigenbaum, dessen Sprossen und Grünen den Sommer ankündigt: „Wenn es so weit ist, daß er junge Triebe ansetzt und Blätter hervortreibt, dann wißt Ihr: bald ist es Sommer. Ebenso sollt Ihr, wenn Ihr seht, daß ταῦτα geschieht, wissen: Er steht vor der Tür" (Mk. 13,28f. par. Mt. 24,32f.; Lk. 21,29—31)[2]. Wer steht vor der Tür? Der Messias[3]! Und woran erkennt man die Nähe seines Kommens? Im jetzigen Zusammenhang lautet die Antwort: an den Schrecknissen, die das Ende ankündigen. Aber es ist fraglich, ob das ursprünglich ge-

---

(Mk. 7,24—30; Mt. 15,21—28) gehören. Wie R. Hermann gesehen hat, ist der Schlüssel zu dem Gespräch Jesu mit der hilfesuchenden Frau darin zu sehen, daß diese versteht, daß Jesus vom Heilsmahl redet. Ihr „großer Glaube" (Mt. 15,28) besteht darin, daß sie mit den Worten von den Brocken, die die Hündlein verzehren dürfen, Jesus als den Bringer des Lebensbrotes anerkennt (J. Jeremias, Die Abendmahlsworte Jesu³, Göttingen 1960, S.226).

[1] Dodd, S. 187. S. o. S. 77.
[2] Zur Lukas-Fassung: „Seht den Feigenbaum und alle Bäume" (21,29) s. o. S. 25.
[3] Lk. 21,31: die Königsherrschaft Gottes.

meint ist. Denn der jetzige Kontext (Vorzeichenrede) ist eine sekundäre Komposition, und das Bild des Feigenbaumes weist in andere Richtung: der grünende Feigenbaum ist Zeichen kommenden Segens (Joel 2,22). Das heißt: nicht im Blick auf die Schrecken der Endzeit, sondern auf die Zeichen der Heilszeit wird das Bild von Jesus geprägt sein. Der Feigenbaum unterscheidet sich nämlich dadurch von anderen Bäumen Palästinas wie Ölbaum, Steineiche, Johannisbrotbaum, daß er im Winter sein Laub verliert und durch seine hervorstechenden kahlen Zweige wie völlig erstorben aussieht, so daß man an ihm die Wiederkehr des kreisenden Saftes besonders deutlich beobachten kann[1]. Sein Sprossen, Durchbruch des Lebens durch den Tod, Sinnbild des großen Tod-Leben-Mysteriums, ist Vorbote des Sommers. Ebenso, sagt Jesus, hat auch der Messias seine Vorboten. Seht die Zeichen an! Der erstorbene Feigenbaum grünt, die Triebe sprießen, der Winter ist endgültig vergangen, der Sommer steht vor der Tür, das Heilsvolk wird zu neuem Leben erweckt (Mt. 11,5) — es ist so weit, die letzte Vollendung ist im Anbruch, der Messias klopft an die Tür (Apk. 3,20).

Die Heilszeit ist da, denn der Heiland ist da, jetzt schon. Das Licht ist entzündet.

Wir wissen leider nicht, welchen Bezug Jesus dem Bildwort von der Lampe, die auf den Leuchter gehört (Mk. 4,21; Mt. 5,15; Lk. 8,16; 11,33; ThEv. 33 b), gegeben hat. Markus und das ThEv. beziehen es nach dem Kontext auf das Evangelium, Matthäus auf die Jünger (vgl. 5,16), Lukas auf das innere Licht (vgl. 11,34—36, s. u. S. 162 f.). Von der Exegese aus darf man vielleicht eine Vermutung wagen, welches die ursprüngliche Anwendung war. Was heißt: „man stellt die Lampe nicht unter den Scheffel"? Wenn man über das irdene Lämpchen ein Hohlmaß[2] stülpt, dann löscht man es aus[3]. In den kleinen, vielfach fensterlosen einräumigen Bauernhäusern, die zudem keinen Schornstein hatten[4], mag man diese Methode des Auslöschens gern angewandt haben; denn beim Auspusten entstand lästiger Qualm und Geruch, auch konnte durch Funken (vgl. Schab. 3,6) ein Brand entstehen.

---

[1] L. Fonck, Die Parabeln des Herrn im Evangelium[3], Innsbruck 1909, S. 456; M. Meinertz, Die Gleichnisse Jesu[4], Münster 1948, S. 67. 73.

[2] Μόδιος = Scheffelmaß von 8,75 Liter, dann „Maß" im allgemeinen (vgl. S. Krauß, Talmudische Archäologie II, Leipzig 1911, S. 395 und Anm. 561), so hier.

[3] Schab. 16,7; Tam. 5,5; b. Beça 22a. Vgl. A. Schlatter, Der Evangelist Matthäus, Stuttgart 1929, S. 149.

[4] Luther übersetzt zwar 'arubba Hos. 13,3 mit „Schornstein", aber richtig muß es heißen „Luke" (in der Wand bzw. im Dach).

Wir haben also sinngemäß zu übersetzen: „Man zündet doch die Lampe nicht an, um sie gleich wieder auszulöschen. Nein! Auf den Leuchter gehört sie, damit sie allen Hausbewohnern (die ganze Nacht über, wie es heute noch bei den Fellachen Palästinas üblich ist) leuchte" (Mt. 5, 15). Der scharfe Kontrast Anzünden/Auslöschen, dem der analoge Kontrast im Bildwort vom Salz (Salzen/Wegwerfen Mt. 5, 13) entspricht, dürfte am besten Sinn geben, wenn Jesus das Wort im Blick auf seine Sendung sprach, etwa in einer Situation, in der man ihn vor Gefahren warnte und ihn bat, sich zu schonen (vgl. Lk. 13, 31). Aber er darf sich nicht schonen. Die Lampe ist entzündet, das Licht scheint — doch nicht, um gleich wieder ausgelöscht zu werden! Nein, um zu leuchten [1]!

Von seiner Sendung hat Jesus gern in der Bildsprache der Motivberufe des Erlösers gesprochen [2]; allen zu dieser Kategorie gehörenden Bildworten ist der eschatologische Sinn gemeinsam. Zu der hirtenlosen, mißhandelten Herde, den „verlorenen Schafen vom Hause Israel" ist der Hirte [3] gesandt (Mt. 15, 24 vgl. 10, 6; Joh. 10, 1—5), der das verirrte Tier sucht und heimholt (Lk. 19, 10) [4], der die kleine Herde um sich sammelt (Lk. 12, 32), sein Leben für die Herde hingibt (Mk. 14, 27; Joh. 10, 11 ff.), Schafe und Ziegen scheiden wird (Mt. 25, 32) und den Seinen nach der großen Krisis wieder als ihr Hirt voranschreiten wird (Mk. 14, 28) [5]. Zu den Kranken ist der Arzt gekommen (Mk. 2, 17). Der Lehrer unterweist die Schüler über Gottes Willen (Mt. 10, 24; Lk. 6, 40). Der Bote ruft zum Mahl der Heilszeit (Mk. 2, 17) [6]. Der Hausherr schart die *familia Dei* um sich (Mt. 10, 25; Mk. 3, 35; ThEv. 99) und lädt die Gäste an seinen Tisch (Lk. 22, 29f.); als Diener reicht er Speise und Trank (Lk. 22, 27). Der Fischer stellt Fischer der Menschen in seinen Dienst (Mk. 1, 17). Der Baumeister errichtet das Heiligtum der Endzeit (Mk. 14, 58; Mt. 16, 18). Der König hält Einzug und wird umjubelt (Mk. 11, 1—10 Par.) — ankla-

---

[1] Vgl. J. Jeremias, Die Lampe unter dem Scheffel, in: ZNW. 39 (1940), S. 237—240.

[2] J. Jeremias, Jesus als Weltvollender, Gütersloh 1930, S. 32ff.

[3] Der Herrscher wird schon im alten Orient unter dem Bilde des Hirten dargestellt, vgl. J. Jeremias, ποιμήν κτλ., ThWBNT. VI, S. 485, 12—35.

[4] Daß Lk. 19, 10 das Hirtenbild vorliegt (ζητῆσαι καὶ σῶσαι τὸ ἀπολωλός), ergibt sich aus der Beobachtung, daß Ez. 34, 16 zitiert wird.

[5] Προάγειν ist Mk. 14, 28 term. techn. der Hirtensprache, V. 28 setzt also das Bild von V. 27 fort (s. S. 219). Die Altertümlichkeit von Mk. 14, 27 ergibt sich 1. daraus, daß das Zitat aus Sach. 13, 7 dem hebr. Text folgt und keinerlei Einfluß der hier völlig abweichenden LXX aufweist, und 2. aus der Erwähnung der Jüngerflucht (vgl. ThWBNT. VI, S. 492 s. v. ποιμήν).

[6] Lk. 5, 32 ist das Bild verschoben durch den Zusatz: εἰς μετάνοιαν.

gend[1] würden die Steine ihre Stimme erheben gegen den, der es fertig brächte, da zu schweigen (Lk. 19,40). Freilich darf nun aber bei all diesen Bildworten nicht übersehen werden, daß sie nur für die Glaubenden eindeutige Selbstzeugnisse sind, während sie für die Außenstehenden das Geheimnis des verborgenen Menschensohnes in der Verhüllung lassen[2].

Kennzeichen der Gegenwart des Erlösers sind die Heilsgaben Gottes. Die kranken Leiber werden gesund, und der Tod hat seine furchtbare Wirklichkeit verloren: er ist zum Schlaf geworden (Mk. 5,39). Die Frohbotschaft wird verkündigt und die Vergebung der Sünden zugesprochen, die eine große Gabe der messianischen Zeit[3]: „Gott[4] vergibt Dir Deine Sünden" (Mk. 2,5). Aus der Mannigfaltigkeit der Gaben der Heilszeit tritt in den Texten eine besonders hervor: die Überwindung des Satans. Wie einen Blitz sieht Jesus den aus dem Himmel ausgestoßenen[5] Satan zur Erde fallen (Lk. 10,18)[6], die unreinen Geister müssen dem Finger Gottes weichen (11,20), die vom Satan Gefesselten werden frei (13,16). Der Starke ist gefesselt, seine Beute wird ihm entrissen (Mk. 3,27 par. Mt. 12,29; ThEv. 35), denn es ist Der gekommen,

---

[1] ThWBNT. IV, S. 273, 31ff. Vgl. Hab. 2,11.

[2] E. Sjöberg, Der verborgene Menschensohn in den Evangelien, Lund 1955, passim.

[3] J. Schniewind in: Das Neue Testament Deutsch 1 zu Mk. 2,12.

[4] Das Passiv in Mk. 2,5 (ἀφίενται) umschreibt den Gottesnamen. Die Feststellung ist von großer Tragweite, s. S. 206 A. 8.

[5] Vgl. Apk. 12,9.

[6] Eine ganz andere Auffassung dieser Stelle vertritt M. van Rhijn, Een blik in het onderwijs van Jezus[2], Amsterdam 1927 (nach A. M. Brouwer, De Gelijkenissen, Leiden 1946, S. 232). Er hält Lk. 10,18 für ein ironisches Wort Jesu. Der Sinn des Abschnittes Lk. 10,17—20 wäre dann der folgende: Voller Freude berichten die Jünger, daß ihnen sogar die Dämonen gehorchen mußten, wenn sie ihnen in der Vollmacht Jesu (ἐν τῷ ὀνόματί σου) entgegentraten (V. 17). Aber Jesus sieht die Gefahr, daß die Jünger ihre exorzistischen Erfolge überschätzen: so schnell wird Satan nicht besiegt. Darum antwortet er mit schneidender Ironie: „Ich sah (bei eurem enthusiastischen Bericht) Satan wie einen Blitz vom Himmel fallen" (V. 18). Gewiß hat er den Jüngern Macht gegeben über alle Gewalt des Feindes (V. 19); aber nicht der Gehorsam der Dämonen, sondern etwas ganz anderes soll Grund ihrer Freude sein: daß Gott (ἐγγέγραπται ist Umschreibung des Gottesnamens durch das Passiv) ihre Namen in das Lebensbuch eingetragen hat (V. 20). Nach dieser Auffassung würde also V. 18 die Jünger davor warnen, die Dämonensiege zu überschätzen, genau wie V. 20 es tut. Die Schwierigkeit dieser Deutung liegt darin, daß die knappe Fassung des V. 18 einen ironischen Sinn nicht andeutet.

„der die Starken zum Raube haben soll", der Gottesknecht, der Überwinder[1]. Bei der Fesselung des Starken ist sichtlich an ein konkretes Ereignis gedacht, also offenbar an die Versuchung Jesu. Die Analyse der Berichte über die Versuchung Jesu (Mk. 1,12f.; Mt. 4,1—11; Lk. 4,1—13) ergibt, daß die drei bei Matthäus und Lukas gekoppelten Versuchungsgänge ursprünglich ein Sonderdasein hatten; denn Mk. 1,12f. zeigt, daß die Versuchung in der Wüste ursprünglich selbständig überliefert war, das Hebr.-Evangelium läßt das gleiche für die Versuchung auf dem Berg vermuten[2]. Man spricht daher besser statt von drei Versuchungen von drei Fassungen des Versuchungsberichtes. Alle drei Fassungen (Wüste, Tempeltor[3], Berg) haben die Überwindung der Versuchung einer falschen Messiashoffnung zum Gegenstand[4]. Da diese Versuchung ihren „Sitz im Leben" in der Zeit vor Karfreitag hat — in der Urkirche hat die politische Versuchung keine Rolle mehr gespielt —, kann man den Kern der Versuchungsgeschichte nicht einfach der Phantasie der Urgemeinde zuschreiben. Dann aber darf angesichts von Lk. 22,31f., wo Jesus seinen Jüngern von einem Kampf mit dem Satan berichtet, vermutet werden, daß den verschiedenen Fassungen der Versuchungsgeschichte Worte Jesu zugrunde liegen, die in Form des Mašal seinen Jüngern von der Überwindung der Versuchung, als politischer Messias aufzutreten, berichteten — vielleicht, um sie vor der gleichen Versuchung zu bewahren[5]. Das heißt: die Versuchungsgeschichte in ihren verschiedenen Varianten gehört in nächste Nähe von Mk. 3,27; sie bezeugt im Mašal Jesu den Jüngern die gleiche Erfahrung, die Mk. 3,27 den Gegnern entgegenhält: der Satan ist überwunden! Jetzt, heute! *Satana maior Christus!*[6]

---

[1] Die Lukasfassung unserer Stelle (11,22) knüpft vielleicht direkt an Jes. 53,12 an (so W. Grundmann in: ThWBNT. III, S. 402ff.).

[2] Vgl. E. Lohmeyer in: Ztschr. f. syst. Theologie 14 (1937), S. 619—650.

[3] J. Jeremias, Die „Zinne" des Tempels (Mt. 4,5; Lk. 4,9), in: ZDPV. 59 (1936), S. 206—208.

[4] J. Schniewind in: Das Neue Testament Deutsch 2 zu Mt. 4,1—11; F. Hauck, Das Evangelium des Lukas, Leipzig 1934, S. 60f.; J. Jeremias, ebd.

[5] Vgl. T. W. Manson, The Servant-Messiah, Cambridge 1953, S. 55: Die Versuchungsgeschichte ist eine „spiritual experience of Jesus thrown into parabolic narrative form for the instruction of his disciples".

[6] Daß Satan Mk. 3,27 der Angegriffene, Mt. 4,1ff. dagegen der Angreifer ist, ist lediglich ein Unterschied des Bildes, nicht der Sache; in beiden Fällen geht es um seine Überwindung.

Überblickt man das Material, so fällt auf, daß wir es bei den Worten, die die Gegenwart des Heils verkündigen, nur mit Bildworten zu tun haben. Keine der ausgeführten Gleichniserzählungen gehört hierher. Das ist kein Zufall. Die ausgeführte Gleichniserzählung hat Jesus, wie der nächste Abschnitt zeigen wird, in erster Linie als Streitwaffe benutzt, ferner als Droh- und Weckruf und als Mittel zur Veranschaulichung seiner Weisungen. Hier dagegen, wo es sich überwiegend um reine Verkündigung handelt, hat Jesus im Anschluß an die Propheten des AT. (besonders Jesaja) das kurze Bildwort bevorzugt.

### 2. Gottes Erbarmen mit den Verschuldeten

Wir kommen zu einer zweiten Gruppe von Gleichnissen. Es sind diejenigen, die die eigentliche Frohbotschaft enthalten. Die Frohbotschaft im eigentlichen Sinn lautet ja nicht nur: die Heilszeit Gottes ist angebrochen, die neue Welt ist da, der Erlöser ist gekommen, sondern: das Heil ist gesandt — zu den Armen! Jesus ist kommen — ein Heiland der Sünder! Die hierher gehörenden Gleichnisse, es sind die bekanntesten und wichtigsten, haben ausnahmslos einen besonderen Zug, eine ganz besondere Note, die wir erfassen, wenn wir darauf achten, zu wem sie gesagt sind. Die Gleichnisse vom verlorenen Schaf und Groschen sind zu den murrenden Schriftgelehrten und Pharisäern gesagt (Lk. 15, 2), das Gleichnis von den beiden Schuldnern zu dem Pharisäer Simon (Lk. 7, 40), das Wort von den Kranken zu Kritikern Jesu aus der Zahl der Theologen pharisäischer Richtung (Mk. 2, 16), das Gleichnis vom Pharisäer und Zöllner ebenfalls zu Pharisäern (Lk. 18, 9)[1], das Gleichnis von den beiden ungleichen Söhnen zu den Sanhedristen (Mt. 21, 23). Die Gleichnisse, die die Heilsbotschaft im engeren Sinne zum Gegenstand haben, sind — wahrscheinlich ohne Ausnahme — nicht zu den Armen, sondern zu den Gegnern gesagt[2]. Das ist ihre besondere Note, ihr Sitz im Leben: sie sind nicht primär Dar-

---

[1] S. über Lk. 18, 9 S. 139.

[2] Die S. 29ff. festgestellte Tendenz, zu den Gegnern Jesu und zur Menge gesprochene Gleichnisse zu Jüngergleichnissen zu machen, hat sich also an die obengenannten Gleichnisse nicht herangewagt. Das fällt schwer ins Gewicht zugunsten ihrer Einzelangaben über die Hörer.

bietung des Evangeliums, sondern Verteidigung, Rechtfertigung, Waffe im Kampf gegen die Kritiker und Feinde der Frohbotschaft, die die Verkündigung Jesu empört, daß Gott es mit den Sündern zu tun haben will, und die besonders Anstoß nehmen an der Tischgemeinschaft Jesu mit den Verachteten. Zugleich aber wollen die Gleichnisse um die Gegner werben. Wie rechtfertigt Jesus das Evangelium gegenüber seinen Kritikern? Er tut es auf dreifache Weise.

1. Zunächt lenkt er in einer Reihe von Gleichnissen den Blick seiner Kritiker auf die Armen, denen er die Frohbotschaft verkündigt. Lapidar formuliert das Bildwort vom Arzt ihre Lage: „Kranke Menschen[1] brauchen den Arzt" (Mk. 2,17). Ihr begreift nicht, wie ich die Verachteten in meine Nachfolge rufen kann? Seht sie an! Sie sind krank, sie brauchen Hilfe! Mehr über sie sagt das Gleichnis von den beiden ungleichen Söhnen (Mt. 21, 28—31)[2]. Sein Schlußsatz[3] lautet: „Wahrlich, ich sage Euch: Zöllner[4] und Huren[4] werden (beim Jüngsten Gericht[5]) Einlaß finden in die Königsherrschaft Gottes — eher als Ihr!" Die Zöllner, deren Buße nach

---

[1] Das seltsame „die Starken" (οἱ ἰσχύοντες Mk. 2,17; Mt. 9,12) ist Fehlübersetzung von aram. $b^e ri' a$, das a) stark, b) gesund bedeutet. Lukas hat es mit Recht durch οἱ ὑγιαίνοντες ersetzt (5, 31).

[2] Die textliche Überlieferung ist gespalten, sie stellt teils (a) den Neinsager voran (אCLZ... sy$^{cur}$ Orig Eus Chrys), teils (b) den Jasager (BΘ sa bo sy$^{pal}$). Der im Gleichnis geschilderte Vorgang spricht dafür, daß (a) das Richtige hat: die Ablehnung des zuerst gebetenen Sohnes veranlaßt den Vater, sich an den zweiten Sohn zu wenden. — Anders J. Schmid, Das textgeschichtliche Problem der Parabel von den zwei Söhnen, in: Vom Wort des Lebens (Festschrift für M. Meinertz), Münster 1951, S. 68—84. Er beruft sich auf die geschichtliche Wirklichkeit, die Jesus darstelle: die Führer des Volkes verweigerten zunächst den Glauben. Da sie unter dem Jasager abgebildet seien, müsse dieser voranstehen (S. 83 f.). Man könnte sich dafür auch auf Mt. 22, 1—14 berufen, wo auch die Ladung der Führer des Volkes voransteht. Doch dürfte damit lediglich die Denkweise gekennzeichnet sein, die zur sekundären Voranstellung des Jasagers geführt hat: man deutete den Jasager auf die Juden, den Neinsager auf die Heiden und stellte die geschichtliche Reihenfolge her.

[3] Über V. 32 s. S. 78 f.

[4] Der Artikel hat generische Bedeutung, bleibt also im Deutschen unübersetzt (Aramaismus).

[5] Dem προάγουσιν entspricht im Aramäischen ein Partizip, das atemporal ist, dessen Zeitlage also jeweils vom Zusammenhang und vom Sinn aus bestimmt werden muß. In unserem Falle hat das Ptz. futurische Bedeutung, denn alle Einlaßsprüche Jesu haben eschatologischen Sinn (H. Windisch, Die Sprüche vom Eingehen in das Reich Gottes, in: ZNW. 27 [1928], S. 163 bis 192). Vgl. W. Michaelis, Täufer, Jesus, Urgemeinde, Gütersloh 1928, S. 66.

Eurer Meinung so gut wie unmöglich[1], stehen Gott näher als Ihr Frommen! Denn sie sagten zwar Nein zu Gottes Gebot, aber sie haben es bereut und Buße getan. Darum finden sie Einlaß in die Gottesherrschaft — Ihr nicht[2]! Und noch aus einem weiteren Grunde stehen sie Gott näher als die Frommen, die Jesu Sünderliebe nicht verstehen. Das sagt das kleine Gleichnis von den zwei Schuldnern (Lk. 7, 41—43).

Für das Verständnis von Lk. 7,41—43 sind einige exegetische Beobachtungen wichtig, aus denen hervorgeht, daß der Lk. 7,36—50 berichtete Vorfall eine Vorgeschichte hatte. 1. Bei der Einladung Jesu seitens des Pharisäers handelt es sich um ein Festmahl ($\varkappa \alpha \tau \varepsilon \varkappa \lambda i \vartheta \eta$ V. 36)[3]; es ist als Ehrung Jesu gemeint, denn Simon rechnet mit der Möglichkeit, daß Jesus Prophet ist, d.h. daß mit ihm der erloschene Geist[4] wiedergekehrt und die Heilszeit angebrochen ist. Da es verdienstlich war, durchreisende Lehrer, besonders wenn sie in der Synagoge gepredigt hatten, zum Sabbathmahl zu Tisch zu bitten (vgl. z.B. Mk. 1,29-31)[5], dürfen wir aus alledem schließen: der Geschichte ging vermutlich eine Predigt Jesu voran, die sie alle gepackt hat, den Gastgeber, die Gäste und auch den ungebetenen Gast, die Frau. 2. Die Bezeichnung der Frau als $\dot{\alpha} \mu \alpha \varrho \tau \omega \lambda \acute{o} \varsigma$ (V. 37) kennzeichnet sie entweder als Dirne oder als Ehefrau eines Mannes, der ein unehrenhaftes Gewerbe ausübte[6]. Im Blick auf V. 49 wird die erstgenannte Bedeutung vorliegen[7]. Doch wird, was die Tränen der Frau andeuten, nicht näher enthüllt[8]. Enthüllt wird nur eine grenzenlose Dankbarkeit; denn der Kuß auf Knie oder Fuß (V. 38) ist Zeichen demütigster Dankbarkeit, wie man sie dem Lebensretter zollt[9]. Wie völlig die Frau überwältigt ist von der Dankbarkeit gegenüber

---

[1] Wegen der Schwierigkeit der Ersatzpflicht, die die Voraussetzung der Buße darstellt, und wegen der Habsucht der Zöllner (Bill. II, S. 247ff.).

[2] Das $\pi \varrho o$ in $\pi \varrho o \acute{\alpha} \gamma o v \sigma \iota v$ hat nicht temporale, sondern exkludierende Bedeutung. Auf den Einwand von W. G. Kümmel, Verheißung und Erfüllung[2], Zürich 1953, S. 71 A. 198, daß $\pi \varrho o \acute{\alpha} \gamma \varepsilon \iota v$ nur in zeitlicher, nicht in exklusiver Bedeutung belegt sei, ist zu erwidern: für das dem $\pi \varrho o \acute{\alpha} \gamma \varepsilon \iota v$ zugrunde liegende aram. 'aqdem (zuvorkommen) ist neben der zeitlichen die exkludierende Bedeutung sicher bezeugt. Vgl. z.B. Tg. Hiob 41, 3 man 'aqd$^e$minnani bh$^e$'obhadhe bh$^e$rešith „wer kam mir bei den Schöpfungswerken zuvor?" — natürlich nicht zeitlich, sondern exkludierend! Oder j. Sanh. 1,18c, 43 'aqd$^e$mun leh hadh sabh b$^e$'ibbur „sie zogen ihm bei der Festsetzung der Schaltung einen alten Mann vor" u.ö.

[3] Bei der gewöhnlichen Mahlzeit saß man zu Tisch, vgl. J. Jeremias, Die Abendmahlsworte Jesu[3], Göttingen 1960, S. 42f.

[4] S. S. 117.

[5] F. Hauck, Das Evangelium des Lukas, Leipzig 1934, S. 102.

[6] S. S. 132.

[7] W. Michaelis, Die Gleichnisse Jesu, Hamburg 1956, S. 262 A. 133.

[8] A. Schlatter, Das Evangelium des Lukas, Stuttgart 1931, S. 259.

[9] b. Sanh. 27b: ein des Mordes angeklagter Mann küßt dem Schriftgelehrten, dem er Freispruch und Lebensrettung verdankt, die Füße.

ihrem Lebensretter, wird daran sichtbar, daß sie ohne Besinnen[1] das Kopftuch ablegt und die Haare löst, um ihre Tränen abzuwischen, obwohl es für eine rechtschaffene Frau die größte Schande war, das Haar vor Männern zu lösen[2]; offensichtlich ist sie so erschrocken darüber, daß ihre Tränen Jesus befleckt haben, daß sie ihre Umgebung völlig vergißt. Daß uns V. 37f. eine Kundgebung tiefster Dankbarkeit — nach V. 41—43. 47: für empfangene Vergebung — geschildert wird, wird durch eine wichtige sprachliche Beobachtung bestätigt: das Hebräische, Aramäische und Syrische hat kein Wort für „danken" und „Dankbarkeit"[3]. Man hilft sich so, daß man Worte wählt, die im Kontext das Gefühl der Dankbarkeit einschließen können, z.B. *berekh* „(aus Dankbarkeit) segnen", in unserem Falle ἀγαπᾶν. Aus dieser sprachlichen Feststellung ergibt sich, daß die Frage Jesu in V. 42 geradezu den Sinn hat: „Wer von ihnen wird die größere Dankbarkeit hegen?", ferner daß Jesus die Handlungen der Frau als Zeichen der Dankbarkeit deutet (V. 44—46) und endlich daß auch in V. 47 ἀγαπᾶν die dankbare Liebe meint. Damit aber ist endgültig sichergestellt, daß in dem umstrittenen Satz V. 47a die Vergebung das Prius ist (wie eindeutig in V. 47b und im Gleichnis), d.h. daß das ὅτι in V. 47a den Erkenntnisgrund nennt: „Darum sage ich Dir: Gott[4] hat ihr ihre Sünden, so viele es sind[5], vergeben, weil (= das sieht man daran, daß) sie so große Dankbarkeit (dankbare Liebe) erweist[6]; wem Gott[4] wenig vergibt, dessen Dankbarkeit (dankbare Liebe) ist klein." Das ging also voran: Jesus hat gepredigt und Vergebung zugesprochen. Auf dem Hintergrund dieser Vorgeschichte muß das Gleichnis von den zwei Schuldnern verstanden werden, mit dem Jesus gegenüber der unausgesprochenen Kritik Simons rechtfertigt, warum er sich die Berührung durch die Sünderin gefallen läßt. Warum läßt er sie sich gefallen?

Ganz schlicht stellt er nebeneinander: große Schuld und kleine Schuld — große Dankbarkeit und kleine Dankbarkeit. Nur die, die um die große Schuld wissen, können ermessen, was Güte bedeutet. Verstehst Du nicht, Simon, daß diese Frau trotz der Schuld ihres Lebens Gott näher steht als Du? Merkst Du nicht, daß Dir fehlt, was sie hat, die große Dankbarkeit? Und daß die Dankbarkeit, die sie mir erweist, Gott (s. Anm. 4) gilt?

---

[1] Der Aorist ἐξέμαξεν (V. 38) bringt neben den folgenden Imperfekta das Impulsive der Handlung zum Ausdruck.

[2] Nach Tos. Soṭa 5,9; j. Giṭ. 9,50d: Scheidungsgrund!

[3] P. Joüon, Reconnaissance et action de grâces dans le Nouveau Testament, in: Recherches de science religieuse 29 (1939), S. 112—114.

[4] Ἀφέωνται/ἀφίεται (V. 47): Das Passiv umschreibt das Handeln Gottes.

[5] Αἱ πολλαί inkludierend, vgl. J. Jeremias, Die Abendmahlsworte Jesu[3], Göttingen 1960, S. 172—174; πολλοί, ThWBNT. VI, S. 536—545.

[6] Der Aorist ἠγάπησεν gibt hier ein semitisches „stative perfect" wieder (M. Black, An Aramaic Approach to the Gospels and Acts[2], Oxford 1954, S. 254), das im Deutschen präsentisch übersetzt werden muß.

2. Nicht nur auf die Armen sollen die Kritiker der Frohbotschaft ihren Blick lenken, sondern auch **auf sich selbst**. In den hierher gehörenden Gleichnissen wird die Rechtfertigung des Evangeliums zur schärfsten Anklage. Ihr gleicht dem Sohn, der unterwürfig Ja sagte zu des Vaters Gebot, aber ihm dann den Gehorsam versagte (Mt. 21, 28—31). Ihr gleicht den Pächtern, die ihrem Herrn Jahr für Jahr den schuldigen Ertrag des Landes weigerten und Frevel auf Frevel häuften (Mk. 12,1—9 par.; ThEv. 65)[1]. Ihr gleicht den angesehenen Gästen, die die Einladung zum Gastmahl brüsk abwiesen — woher nehmt Ihr das Recht, Hohn und Spott über die kümmerliche Schar auszugießen, die an meinem Tische sitzt (Mt. 22,1—10; Lk. 14,16—24; ThEv. 64, s. S. 175ff.)?

3. Aber der entscheidende, alle anderen Erwägungen in den Schatten stellende dritte Gesichtspunkt, mit dem Jesus die Verkündigung der Frohbotschaft an die Verachteten und Preisgegebenen rechtfertigt, ist mit alledem noch nicht genannt. Er tritt am leuchtendsten hervor im Gleichnis **vom verlorenen Sohn**, das richtiger: das Gleichnis **von der Liebe des Vaters**[2] heißen sollte (Lk.15,11—32)[3].

Das Gleichnis ist keine Allegorie, sondern eine Geschichte aus dem Leben, wie die (umschreibende) Nennung Gottes in V. 18. 21 zeigt: „Vater, ich sündigte gegen Gott und gegen Dich." Der Vater ist also nicht Gott, sondern ein irdischer Vater; doch schimmert in einigen Wendungen durch, daß er in seiner Liebe Abbild Gottes ist[4]. — V. 12: Der jüngere Sohn fordert den ihm „zukommenden Teil", d.h. auf Grund von Dt. 21,17 (der Erstgeborene erhält doppelt so viel wie die übrigen Söhne) ein Drittel des Besitzes. Die Rechtslage war folgende[5]. Es gab zwei Formen des Besitzübergangs vom Vater auf den Sohn: durch Testament und durch Schenkung bei Lebzeiten. Im letzteren Fall galt die Regel: das Kapital erwirbt der Beschenkte sofort, den Zinsgenuß erst nach dem Tode des Vaters[6]. Das heißt: Der Sohn

---

[1] Zum Text s. S. 67—75.

[2] Der Vater, nicht der umkehrende Sohn, steht im Mittelpunkt. Auch sonst haben sich ungenaue, ja irrige Bezeichnungen für Gleichnisse Jesu eingebürgert: s. S. 136 A. 1; 156 A. 2; 157 A. 1; 149 A. 3; 151 A. 1.

[3] Literatur: K. Bornhäuser, Studien zum Sondergut des Lukas, Gütersloh 1934, S. 103—137; J. Schniewind, Das Gleichnis vom verlorenen Sohn, Göttingen 1940 (wieder abgedruckt in: J. Schniewind, Die Freude der Buße, Kleine Vandenhoeck-Reihe 32, Göttingen 1956, S. 34—87); J. Jeremias, Zum Gleichnis vom verlorenen Sohn, in: Theol. Zeitschrift 5 (1949), S. 228—231 (Zusammenstellung der zahlreichen Semitismen im Blick auf die Echtheitsfrage).

[4] V. 18. 21: ἐνώπιόν σου (vgl. G. Dalman, Die Worte Jesu I², Leipzig 1930, S. 174); V. 20: ἐσπλαγχνίσθη; V. 29: ἐντολή.

[5] Bill. III, S. 550.     [6] b. B. B. 136a.

erhält im Falle der Schenkung bei Lebzeiten a) zwar das Besitzrecht (der Vater darf z. B. den betreffenden Acker nicht verkaufen), b) jedoch nicht das Verfügungsrecht (verkauft der Sohn, so kann der Käufer erst beim Tode des Vaters Besitz ergreifen) und c) nicht die Nutznießung (diese verbleibt dem Vater uneingeschränkt bis zu seinem Tode). Dieser Rechtslage entspricht es, wenn der ältere Bruder zwar als alleiniger künftiger Besitzer bezeichnet wird (V. 31), trotzdem aber der Vater die Nutznießung ausübt (V. 22 f. 29). Der jüngere Sohn dagegen fordert in V. 12 nicht nur das Besitzrecht (a), sondern auch das Verfügungsrecht (b); er will also abgefunden werden und sich eine selbständige Existenz gründen[1]. — V. 13: Συναγαγὼν πάντα: nachdem er alles zu Geld gemacht hatte[2]. Ἀπεδήμησεν εἰς χώραν μακράν: er wandert aus. Die Größe der Diaspora, die man auf über vier Millionen schätzt gegenüber einer jüdischen Bevölkerung Palästinas von höchstens einer halben Million[3], läßt den Umfang der Auswanderung erkennen, die durch die verlockend günstigen Lebensbedingungen in den großen Handelsstädten der Levante ebenso wie durch die häufigen Hungersnöte in Palästina[4] begünstigt wurde. Offenbar ist der jüngere Sohn unverheiratet[5]; das ermöglicht einen Rückschluß auf sein Alter: das normale Heiratsalter des Mannes war 18 bis 20 Jahre[6]. — V. 15: Der nicht angedeutete Subjektswechsel (ἐκολλήθη / ἔπεμψεν) ist Semitismus. Er muß sich mit unreinen Tieren (Lev. 11,7) befassen, kann den Sabbath nicht heiligen, d. h. er ist aufs tiefste erniedrigt und praktisch gezwungen, seine Religion ständig zu verleugnen[7]. — V. 16: Ἐπεθύμει: wieder Subjektswechsel! Warum nimmt er sich nicht von dem Schweinefutter? Die Antwort ergibt sich aus der Übersetzung: „Und er hätte sich am liebsten[8] den Bauch vollgeschlagen[9] mit den Johannisbrotschoten, mit denen die Schweine gefüttert wurden (scil.: wenn er sich nicht zu sehr geekelt hätte), und niemand gab ihm (scil.: zu essen[10]).“ So muß er sich die Nahrung stehlen[11]. — V. 17: Εἰς ἑαυτὸν δὲ ἐλθών: „er kehrte

---

[1] Daß Abfindung in talmudischer Zeit vorkam, belegte D. Daube, Inheritance in two Lucan Pericopes, in: Zeitschr. der Savigny-Stiftung für Rechtsgeschichte, rom. Abt., 72 (1955), S. 334 mit Tos. B. B. 2,5; b. B. B. 47a.

[2] W. Bauer, Wörterbuch zum NT.[5], Berlin 1958, Sp. 1549.

[3] A. v. Harnack, Die Mission und Ausbreitung des Christentums I[4], Leipzig 1924, S. 13; J. Jeremias, Jerusalem zur Zeit Jesu[3], Göttingen 1962, S. 231 f.

[4] Eine Zusammenstellung bei J. Jeremias ebd. 157—161.

[5] K. Bornhäuser (s. o. S. 128 A. 3), S. 105.

[6] Bill. II, S. 374 A. a.

[7] b. B. Q. 82 b: „Verflucht sei der Mann, der Schweine züchtet!“

[8] Ἐπεθύμει mit Inf. ist Stileigentümlichkeit der lukanischen Quelle, die die Wendung viermal bietet (15,16; 16,21; 17,22; 22,15). Mt. 13,17 und Lk. 17,22 bringt sie einen unerfüllten Wunsch zum Ausdruck, ebenso auch an den drei übrigen Stellen, vgl. S. 183 und J. Jeremias, Die Abendmahlsworte Jesu[3], Göttingen 1960, S. 200.

[9] Der derbe Ausdruck ist in vielen Handschriften beseitigt.

[10] Ergänzungen nach Vorschlag von A. Fridrichsen.

[11] J. Schniewind (s. o. S. 128 A. 3), S. 58.

sich zu sich", „er ging in sich" ist im Hebräischen und Aramäischen[1] Ausdruck für „Buße tun". — V. 18: Ἀναστὰς πορεύσομαι = aram. 'aqum weʾezel Tg. 2. Sam. 3, 21 = ich will mich sofort aufmachen. — V. 19: Ὡς ἕνα τῶν μισθίων σου: er hat ja nach der Abfindung keinerlei Anspruch mehr, nicht einmal auf Nahrung und Kleidung. Beides will er sich verdienen. — V. 20: Δραμών: das ist für einen betagten Orientalen ganz ungewöhnlich und unter seiner Würde, selbst dann, wenn er es noch so eilig hat[2]. Κατεφίλησεν αὐτόν: der Kuß ist (wie 2. Sam. 14, 33) Zeichen der Vergebung. — V. 21 = 18f. bis auf die Schlußworte ποίησόν με ὡς ἕνα τῶν μισθίων σου: der Vater läßt ihn nicht aussprechen und verwandelt die unausgesprochen gebliebenen Worte in ihr Gegenteil — nicht wie einen Tagelöhner, sondern wie einen Ehrengast behandelt er den Heimgekehrten. — V. 22f.: Drei Anordnungen, zu denen man Gen. 41, 42 vergleiche: Joseph erhält bei der Einsetzung zum Groß-Wezir vom Pharao einen Fingerring, ein Kleid aus köstlicher Leinwand und eine goldene Kette. 1. Das Festgewand (στολὴν τὴν πρώτην) steht voran; es bedeutet im Orient eine hohe Auszeichnung. Man kennt keine Orden: wenn der König einen verdienten Würdenträger auszeichnen will, schenkt er ihm ein kostbares Gewand; das Anlegen des neuen Gewandes ist daher Sinnbild der Heilszeit[3]. M. a. W.: er wird als Ehrengast ausgezeichnet. 2. Ring und Schuhe: der Ring ist, wie die Ausgrabungsfunde lehren, als Siegelring zu denken; seine Übergabe bedeutet Vollmachtübertragung (vgl. 1. Makk. 6, 15). Schuhe sind Luxus; der freie Mann trägt sie: der Sohn soll nicht länger wie ein Sklave barfuß laufen. 3. Fleisch wird im allgemeinen nur selten gegessen. Für besondere Anlässe wird ein Mastkalb bereitgehalten. Seine Schlachtung bedeutet ein Freudenfest für Haus und Gesinde und die feierliche Aufnahme des heimkehrenden Sohnes in die Tischgemeinschaft. Die drei Anordnungen sind das öffentliche Sichtbarmachen der Vergebung und der Wiederherstellung der Kindesstellung. Alle sollen es zur Kenntnis nehmen. — V. 24: Zwei sehr realistische Bilder im synonymen Parallelismus, die beide die Wende schildern: sie ist Totenauferweckung und Heimbringen des verirrten Tieres der Herde. — V. 25: Auf das Festmahl folgt Musik (laut schallender Gesang mit Händeklatschen) und Tanz der Männer[4]. — V. 28: Ἐξελθών: der Vater verläßt nochmals, wie schon V. 20, das Haus. Παρεκάλει (Imperfekt nach den vorangegangenen Aoristen): „er redete ihm freundlich zu", „gab ihm gute Worte". — V. 29: Der ältere Sohn läßt die Anrede fort, überhäuft den Vater mit Vorwürfen. — V. 30: Er verweigert dem Heimgekehrten den Brudernamen; οὗτος ist hier verächtlich wie Mt. 20, 12; Lk. 18, 11; Apg. 17, 18. — V. 31: Die Anrede (anders V. 29!) ist besonders liebevoll: τέκνον = „mein lieber Junge". — V. 32: Ἔδει ist nicht real („ich mußte ein Fest veranstalten", entschuldigend), sondern irreal („Du müßtest jubeln und Dich freuen", vorwurfsvoll). Es ist doch Dein Bruder[5], der heimfand!

---

[1] Bill. II, S. 215, vgl. I, S. 261 ff.
[2] L. Weatherhead, In Quest of a Kingdom, London 1943, S. 90.
[3] S. o. S. 118.      [4] Vgl. das Hüpfen Lk. 6, 23.
[5] Οὗτος ist in V. 32 (anders als in V. 30, s. o.) überflüssiges Demonstrativum, vgl. S. 36 A. 5.

Das Gleichnis schildert in überwältigender Schlichtheit: So ist Gott, so gütig, so gnädig, so voll Erbarmen, so überfließend von Liebe. Er freut sich über die Heimkehr des Verlorenen wie der Vater, der das Freudenfest veranstaltet. Indes ist damit lediglich der Inhalt der ersten Hälfte (V. 11—24) umschrieben; das Gleichnis ist aber zweigipfelig: es schildert ja nicht nur die Heimkehr des jüngeren Sohnes, sondern auch den Protest des älteren Sohnes, und die Zweiteilung wird dadurch unterstrichen, daß jeder der beiden Teile fast refrainartig mit demselben Logion schließt (V. 24. 32). Da der erste Teil in sich völlig geschlossen ist, erscheint der zweite auf den ersten Blick überflüssig. Aber nichts berechtigt dazu, den zweiten Teil für einen Zusatz zu halten. Er hält sich sprachlich und sachlich völlig im Rahmen der Erzählung, ohne zu allegorisieren oder die Aussage zu verschieben, ist durch 15,11 vorbereitet und hat in der Gegenüberstellung von den zwei Söhnen Mt. 21, 28—31 sein Analogon. Warum fügt Jesus ihn an? Es gibt nur Eine Antwort: um der konkreten Situation willen! Das Gleichnis ist zu Menschen gesagt, die dem älteren Bruder gleichen, d. h. zu Menschen, die sich am Evangelium ärgern. Sie sollen im Gewissen getroffen werden. Ihnen sagt Jesus: So groß ist Gottes Liebe zu den verlorenen Kindern, und Ihr seid freudlos, lieblos, undankbar und selbstgerecht. Seid doch auch barmherzig! Seid nicht so lieblos! Die geistlich Toten stehen auf, die Verirrten finden heim, freut Euch doch mit! Das heißt: wie bei den andern drei doppelgipfligen Gleichnissen liegt der Ton auf dem zweiten Gipfel[1]. Das Gleichnis vom verlorenen Sohn ist also primär nicht Verkündigung der Frohbotschaft an die Armen, sondern Rechtfertigung der Frohbotschaft gegenüber ihren Kritikern. Daß Gottes Liebe so grenzenlos ist, das ist die Rechtfertigung Jesu. Aber Jesus bleibt nicht bei der Apologie stehen. Das Gleichnis bricht abrupt ab, der Ausgang bleibt offen. Darin dürfte sich die Wirklichkeit, der Jesus gegenübersteht, spiegeln[2]. Jesu Hörer sind in der Lage des älteren Sohnes, der sich entscheiden muß, ob er den bittenden Worten des Vaters Folge leisten und sich mitfreuen will. Noch bricht Jesus nicht den Stab über sie, noch hat er Hoffnung; er will ihnen helfen, daß sie den Anstoß am Evangelium überwinden, daß sie erkennen, wie ihre Selbstgerechtigkeit und Lieblosigkeit sie von Gott trennt, und daß

---

[1] S. zu Mt. 20,1—15 S. 34; zu 22,1—14 S. 62; zu Lk. 16,19—31 S.185.
[2] Th. Zahn, Das Evangelium des Lucas[3. 4], Leipzig-Erlangen 1920, S. 564.

sie zur großen Freude, die das Evangelium bringt (V. 32a), hin-
finden. Die Rechtfertigung der Frohbotschaft wird zum Vorwurf
und zur Werbung um die Herzen ihrer Kritiker.

Die Erkenntnis, daß Lk. 15,11—32 primär ein apologetisches
Gleichnis ist, mit dem Jesus seine Tischgemeinschaft mit den
Sündern gegenüber seinen Kritikern rechtfertigt (vgl. V. 1f.), hat
eine schwerwiegende Konsequenz[1]. Jesus rechtfertigt, wie wir
sahen, sein anstößiges Verhalten damit, daß er im Gleichnis sagt:
‚Gottes Liebe zu dem heimfindenden Sünder ist ohne Grenzen. Ich
handele so, wie es Gottes Wesen und Willen entspricht.‘ **Jesus
beansprucht also, in seinem Handeln die Liebe Gottes
zu dem bußfertigen Sünder zu aktualisieren.** Damit enthüllt sich das Gleichnis, das keinerlei christologische Aussage enthält, als eine verhüllte Vollmachtsaussage: Jesus nimmt für sich in
Anspruch, daß er an Gottes Stelle handelt, Gottes Stellvertreter ist.

Aufs engste verwandt mit dem Gleichnis vom verlorenen Sohn
ist das Gleichnispaar[2] **vom verlorenen Schaf** (Lk. 15,4—7; Mt.
18,12—14) **und von der verlorenen Drachme** (Lk. 15,8—10)[3].

V. 2: Jesus hat Zöllnern und „Sündern" gastliche Aufnahme bei sich
gewährt (προσδέχεται)[4]. Als „Sünder" bezeichnete man 1. Leute, die einen
unmoralischen Lebenswandel führten (z.B. Ehebrecher, Betrüger, Lk.18,11),
und 2. solche, die einen unehrenhaften Beruf ausübten (d.h. einen Beruf,
der notorisch zur Unredlichkeit oder zur Unsittlichkeit verleitete) und denen
deshalb die bürgerlichen Rechte (Ämterbekleidung, Zeugnis vor Gericht) ent-
zogen waren (z.B. Zöllner, Steuereinnehmer, Hirten, Eseltreiber, Hausierer,
Gerber)[5]. Die Frage der Pharisäer und Schriftgelehrten, warum Jesus solchen
Menschen die Tischgemeinschaft gewähre, ist nicht etwa Ausdruck der
Verwunderung, sondern Anklage gegen Jesus — er ist ein unfrommer
Mensch! — und damit Aufforderung an seine Anhänger, sich von ihm zu
trennen. — V. 4—10: Das Gleichnispaar, mit dem Jesus antwortet, knüpft
an die Gegenüberstellung Mann / Frau und wohl auch reich / arm an. Zwar
ist der Herdenbesitzer kein schwerreicher Mann. Die Größe der Herden
schwankt bei den Beduinen zwischen 20 und 200 Stück Kleinvieh[6]; 300 Stück
gelten dem jüdischen Recht als ungewöhnlich große Herde[7]. Als Besitzer

---

[1] E. Fuchs, Die Frage nach dem historischen Jesus, in: Zeitschr. f. Theol.
u. Kirche 53 (1956), S. 210—229, hier S. 219.

[2] S. o. S. 90.

[3] Zum Gleichnis vom verlorenen Schaf s. S. 35 ff.

[4] S. S. 225 A. 1.

[5] J. Jeremias, Jerusalem zur Zeit Jesu[3], Göttingen 1962, S. 337—347.

[6] G. Dalman, Arbeit und Sitte VI, Gütersloh 1939, S. 246. Vgl. Gen. 32,14:
je eine Ziegen- und Schafherde von 220 Stück.

[7] Tos. B. Q. 6,20.

von 100 Schafen hat der Mann also eine Herde mittlerer Größe; er betreut sie selbst (so auch Joh. 10, 11f.), kann sich kein Hütepersonal leisten. Obwohl kein Krösus, ist er dennoch wohlhabend im Vergleich zu der armen Witwe.

Das Gleichnis vom verlorenen Schaf lautet im ThEv. (107) folgendermaßen: „Jesus sagte: Das Königreich gleicht einem Hirten, der hundert Schafe hat. Eines von ihnen verirrte sich — das größte. Er verließ die neunundneunzig und suchte nach diesem einen, bis er es fand. Als er sich abgemüht hatte, sagte er zu dem Schaf: Dich liebe ich mehr als die neunundneunzig." Bei Lukas ist es als eine einzige bis V. 6. reichende Frage gemeint. Der Vergleich des Wortlauts von Lk. 15, 4—7 mit Mt. 18,12 führt auf eine große Zahl von Übersetzungsvarianten (z. B. ἐν τῇ ἐρήμῳ Lk.15,4 // ἐπὶ τὰ ὄρη Mt.18,12 = beṭura „im Bergland")[1]. — V.4: Τίς ἄνθρωπος ἐξ ὑμῶν: die Hirten zählten zu den ἁμαρτωλοί, weil man sie verdächtigte, ihre Herde auf fremde Felder zu treiben und vom Ertrag der Herde zu unterschlagen[2]; das hindert Jesus nicht, den Herdenbesitzer zur Veranschaulichung des Verhaltens Gottes zu benutzen. Καὶ ἀπολέσας ἐξ αὐτῶν ἕν: der palästinische Hirt pflegt seine Herde zu zählen, wenn er sie gegen Abend in die Hürde treibt, um sich zu vergewissern, daß kein Tier abhanden gekommen ist. Die Zahl 99 weist auf die eben erfolgte Zählung hin[3]. Καταλείπει τὰ ἐνενήκοντα ἐννέα: Die Landeskenner Palästinas bezeugen übereinstimmend, daß es völlig ausgeschlossen ist, daß ein Hirt seine Herde einfach ihrem Schicksal überläßt[4]. Wenn er ein verlorenes Tier suchen muß, übergibt er die Herde den Hirten, die mit ihm die Hürde teilen (Lk. 2, 8; Joh. 10, 4f.), oder er treibt seine Herde in eine Höhle. Der Hirtenjunge Mohammed ed-Dib, der die Höhle 1 von Qumran entdeckte, zählte seine Herde ausnahmsweise um 11 Uhr vormittags, weil er die übliche Abendzählung zweimal unterlassen hatte, und bat die beiden Hirten, mit denen er zusammen zu weiden pflegte, auf seine Herde (55 Tiere) aufzupassen, als er fortlief, um die vermißte Ziege zu suchen[5]. Ἐν τῇ ἐρήμῳ: ἡ ἔρημος ist hier die Hürde oder der Weideplatz im einsamen Berglande. Πορεύεται ἐπὶ τὸ ἀπολωλός: im ThEv. wird das mühevolle Suchen des Hirten damit motiviert, daß ihm ausgerechnet das größte und wertvollste Tier abhanden gekommen ist, das er mehr liebt als alle anderen. Damit ist das Gleichnis völlig mißverstanden, wie der Vergleich mit Matthäus und Lukas und darüber hinaus der Gesamttenor der Verkündigung Jesu zeigen. Denn bei Matthäus besagt die Anwendung in V. 14, die von „einem der Allergeringsten" (s. S. 36) redet, bei Lukas die Situationsangabe und V. 5, daß bei dem verirrten Schaf an ein besonders schwaches Tier gedacht ist. Nicht der hohe Wert des Tieres veranlaßt den Hirten zu seinem Suchen, sondern einfach die Tatsache, daß es ihm gehört und ohne seine

---

[1] Vgl. zur aramäischen Grundlage der Überlieferung ferner S. 35ff.

[2] J. Jeremias, Jerusalem zur Zeit Jesu[3], Göttingen 1962, S.338. 340. 345f.

[3] E. F. F. Bishop, The Parable of the Lost or Wandering Sheep, in: Anglican Theological Review 44 (1962), S. 50.

[4] Bishop, a.a.O. S. 50f.; 52 A.35; 57.

[5] W. H. Brownlee, Muhammad ed-Deeb's Own Story of His Scroll Discovery, in: Journal of Near Eastern Studies 16 (1957), S. 236.

Hilfe nicht zur Herde zurückfindet. — V. 5: Wenn es heißt, daß der Hirt das gefundene Schaf „auf seine Schultern legt" (bei Matthäus fehlend), so ist das nicht Einfluß der Abbildungen des Hermes Kriophoros auf Lukas, sondern ein im Morgenland alltäglicher Zug aus dem Leben. Ein von der Herde abgekommenes Schaf, das umhergeirrt ist, pflegt sich mutlos niederzulegen und ist nicht mehr zu bewegen, aufzustehen und zu laufen. Es bleibt dem Hirten nichts anderes übrig, als es zu tragen, was auf größere Strecken nur so möglich ist, daß er das Tier auf seine Schultern, d. h. um den Hals, legt[1]; er umgreift dabei Vorder- und Hinterfüße mit je einer Hand oder hält, wenn er eine Hand für den Hirtenstab frei haben muß, alle vier Beine mit einer Hand vor seiner Brust fest[2]. — V. 6: Bei συγκαλεῖ (6.9) könnte an die Veranstaltung eines Festes (vgl. V. 23) gedacht sein[3].

V. 8: Im Gleichnis von der verlorenen Drachme, das ebenfalls bis V. 9 als eine einzige Frage zu lesen ist, erinnern die zehn Drachmen jeden Kenner des arabischen Palästina an den mit Münzen besetzten Kopfschmuck der Frauen, der zum Brautschatz gehört, ihren kostbarsten Besitz und ihren Notgroschen darstellt und selbst während des Schlafes nicht abgelegt wird[4]; in der Tat erwähnt die Tosäphta, daß Golddenare als Schmuck verwendet wurden[5]. Dann war die Frau sehr arm; denn zehn Drachmen waren ein überaus bescheidener Schmuck, gemessen an den Hunderten von Gold- und Silbermünzen, die heute im Orient viele Frauen als Kopfschmuck tragen[6]. Die Frau „zündet ein Licht an", nicht weil es Nacht ist, sondern weil die armselige, fensterlose[7] Behausung nur wenig Licht durch die niedrige Tür einläßt, und sie „fegt das Haus" mit einem Palmenzweig[8], weil der Fußboden aus Felsen besteht und man beim Fegen die Münze im Dunkeln klirren hört. — V. 9: Falls bei συγκαλεῖ an die Veranstaltung eines Festes gedacht sein sollte, könnte es sich bei der armen Frau nur um eine bescheidene Bewirtung der Freundinnen und Nachbarinnen handeln.

Die beiden Gleichnisse schließen je mit einem Satz, der eine Umschreibung des Gottesnamens enthält, weil von Gott Affekte ferngehalten werden sollen. Lk. 15,7 muß demnach übersetzt werden: „So wird sich Gott (beim Endgericht, s. u.) mehr freuen über

---

[1] Vgl. A. M. Brouwer, De Gelijkenissen, Leiden 1946, S. 225f., z. T. nach van Koetsveld.

[2] Reiches Material von 1000 v. Chr. bis 400 n. Chr. bei Th. Klauser, Studien zur Entstehungsgeschichte der christlichen Kunst I, in: Jahrbuch für Antike und Christentum 1 (1958), S. 20—51 und Bildanhang; ferner G. Dalman, Arbeit und Sitte VI, Gütersloh 1939, Abb. 35.

[3] Vgl. qara c. Acc. z. B. 1. Kön. 1, 9 f.

[4] A. M. Brouwer, a. a. O. S. 226; E. F. F. Bishop, Jesus of Palestine, London 1955, S. 191.

[5] Tos. M. Sch. 1, 1.

[6] G. Dalman, Arbeit und Sitte V, Gütersloh 1937, S. 328, beschreibt ein Exemplar: 244 Münzen; Gewicht der Kappe mit Münzen 2,130 kg!

[7] S. S. 120.

[8] S. Krauß, Talmudische Archäologie I, Leipzig 1910, S. 77.

Einen Sünder[1], der Buße getan hat[2], als über neunundneunzig anständige Menschen (δίκαιοι), die keine groben Sünden begangen haben"[3] (bzw. nach Mt. 18,14: „So hat Gott Wohlgefallen daran, wenn einer auch nur der Allergeringsten dem Verderben entgeht")[4]; entsprechend ist Lk. 15,10 zu übersetzen: „So, sage ich Euch, wird[5] sich Gott[6] über Einen Sünder freuen, der Buße tat." Das tertium comparationis ist in Lk. 15,4—7 nicht die innige Verbindung zwischen Hirt und Herde (so Joh. 10, aber das trifft auf Lk. 15,8—10 nicht zu), auch nicht das unermüdliche Suchen (so Mt. 18,12—14 im jetzigen Kontext[7]), sondern einzig und allein die Freude über das Finden des Verlorenen. „Wiederfinden schafft überschwengliche Freude"[8]. So wie der Hirt sich freut über das heimgeholte Schäflein, die arme Frau über ihre wiedergefundene Drachme — so wird Gott sich freuen. Dabei ist das Futurum in Lk. 15,7 eschatologisch zu verstehen: Gott wird sich freuen im Endgericht, wenn er neben vielen Gerechten auch einem der Allergeringsten, einem bußfertigen Sünder, das freisprechende Urteil verkündigen kann, ja, er freut sich darüber mehr. So ist Gott. Er will die Rettung der Verlorenen, denn sie gehören ihm; ihr Irregehen hat ihn geschmerzt, und er freut sich über ihr Heimfinden. Es ist die „soteriologische Freude" Gottes[9], von der Jesus redet, die Freude an der Vergebung. Das ist Jesu Apologie des Evangeliums: weil Gott von so unbegreiflichem Erbarmen ist, daß die Freude an der Vergebung Seine höchste Freude ist, darum ist es mein Heilandsamt, dem Satan die Beute zu entreißen und die Verlorenen heimzuholen. Wieder: Jesus — der Stellvertreter Gottes (s. S. 132)!

---

[1] Man beachte die Alliteration: ḥādhwa (Freude), ḥadh (ein), ḥaṭᵉja (Sünder), vgl. M. Black, An Aramaic Approach to the Gospels and Acts², Oxford 1954, S. 141.

[2] Das semitische Ptc. ist atemporal und erhält seinen Sinn vom regierenden Verb. In unserem Fall fordert das (eschatologische) ἔσται, daß das Ptc. μετανοοῦντι präterital aufgefaßt wird.

[3] Dieses wird der Sinn von οἵτινες οὐ χρείαν ἔχουσιν μετανοίας sein.

[4] Zur Begründung der Übersetzungen s. S. 36f.

[5] Dem γίνεται entspricht ein aramäisches Imperfektum, das — analog dem ἔσται in Lk. 15,7 — futurisch wiedergegeben werden muß.

[6] In γίνεται χαρὰ ἐνώπιον τῶν ἀγγέλων τοῦ θεοῦ sind zwei Umschreibungen des Gottesnamens zusammengeflossen: 1. οἱ ἄγγελοι, 2. ἐνώπιον τοῦ θεοῦ („vor" Gott stehen die Engel).

[7] S. dazu S. 36.

[8] E. Linnemann, Gleichnisse Jesu, Göttingen 1961, S. 72.

[9] E. G. Gulin, Die Freude im NT. I, Helsinki 1932, S. 99.

Um die Rechtfertigung der Frohbotschaft gegenüber ihren Kritikern geht es auch, wie wir S. 29ff. sahen, in dem Gleichnis vom gütigen Arbeitsherrn (Mt. 20,1—15)[1].

V. 1: Wir haben ein Gleichnis mit Dativanfang vor uns: „so geht es zu bei der Königsherrschaft Gottes"[2]. Diese wird nicht mit dem Hausherrn, auch nicht mit den Arbeitern oder dem Weinberg gleichgesetzt, sondern — wie so oft — wird ihr Anbruch mit einer Abrechnung verglichen[3]. Die Gottesherrschaft ist also, wie durchgängig in der Predigt Jesu, auch Mt. 20,1 eschatologisch gemeint. Ἅμα πρωΐ: gleich bei Sonnenaufgang. — V. 2: Ein Denar[4] ist der übliche Tageslohn für einen Tagelöhner[5]. — V. 3: „Um die dritte Stunde" = 8—9 Uhr[6]. Ἑστῶτας ἐν τῇ ἀγορᾷ: ἑστῶτας hat hier den abgeschwächten Sinn „sich aufhalten" wie Joh. 1,26; 18,18; Mt. 13,2. Kein Orientale steht stundenlang auf dem Marktplatz[7]. Sie sitzen also untätig schwatzend auf dem Markt herum. — V. 4: Δίκαιον = „was recht und billig ist": sie müssen das dahin verstehen, daß ihr Lohn den Bruchteil eines Denares betragen werde. — V. 6: Daß der Hausherr zwischen 4 und 5 Uhr nachmittags nochmals Arbeitskräfte sucht, zeigt, daß die Arbeit ganz ungewöhnlich drängt. Die Traubenlese muß vor dem Einsetzen der Regenzeit mit ihrer Nachtkühle beendet sein; bei guter Ernte konnte der Wettlauf mit der Zeit kritisch werden. Die Frage V. 6b ist nicht Verwunderung, sondern Vorwurf. — V. 7: Die faule Ausrede soll ihre echt orientalische Gleichgültigkeit bemänteln[8]. — V. 8: Die Lohnauszahlung am Abend ist etwas so völlig Selbstverständliches (Lev. 19,13; Dt. 24,14f.), daß die besondere Erteilung eines Auftrages anzeigt, daß der Weinbergbesitzer etwas Besonderes vorhat. Diese besondere Absicht besteht sicher nicht (wie es zunächst scheinen könnte) darin, daß die Letzten den Lohn zuerst erhalten sollen, sondern in der Auszahlung des vollen Tageslohnes an alle ohne Ausnahme[9]. Ἀπόδος τὸν μισθόν heißt also: „zahle den (vollen Tages-)Lohn", und ἀρξάμενος ἀπό hat vielleicht die abgeblaßte Bedeutung „einschließlich"[10]. — V. 11: Κατὰ τοῦ οἰκοδεσπότου: der Hausherr ist kaum

---

[1] Der Arbeitsherr ist die Hauptperson; die übliche Bezeichnung des Gleichnisses („Die Arbeiter im Weinberg") verdeckt diesen Tatbestand (vgl. S. 128 A. 2).

[2] S. S. 99ff.

[3] Mt. 25,14ff. par. Lk. 19,12ff.; Lk. 16,2; vgl. Mt. 6,2.5.16; 24,45ff. par. Lk. 12,42ff.; Mt. 18,23ff.; s. S. 207f.

[4] Ἐκ ist wie Mt. 27,7; Apg. 1,18 Umschreibung des Gen. pretii.

[5] Bill. I, S. 831 (Belege).

[6] Obwohl als Tagesbeginn der Sonnenuntergang gerechnet wurde (vgl. die „Heiligung" des Sabbaths am Freitag abend), zählte man die Stunden erst vom Sonnenaufgang an. Begreiflicherweise, denn man hatte keine Uhren! Die Nacht dagegen wurde nicht in Stunden, sondern in drei (Lk. 12,38) Nachtwachen eingeteilt (vgl. S. 23, bes. A. 1).

[7] P. Joüon, L'Évangile de Notre-Seigneur Jésus-Christ, Paris 1930, S. 122.

[8] S. S. 33f.     [9] Vgl. Jülicher II, S. 462. S. o. S. 31f.

[10] S. S. 32 A. 2.

anwesend. Sie dringen also laut schimpfend zu seiner Wohnung vor[1]. — V. 12: *Οὗτοι*: zwangsweise nehmen sie die bevorzugten Arbeitsgenossen, die ja keinen Anlaß hatten, sich freiwillig an der Protestaktion zu beteiligen, mit[2]. In ihrer Empörung lassen sie die Anrede fort (vgl. Lk. 15, 29). Eine krasse zweifache Ungerechtigkeit ist ihnen widerfahren: 1. Sie mußten sich zwölf Stunden plagen, die anderen nur[3] eine Stunde; 2. sie mußten in der Schirokkohitze arbeiten, die anderen in der Abendkühle. Dauer und Schwere ihrer Arbeit geben ihnen Anspruch auf vielfach höheren Lohn. — V. 13: *Ἑνί = ḥadh = τινί* (s. S. 198): er greift sich den Hauptschreier heraus[4]. *Ἑταῖρε*: sie haben die Anrede weggelassen, der Hausherr beschämt ihn durch die Anrede (vgl. Lk. 15, 31, s. S. 130). Mit *ἑταῖρε* redet man jemanden an, dessen Namen man nicht weiß[5]; die Anrede ist gütig und vorwurfsvoll zugleich: „mein Lieber", „Kamerad". An allen drei Stellen, an denen sie im NT. vorkommt (Mt. 20, 13; 22, 12; 26, 50), hat sich der Angeredete verschuldet[6]. *Οὐκ ἀδικῶ σε* (vgl. Lk. 18, 11 *ἄδικοι* = „Betrüger"): „ich betrüge Dich nicht." — V. 14: *Καὶ ὕπαγε*: Du hast hier nichts mehr zu suchen. *Θέλω*: es ist nun einmal mein Wille. — V. 15: *Ἐν τοῖς ἐμοῖς* wird meist übersetzt: „mit dem Meinen" (*ἐν = bᵉ* instrumentale); doch wäre dann eher *ἐκ τῶν ἐμῶν* zu erwarten[7]. Der Sinn ist: „auf meinem Grund und Boden" (*ἐν = bᵉ* locale[8]). *Ὀφθαλμὸς πονηρός* ist der Neid (Mk. 7, 22). — V. 16: Zu diesem Vers s. S. 33. — Zum Praes. hist. in V. 6. 7 (2 mal). 8 s. S. 198 A. 2.

Die Klarheit und Schlichtheit, mit der unser Gleichnis die Frohbotschaft zum Ausdruck bringt, tritt besonders deutlich hervor beim Vergleich mit der rabbinischen Parallele, die im jerusalemischen Talmud überliefert wird. Mit jungen Jahren war ein hervorragender Gelehrter, Rabbi Bun bar Ḥijja, um 325 n. Chr. gestorben, an demselben Tage, an dem sein nach ihm benannter Sohn, der nachmalige R. Bun II., geboren wurde. Seine ehemaligen Lehrer und späteren Kollegen versammelten sich, um ihm die letzte Ehre zu erweisen, und einer von ihnen, R. Zeᶜera, hielt ihm die Trauerrede, die er mit einem Gleichnis einleitete. Es verhält sich, so begann er, wie mit einem König, der eine große Zahl von Arbeitern gemietet hatte. Zwei Stunden nach Arbeitsbeginn besichtigte er die Arbeiter. Da sah er, daß einer von ihnen sich durch Fleiß und Geschicklichkeit vor allen anderen auszeichnete. Er nahm ihn bei der Hand und wandelte mit ihm auf und ab bis zum Abend. Als die Arbeiter kamen, um ihren Lohn zu empfangen, erhielt jener Arbeiter die gleiche Summe wie die andern alle. Da murrten sie und sagten: wir haben den ganzen Tag gearbeitet und dieser nur zwei Stunden, und trotzdem hast Du ihm den vollen Lohn ausgezahlt! Doch der König gab zurück:

---

[1] Jülicher II, S. 463.      [2] Ebd.

[3] Zum Fortfall des „nur" s. S. 36 A. 3.

[4] W. Michaelis, Die Gleichnisse Jesu, Hamburg 1956, S. 176.

[5] W. Bauer, Wörterbuch zum NT.⁵, Berlin 1958, Sp. 622. So Mt. 20, 13; 22, 12.

[6] K. H. Rengstorf in: ThWBNT. II, S. 698.

[7] P. Joüon, L'Évangile de Notre-Seigneur Jésus-Christ, Paris 1930, S. 124.

[8] W. H. P. Hatch, A Note on Matthew 20:15, in: Angl. Theol. Rev. 26 (1944), S. 250—253.

Damit tue ich Euch kein Unrecht; dieser Arbeiter hat in zwei Stunden mehr geleistet als Ihr den ganzen Tag. Ebenso, so schloß die Trauerrede, hat Rabbi Bun bar Ḥijja in den jungen 28 Jahren seines Lebens mehr geleistet als mancher ergraute Schriftgelehrte in 100 Jahren (scil.: deshalb hat Gott ihn nach so kurzer Arbeitszeit bei der Hand genommen und zu sich geholt)[1]. Die Berührung der neutestamentlichen und der talmudischen Fassung des Stoffes ist so auffällig, daß von Zufall nicht die Rede sein kann. Griff Jesus ein jüdisches Gleichnis auf und gestaltete es um? Oder hat R. Ze‘era ein Jesusgleichnis benutzt, vielleicht ohne zu wissen, von wem es stammte? Wir können mit an Sicherheit grenzender Wahrscheinlichkeit sagen, daß die Priorität Jesus zukommt, auch ganz abgesehen davon, daß Ze‘era 300 Jahre nach Jesus lebte. Denn die rabbinische Fassung weist sekundäre Züge auf (z. B. ist aus dem Grundbesitzer ein König geworden[2]) und ist gekünstelt (der König geht von 8 Uhr morgens bis 6 Uhr abends, also zehn Stunden, mit dem fleißigen Arbeiter spazieren); vor allem aber ist der Zug des Murrens der sich benachteiligt fühlenden Arbeiter nur bei Jesus in der aktuellen Situation, die durch das Gleichnis beleuchtet werden sollte, verankert. Um so lehrreicher ist die Umgestaltung, die das Gleichnis im Munde des Schriftgelehrten erfahren hat. Während der Gang der Erzählung in beiden Fassungen sonst weithin übereinstimmt, besteht an einer Stelle ein tiefgreifender Unterschied. In der rabbinischen Fassung hat der Arbeiter, der nur kurze Zeit gearbeitet hat, mehr geleistet als alle anderen; er hat seinen Lohn voll verdient; das Gleichnis wird zum Preis seiner Tüchtigkeit erzählt. Im Gleichnis Jesu haben die zuletzt eingestellten Arbeiter keine Verdienste aufzuweisen, die ihnen Anspruch auf den vollen Lohn geben würden; ausschließlich der Güte des Hausherrn haben sie es zu verdanken, wenn sie ihn doch erhalten. So scheiden sich an diesem scheinbar geringfügigen Unterschied zwei Welten: dort Verdienst, hier Gnade; dort Gesetz, hier Evangelium.

Unser Gleichnis ist mitten aus dem Leben einer Zeit genommen, über der das Gespenst der Arbeitslosigkeit stand[3]. Ursprünglich, wie wir sahen[4], zu Menschen gesagt, die den murrenden Arbeitern gleichen, schließt es mit der vorwurfsvollen Frage (V. 15): „Bist Du neidisch, weil ich so gütig bin?" So handelt Gott wie jener Hausherr, der Mitleid hatte mit den Arbeitslosen und ihren Familien. So handelt er jetzt. Er gibt auch den Sündern und Zöllnern Anteil an seinem Heil, ganz unverdient. Und so wird er am Jüngsten Tage an ihnen handeln. So ist Gott, so gütig. Und weil Gott so ist, darum bin auch ich es; denn ich handle in Seinem Auftrag und

---

[1] j. Ber. 2,3c (par. Qoh. r. 5,11; Hohesl. r. 6,2), frei nacherzählt.
[2] S. S. 102 A. 2.
[3] Beispiel: Notstandsarbeiten in Jerusalem nach Beendigung des Tempelbaus zur Beschäftigung von 18000 Arbeitslosen (Jos., Ant. 20,219ff.). Vgl. Lk. 16,3.
[4] S. 34f.

an Seiner Stelle. Wollt Ihr über Gottes Güte murren? Das ist die Rechtfertigung des Evangeliums schlechthin: So ist Gott, so gütig.

Die Zahl der Gleichnisse, die diesen Einen Gedanken enthalten, den zu wiederholen Jesus nicht müde geworden ist, ist noch nicht erschöpft. Das Gleichnis vom Pharisäer und Zöllner (Lk. 18, 9—14) ist nach V. 9 gesagt „zu einigen derer, die ihr Vertrauen auf sich selbst (statt auf Gott) setzen, weil sie gerecht sind, und die auf die anderen voll Verachtung blicken"[1], d.h. zu Pharisäern. Der Inhalt des Gleichnisses erweist diese Hörerangabe als richtig.

Die semitisierenden Asyndeta (V. 11. 12. 14) finden sich in dieser Häufung in keinem anderen lukanischen Gleichnis[2]; auch sonst gibt sich das Gleichnis sprachlich und inhaltlich als alte palästinische Überlieferung zu erkennen. V. 10: Ἄνθρωποι δύο: sie sind beide in Jerusalem wohnhaft (vgl. V. 14: εἰς τὸν οἶκον αὐτοῦ). Ἀνέβησαν εἰς τὸ ἱερόν: der Tempelplatz liegt auf einer Erhöhung, die im Westen, Süden und Osten von Tälern umgeben ist. Προσεύξασθαι: sie gehen zur Gebetsstunde zum Tempel, d.h. nachmittags um 3 Uhr (Apg. 3,1). — V. 11: Πρὸς ἑαυτόν schwankt in der Stellung; bald wird es zu προσηύχετο (B Θ λ), bald zu σταθείς (A D [καθ'] W φ) gezogen. Nur die an zweiter Stelle genannte Wortstellung (σταθεὶς πρὸς ἑαυτὸν ταῦτα προσηύχετο) entspricht semitischer Redeweise[3]. Πρὸς ἑαυτόν gibt dabei ein aramäisches Reflexiv wieder (leh), das der Handlung eine betonte, definitive Note gibt. Also etwa: „er stellte sich sichtbar hin und sprach folgendes Gebet." Das Gebet nennt in V. 11b die Sünden, von denen der Pharisäer sich ferngehalten hat, in V. 12 seine Leistungen. Ἅρπαξ ist (im Unterschied zu λῃστής) der Spitzbube, ἄδικος (wie 1. Kor. 6, 9) der Betrüger. — V. 12 ist formell zwar selbständiger Satz, logisch aber noch abhängig von εὐχαριστῶ σοι[4], also scil.: ich danke Dir, daß ich ... Er nennt zwei opera supererogationis: 1. Während das Gesetz nur Einen Fasttag im Jahr vorschreibt, den Versöhnungstag, fastet er freiwillig zweimal wöchentlich, am Montag und Donnerstag, wahrschein-

---

[1] Πρός τινας τοὺς πεποιθότας ἐφ' ἑαυτοῖς ὅτι εἰσὶν δίκαιοι καὶ ἐξουθενοῦντας τοὺς λοιπούς heißt nicht bloß: „zu einigen von denen, die sich selbst zutrauen, daß sie gerecht sind, und die auf die anderen voll Verachtung blicken", sondern ist viel schärfer. Wie der Vergleich mit 2. Kor. 1, 9 lehrt, bezeichnet τοὺς πεποιθότας ἐφ' ἑαυτοῖς das Selbstvertrauen im Gegensatz zum Gottvertrauen; dann aber muß ὅτι mit „weil" übersetzt werden: „zu einigen von denen, die ihr Vertrauen auf sich selbst (statt auf Gott) setzen, weil sie 'Gerechte' sind". Den Pharisäern wird also nicht nur vorgeworfen, daß sie eine zu gute Meinung von sich selbst haben, sondern der Vorwurf lautet: das auf ihrem frommen Lebenswandel beruhende Selbstvertrauen tritt bei ihnen an die Stelle des Gottvertrauens (T. W. Manson, Sayings, S. 309).
[2] M. Black, An Aramaic Approach to the Gospels and Acts[2], Oxford 1954, S. 41. 43.
[3] Fr. Tg. Ex. 20,15; j. R. H. 2,58b, 9.
[4] Jülicher II, S. 603.

lich stellvertretend für die Sünden des Volkes[1]. Wer den Orient kennt, weiß, daß die größte Entsagung beim Fasten darin besteht, daß trotz der Hitze auf das Trinken verzichtet wird. 2. Er verzehntet alles Zehntpflichtige, was er kauft, damit er ganz sicher ist, daß er nichts Unverzehntetes genießt, obwohl Korn, Most und Öl schon vom Produzenten verzehntet sein sollten[2]. Eine große Opferwilligkeit: zu dem persönlichen Opfer fügt er das wirtschaftliche. — V. 13: Während die Steuern (Kopf- und Grundsteuer) durch staatliche Beamte eingezogen wurden, wurden die Zölle eines Bezirks (wahrscheinlich meistbietend) verpachtet. Der Zöllner wirtschaftet also in die eigene Tasche. Nun gab es zwar staatliche Tarife, aber die Zöllner fanden genug Kniffe, um das Publikum zu übervorteilen. Im öffentlichen Urteil standen sie mit den Räubern auf einer Stufe; sie besaßen keine bürgerlichen Ehrenrechte[3] und wurden von allen anständigen Menschen gemieden. *Μακρόθεν ἑστώς*: im Unterschied zu dem Pharisäer (V. 11) bleibt er „weit weg" stehen. *Οὐκ ἤθελεν*: „er wagte nicht"[4]. Der Schlag auf die Brust, genauer: auf das Herz (als den Sitz der Sünde[5]), ist Ausdruck tiefer Reue. — V. 14a: *Κατέβη* s. zu V. 10 *ἀνέβησαν*. *Δεδικαιωμένος*: *δικαιοῦσθαι* (pass.) bedeutet im spätantiken Judentum „Recht bekommen, freigesprochen werden, Gerechtigkeit, Wohlgefallen, Gnade finden"[6]. Besonders lehrreich für das Verständnis von Lk. 18, 14a ist 4. Esra 12, 7 lat., wo der Beter sagt: Dominator domine, si inveni gratiam ante oculos tuos et si iustificatus sum apud te prae multis et si certum ascendit deprecatio mea ante faciem tuam ... Hier stellt der Parallelismus inveni gratiam / iustificatus sum für iustificari die Bedeutung „Wohlgefallen finden" sicher. Nimmt man hinzu, daß das Passiv in verhüllender Weise den Gottesnamen umschreibt, so hat man *δεδικαιωμένος* zu übersetzen: „als einer, dem Gott sein Wohlgefallen zugewendet hatte". Unsere Stelle ist die einzige in den Evangelien, an der *δικαιοῦν* in einem Sinn verwendet wird, der dem paulinischen Gebrauch des Verbums nahekommt. Doch liegt hier nicht paulinischer Einfluß vor. Denn die unpaulinische semitisierende Konstruktion von *δικαιοῦν* mit *παρά* bzw. *ἤ*, die sofort zu besprechen ist, schließt ihn aus. Unsere Stelle zeigt im Gegenteil, daß die paulinische Rechtfertigungslehre ihre Wurzel in der Predigt Jesu hat[7].

---

[1] Bill. II, S. 243f.

[2] Weniger wahrscheinlich (mit dem Ton auf *πάντα*): er verzehntet über die Vorschrift hinaus alles, also auch Gartenkräuter wie Minze, Dill, Kümmel (Mt. 23, 23) und Raute (Lk. 11, 42). Oder: er gibt 10% seines Einkommens für wohltätige Zwecke. Auch G. Dalman, Arbeit und Sitte I, Gütersloh 1928, S. 587, hält die im Text gegebene Erklärung für die richtige.

[3] J. Jeremias, Jerusalem zur Zeit Jesu[3], Göttingen 1962, S. 346 (b. Sanh. 25b [Bar.]).

[4] Vgl. Mk. 6, 26; Lk. 18, 4; Joh. 7, 1. Das Semitische hat kein Wort für „wagen", vgl. P. Joüon, L'Évangile de Notre-Seigneur Jésus-Christ, Paris 1930, S. 216.

[5] Midhr. Qoh. 7, 2.

[6] Belege bei G. Schrenk, *δικαιόω* B 2 a, ThWBNT. II, S. 217, 14—51. Vgl. noch unten S. 141 A. 3.

[7] Eine ganz ähnliche Beobachtung zu *τὴν πίστιν* Lk. 18, 8b, s. S. 155 A. 2.

140

*Παϱ᾽ ἐϰεῖνον* (𝕏BL) bzw. *ἢ ἐϰεῖνος* (WΘ) sind Versuche, ein komparativisches aramäisches *min* wiederzugeben (das Semitische hat weder Komparativ noch Superlativ, sondern muß beide mit *min* umschreiben)[1], also: „mehr gerechtfertigt als jener andere." Sehr häufig hat jedoch dieses komparativische *min* exkludierenden Sinn (z.B. 2.Sam. 19,44: *bdwd* [lies: *bᵉkhor*] *᾽ᵃni mimmᵉkha* = LXX *πϱωτότοϰος ἐγὼ ἢ σύ* = ich bin der Erstgeborene und nicht Du; Ps.45 [LXX 44], 8: *mᵉšaḥᵃkha* ... *šämän meḥᵃbheräkha* = LXX *ἔχϱισέν σε* ... *ἔλαιον* ... *παϱὰ τοὺς μετόχους σου* = er hat Dich mit Öl gesalbt und nicht Deine Genossen; Röm. 1,25: „Sie beteten das Geschöpf an statt [*παϱά*] des Schöpfers" u.ö.)[2]; speziell zu *διϰαιοῦσϑαι* ... *ἤ* vgl. LXX Gen.38,26: *δεδιϰαίωται Θάμαϱ ἢ ἐγώ* („Thamar ist gerechtfertigt, und nicht ich")[3]. Auch Lk.18,14a dürfte der geläufige exkludierende Sinn vorliegen („ihm hatte Gott sein Wohlgefallen geschenkt, dem anderen nicht")[4]. Dann aber hat das *παϱ᾽ ἐϰεῖνον* eine große Schärfe: das Gebet des Pharisäers fand nicht Gottes Wohlgefallen! — V.14b bringt einen generalisierenden Abschluß, der das in den Evangelien so häufige Motiv der eschatologischen Umkehr der Verhältnisse[5] verwendet. Es ist ein antithetischer Parallelismus, der von Gottes Handeln im Endgericht redet[6]: Er wird die Hoffärtigen demütigen und die Demütigen erhöhen.

Das Gleichnis muß für die ersten Hörer völlig überraschend und unbegreiflich gewesen sein. Zum Gebet des Pharisäers ist uns im Talmud ein ganz nah verwandtes Gebet aus dem 1. Jahrhundert n. Chr. überliefert: „Ich danke Dir, Herr, mein Gott, daß Du mir mein Teil gabst bei denen, die im Lehrhause sitzen, und nicht bei denen, die an den Straßenecken sitzen; denn ich mache mich früh auf, und sie machen sich früh auf: ich mache mich früh auf zu den Worten des Gesetzes, und sie machen sich früh auf zu eitlen Dingen. Ich mühe mich, und sie mühen sich: ich mühe mich und empfange Lohn, und sie mühen sich und empfangen keinen Lohn. Ich laufe, und sie laufen: ich laufe zum Leben der zukünftigen

---

[1] Wiedergabe vom komparativischen *min* mit *ἤ*: Mk. 9,43.45.47; Lk.15,7 u.ö.; mit *παϱά* c. Acc.: Lk.13,2.4 u.ö.

[2] Zahlreiche Beispiele für das exkludierende *min* und seine verschiedenartige Wiedergabe in LXX gab ich in: Unbekannte Jesusworte[2], Gütersloh 1951, S. 74 A. 1.

[3] Ferner Origenes, in Jer. hom. 8,7 (E. Klostermann, Apocrypha III, Kleine Texte 11[2], Bonn 1911, S. 11 Nr. 53b): *ἐδιϰαιώϑη, γάϱ φησι* [Ez. 16,52], *Σόδομα ἐϰ σοῦ* („Sodom fand Wohlgefallen eher als du", „du nicht"); Const. Ap. II, 60,1 (a.a.O. Nr. 53a): *πῶς δὲ οὐχὶ ϰαὶ νῦν ἐϱεῖ τῷ τοιούτῳ ὁ ϰύϱιος* [Gott]· *ἐδιϰαιώϑη τὰ ἔϑνη ὑπὲϱ ὑμᾶς* („die Heiden fanden Wohlgefallen, ihr nicht"), *ὥσπεϱ ϰαὶ τὴν Ἱεϱουσαλὴμ ὀνειδίζων ἔλεγεν* [Ez. 16,52]· *ἐδιϰαιώϑη Σόδομα ἐϰ σοῦ* („du nicht").

[4] So auch G. Schrenk in: ThWBNT. II, S. 219 A. 16.

[5] J. Jeremias, Jesus als Weltvollender, Gütersloh 1930, S. 73.

[6] *Ταπεινωϑήσεται / ὑψωϑήσεται*: das Passiv umschreibt den Gottesnamen, das Futurum ist eschatologisch.

Welt, und sie laufen zur Grube des Verderbens" (b. Ber. 28b)[1]. Wir sehen daraus, daß das Gebet des Pharisäers Lk. 18,11 f. aus dem Leben genommen ist, ja wir haben in dem Gebet b. Ber. 28 b geradezu einen Kommentar zu dem εὐχαριστῶ Lk. 18,11. Der Pharisäer dankt, er dankt wirklich für Gottes Führung. Er weiß, daß er sein Anderssein, sein Bessersein „seinem Gott" verdankt, der ihm „sein Teil gab" bei denen, die es ernst nehmen mit ihrer religiösen Pflicht. Er möchte um keinen Preis tauschen mit dem anderen, auch wenn es diesem besser geht; denn sein Weg, so viel „Mühe" mit ihm verbunden ist, hat die Verheißung des „Lebens der zukünftigen Welt". Hat er nicht vielfachen Anlaß zu danken? Beachten wir noch, daß sein Gebet keine Bitte enthält, nur Dank[2] — „das Schönste, was ein Mensch sich wünschen kann, ein Vorgeschmack der Vollendungszeiten"[3]. Was ist an seinem Beten auszusetzen? Auch den Zöllner müssen wir mit den Augen der Zeit sehen. Er wagte, heißt es, „nicht einmal die Augen zum Himmel zu erheben", geschweige denn — so ist zu ergänzen — die Hände, wie es die übliche Gebetshaltung war. Er hat das Haupt gesenkt, die Hände über der Brust aufeinandergelegt[4]. Und was dann folgt, ist kein üblicher Gebetsgestus mehr[5]. Es ist ein Verzweiflungsausbruch[6]. Der Mann schlägt sich auf das Herz[7], er vergißt ganz und gar, wo er ist; der Schmerz übermannt ihn, daß er Gott so ferne ist. Seine und seiner Familie Lage ist in der Tat hoffnungslos. Denn zur Buße gehört für ihn nicht nur die Aufgabe des sündigen Lebens, d. h. seines Berufes, sondern auch die Wieder-

---

[1] Vgl. noch 1 QH 7,34: „Ich preise Dich, Herr, daß Du mein Los nicht hast fallen lassen in die nichtige Gemeinschaft und mein Teil nicht gesetzt hast in den Kreis derer, die im Verborgenen sind."

[2] Auch V. 12 gehört zum Dank (s. o.).   [3] Jülicher II, S. 604.

[4] Zu den beiden Gebetshaltungen (erhobene Augen und Hände — gesenktes Haupt und aufeinandergelegte Hände) vgl. die Abb. 11 und 8 in meinem Buch: Die Passahfeier der Samaritaner (BZAW. 59), Gießen-Berlin 1932.

[5] Dieser Schluß ergibt sich aus der ganz auffallend seltenen Erwähnung des τύπτειν der Brust. Im Unterschied zu dem häufig erwähnten κόπτεσθαι der Brust, das die Frauen (s. S. 161) bei der Totenklage vollziehen, wird das davon zu unterscheidende τύπτειν der Brust m. W. nur Lk. 18,13; 23,48; Joseph und Aseneth 10 (ed. P. Batiffol, Le livre de la prière d'Aseneth, in: Studia Patristica 1—2, Paris 1889—1890, S. 50, 22—51, 1 von der völlig verzweifelten Aseneth: κλαίουσα καὶ πατάσσουσα τῇ χειρὶ τὸ στῆθος αὐτῆς πυκνῶς; 52,21: καὶ ἐπάτασσε τὸ στῆθος αὐτῆς πυκνῶς ταῖς χερσὶν αὐτῆς) und Midhr. Qoh. 7,2 (ed. princ. Pesaro 1519: kothᵉšin ʿal hallebh = sie schlagen sich [aus Reue] aufs Herz) erwähnt.

[6] Vgl. Joseph und Aseneth 10 (s. vorige Anm.).

[7] Vgl. Midhr. Qoh. 7,2 (s. A. 5).

gutmachung, die in der Rückerstattung des unterschlagenen Betrages zusätzlich eines Fünftels bestand. Wie kann er wissen, wen er alles betrogen hat? Nicht nur seine Lage, auch seine Bitte um Erbarmen ist hoffnungslos! Und dann der Schlußsatz (V. 14a): „Ich sage Euch, als dieser heimging, hatte Gott ihn gerechtgesprochen — anders als jenen." Ihm hatte Gott sein Wohlgefallen zugewandt, dem anderen nicht! Das ist ein Schluß, der den Hörern völlig überraschend gekommen sein muß. Darauf war gewiß keiner von ihnen gefaßt. Welches Unrecht hatte denn der Pharisäer begangen? Und was hatte der Zöllner getan, um seine Schuld wieder gut zu machen? Jesus geht, falls von V. 14 b abgesehen werden muß[1], auf diese Fragen nicht ein. Er sagt einfach: so urteilt Gott! Indirekt gibt er aber doch einen Hinweis, warum Gott scheinbar so ungerecht handelt. Das Stoßgebet des Zöllners ist ein Zitat. Er betet die Anfangsworte des 51. Psalms[2], fügt nur ein (adversativ gemeintes) τῷ ἁμαρτωλῷ hinzu: „Mein[3] Gott, erbarme Dich meiner, obwohl ich so sündig bin" (V. 13). In demselben 51. Psalm aber heißt es: „Das Opfer, das Gott gefällt, ist ein zerschlagener Geist; ein zerschlagenes Herz wirst Du, o Gott, nicht verachten" (V. 19). So ist Gott, sagt Jesus, wie es Ps. 51 geschrieben steht. Er sagt Ja zum hoffnungslos verzweifelten Sünder und Nein zum Selbstgerechten. Er ist der Gott der Verzweifelten, und seine Barmherzigkeit mit denen, deren Herz zerschlagen ist, ist grenzenlos. So ist Gott. Und so handelt er jetzt durch mich als seinen Stellvertreter.

Um die Rechtfertigung des Evangeliums geht es möglicherweise auch in dem Bildwort vom Vater und Kind (Mt. 7,9—11; Lk. 11,11—13). A. T. Cadoux[4] hat darauf aufmerksam gemacht, daß a) Jesus das Urteil πονηροὶ ὄντες sonst nicht auf seine Jünger, sondern auf die Pharisäer angewandt habe (Mt. 12,34) und daß b) in Mt. 7,11b der Übergang von der 2. zur 3. Person auffalle (es heißt nicht, wie man im jetzigen Zusammenhang erwarten müsse: „wird er Euch geben", sondern: „wird er den Bittenden geben"). Den ὑμεῖς πονηροὶ ὄντες stehen also die Gott Bittenden gegenüber! Cadoux schließt daraus, daß wir ein Kampfwort Jesu vor uns haben. Er entscheidet sich für die Priorität des Lukastextes (11,13: δώσει πνεῦμα ἅγιον) und vermutet von da aus als Situation des Logions den Beelzebub-

---

[1] S. S. 106. Die Frage, ob V. 14 b ursprünglich ist, ist nicht sicher zu entscheiden.

[2] Vgl. die Wiedergabe von Lk. 18,13 Ende in Pesch.: 'elaha ḥunnen mit Ps. 51,3: ḥonneni 'alohim.

[3] Ὁ θεός = aram. 'alahi = mein Gott.

[4] The Parables of Jesus, New York 1931, S. 76f.

vorwurf. So wie Ihr Euren Kindern gute Gaben gebt, so gibt Gott denen, die Ihn bitten, den Geist, durch den ich die Dämonen austreibe. Die Vermutung, daß wir Mt. 7,9—11 Par. ein Kampfwort vor uns haben, ist mit dem Hinweis auf Mt. 12,34 und auf den Wechsel von der 2. zur 3. Person in 7,11 einleuchtend begründet. Es kommt hinzu, daß die Frage τίς ἐξ ὑμῶν gern Worte Jesu an die Gegner einleitet (Mt. 12,11 vgl. Par. Lk. 14,5; Lk. 15,4 [s. o. S. 102]). Nur ist die Bevorzugung des Lukastextes unnötig. Ἀγαθά (Mt. 7,11) führt auf denselben eschatologischen Sinn wie πνεῦμα ἅγιον (Lk. 11,13), denn τὰ ἀγαθά (das Semitische kennt keinen Superlativ) ist geläufige Bezeichnung für die Gaben der Heilszeit (Röm. 3,8; 10,15 = Jes. 52,7[1]; Hebr. 9,11; 10,1 vgl. Lk. 1,53). So könnten wir in der Tat Mt. 7,9—11 Par. ein Wort vor uns haben, das gegenüber Mißdeutungen der Worte und Taten Jesu gesagt wäre. Als Anlaß wäre am ehesten der übliche Anstoß der Gegner Jesu zu denken: die Verkündigung der Frohbotschaft an die Verachteten. Zöllner bitten und werden erhört (Lk. 18,13f.), welches Ärgernis! Jesus entgegnet: „Ihr seid blind gegenüber Gottes Vatergüte. Denkt an Euch selbst und Eure Kinder! Wenn Ihr trotz Eurer Bosheit Euren Kindern gute Gaben zu geben vermögt — warum traut Ihr dann Gott nicht zu, daß er denen, die ihn bitten, die Gaben der Heilszeit schenkt?"

Schließlich ist hier noch einmal[2] an das Gleichnis von den beiden zahlungsunfähigen Schuldnern zu erinnern, denen der Gläubiger die Schuld erließ, dem einen die große, dem anderen die kleine (Lk. 7,41—43). Fürwahr ein „weißer Rabe"[3] unter den Gläubigern. Wo ist er zu finden? Es ist deutlich, daß Jesus von Gott redet. So ist Gott, so unbegreiflich gütig! Verstehst Du nicht, Simon? Die Liebe dieser Frau, über die Du die Nase rümpfst, ist Ausdruck überströmender Dankbarkeit für unbegreifliche Gottesgüte! Wie tust Du ihr und mir unrecht und wie fehlt Dir das Beste!

Alle Evangeliumsgleichnisse sind Apologien der Frohbotschaft. Die Verkündigung der Frohbotschaft an die Sünder hat Jesus anders vollzogen: im Zuspruch der Vergebung, in der Einladung der Verschuldeten an seinen Tisch, im Ruf in die Nachfolge. Die Evangeliumsgleichnisse hat er nicht zu den Sündern gesagt, sondern zu den Gerechten: zu Menschen, die Jesus ablehnen, weil er die Ver-

---

[1] Über die Deutung von Jes. 52,7 auf die messianische Zeit bei den Rabbinen vgl. Bill. III, S. 282 f.

[2] S. S. 126 f.

[3] E. Klostermann, Das Lukasevangelium[2], Tübingen 1929, z. St. Diese Bezeichnung träfe nicht zu, wenn der Schulderlaß (mit W. Salm, Beiträge zur Gleichnisforschung, Diss. Göttingen 1953, S. 149 A. 1a) nach Lk. 16,5—7, also als Bestechungsversuch, zu verstehen wäre. Dann bliebe das kleine Gleichnis im Rahmen zwar nicht des Alltäglichen, aber doch des Vorkommenden und der Gläubiger wäre ein sehr schwarzer Rabe. Aber das hätte doch wohl irgendwie angedeutet werden müssen.

achteten zu sich ruft; die enttäuscht sind, weil sie auf den Tag der Rache warten; die ihr Herz der Frohbotschaft verschließen, weil sie mit Entschlossenheit den Weg Gottes gehen wollen, mit Ernst fromm sein wollen und dabei zu gut von sich selbst denken. Diese Menschen ärgern sich am Evangelium, und zwar handelt es sich, das will für die Echtheitsfrage beachtet sein, durchgängig nicht um das nachösterliche (1.Kor.1,23), sondern um das vorösterliche Skandalon: den Anstoß an der Knechtsgestalt der Heilsgemeinde. Warum, so fragen sie immer wieder, läßt Du Dich mit diesem Gesindel ein, mit dem kein anständiger Mensch zu tun haben will? Weil sie krank sind und mich nötig haben, weil sie wirklich Buße tun, weil sie um die Dankbarkeit des begnadeten Gotteskindes wissen. Und weil Ihr nicht wollt, lieblos, selbstgerecht, ungehorsam seid. Vor allem: weil Gott so ist, so gütig zu den Armen, so voll Freude über das Finden des Verlorenen, so voll Vaterliebe zu dem verkommenen Kind, so gnädig dem Verzweifelten, Hilflosen, in Not Geratenen. Darum!

### 3. Die große Zuversicht

Diese Gleichnisgruppe, zu der einerseits die vier Kontrastgleichnisse (Senfkorn, Sauerteig, Säemann und geduldiger Landmann), andererseits die Gleichnisse vom gottlosen Richter und von dem nachts um Hilfe gebetenen Mann gehören, enthält ein Herzstück der Predigt Jesu.

Die Gleichnisse vom Senfkorn (Mk. 4,30—32; Mt. 13,31f.; Lk. 13,18f.; ThEv. 20) und Sauerteig (Mt. 13,33; Lk. 13,20f.; ThEv. 96) sind inhaltlich so eng verwandt, daß es sich empfiehlt, sie zusammen zu besprechen, obwohl sie bei verschiedener Gelegenheit gesprochen sein werden (s. o. S. 90f.).

Im ThEv. lauten die beiden Gleichnisse folgendermaßen: „Die Jünger sagten zu Jesus: Sage uns, wem das Königreich der Himmel gleicht. Er sagte zu ihnen: Es gleicht einem Senfkorn, das kleiner ist als alle Samen. Wenn es aber auf das Land fällt, das man bearbeitet, so bringt es [das Land] einen großen Sproß hervor und er wird zum Schutz für die Vögel des Himmels" (ThEv. 20). „Jesus sagte: Das Königreich des Vaters gleicht einer Frau. Sie nahm ein wenig Sauerteig, verbarg ihn in Teig und machte ihn zu großen Broten. Wer Ohren hat, der höre!" (ThEv. 96).

Beide Gleichnisse tragen ausgesprochen palästinisches Kolorit[1]. Für ihr Verständnis ist grundlegend die Feststellung, daß die Übersetzung: „Die Königsherrschaft Gottes ist gleich einem Senfkorn" bzw. „gleich einem Stück Sauerteig" unrichtig ist; wir haben vielmehr zwei Gleichnisse mit Dativanfang vor uns, dem ein aramäisches *l*ᵉ zugrunde liegt (s. S. 99ff.), weshalb übersetzt werden muß: „So verhält es sich mit Gottes Königsherrschaft wie mit einem Senfkorn" bzw. „einem Stück Sauerteig". Die Gottesherrschaft wird dabei mit dem Schlußstadium verglichen: mit der den Vögeln Schutz gewährenden Staude und dem durchsäuerten Teig; ist doch der Baum, der die Vögel beschützt, geläufiges Bild für ein mächtiges Reich, das seinen Untertanen Schutz gewährt[2], und der Teig Röm. 11,16 Bild für das Gottesvolk.

Der eschatologische Charakter des Bildes von der Senfstaude wird dadurch bestätigt, daß κατασκηνοῦν (Mk. 4, 32; Mt. 13, 32; Lk. 13,19) geradezu eschatologischer Terminus technicus für die Einverleibung der Heiden in das Gottesvolk ist, vgl. Joseph und Aseneth 15: Καὶ οὐκέτι ἀπὸ τοῦ νῦν κληθήσῃ Ἀσενέθ, ἀλλ᾽ ἔσται τὸ ὄνομά σου πόλις καταφυγῆς, διότι ἐν σοὶ καταφεύξονται ἔθνη πολλὰ καὶ ὑπὸ τὰς πτέρυγάς σου κατασκηνώσουσι, καὶ σκεπασθήσονται διὰ σοῦ ἔθνη πολλά, καὶ ἐπὶ τὰ τείχη σου διαφυλαχθήσονται οἱ προσκείμενοι τῷ θεῷ τῷ ὑψίστῳ διὰ μετανοίας[3]. Darüber hinaus ist bei Matthäus und Lukas der eschatologische Charakter bei beiden Gleichnissen durch ausmalende Züge noch unterstrichen: beim Gleichnis vom Senfkorn haben sie die Senfstaude (Mk. 4, 32; ThEv. 20) in einen Baum verwandelt (s. S. 27), und beim Gleichnis vom Sauerteig haben sie die übergroße Fülle durch die im ThEv. (96) fehlende, aus Gen. 18, 6 stammende Maßangabe von drei Seʾa (39, 4 Liter) drastisch veranschaulicht (s. S. 27) — drei Seʾa sind fast ein halber Zentner Mehl, und das aus dieser Menge gebackene Brot ergäbe eine Mahlzeit für mehr als 100 Personen[4]. Diese den Rahmen der Wirklichkeit überschreitenden Züge (δένδρον Mt. 13, 32; Lk. 13,19: die Senfstaude ist kein Baum; σάτα τρία: so riesige Mengen Mehl verbäckt keine Hausfrau) wollen sagen: es handelt sich um Realitäten Gottes!

---

[1] Das Senfkorngleichnis weist, wie M. Black, An Aramaic Approach to the Gospels and Acts[2], Oxford 1954, S. 123, feststellte, bei Rückübersetzung ins Aramäische Wortspiele und Alliterationen auf: Mk. 4, 31: *di khadh z*ᵉ*riʿ* (gesät) *ʿal ʾar*ʿ*a* (Erde) *z*ᵉ*er* (klein) *hu min kull*ᵉ*hon zar*ʿ*in* (Samenkörner) *dibh*ᵉ*ʾar*ʿ*a* (32) *w*ᵉ*khadh z*ᵉ*riʿ r*ᵉ*bha* (aufgehen) *wah*ᵃ*wa rabba* (groß) . . . *ʿanpin* (Zweige) *rabhr*ᵉ*bhin* (groß) . . . *ʿophin* (Vögel). — Sauerteiggleichnis: σάτον (= 13,13 Liter) ist palästinisches Maß.

[2] Dodd, S. 190 verweist auf Ez. 17, 23; 31, 6; Dan. 4, 9. 11. 18; T. W. Manson, Teaching, S. 133 A. 1, zeigt an Hand je eines apokalyptischen (äth. Hen. 90, 30. 33. 37) und rabbinischen (Midhr. Ps. zu 104,12) Beleges, daß die Vögel die Heiden versinnbildlichen.

[3] Ed. P. Batiffol, a. a. O. S. 61, 9—13.

[4] Peʾa 8, 7: Ein Laib Brot aus 0,675 Liter Mehl = zwei Mahlzeiten.

146

Beide Gleichnisse schildern einen scharfen Kontrast. Diese Übereinstimmung in der Struktur war der Anlaß dafür, daß sie von Matthäus (13,31—33) und Lukas (13,18—21) als Doppelgleichnis überliefert werden. Da ist das Senfkorn, stecknadelkopfgroß, die kleinste dem menschlichen Auge wahrnehmbare Größe[1], „das allerwinzigste Saatkörnlein auf der ganzen Welt" (Mk. 4,31) — jedes Wort malt aus, wie klein es ist; und wenn es aufgegangen ist, ist es „das größte unter sämtlichen Gartengewächsen und bringt große Zweige hervor, so daß die Vögel des Himmels in seinem Schatten nisten können" (V. 32) — jedes Wort malt die Größe der Senfstaude aus, die am See Genezareth eine Höhe von zweieinhalb bis zu drei Metern erreicht[2]. Da ist der Sauerteig, ein winziges Stück (vgl. 1.Kor. 5,6; Gal. 5,9), verschwindend wenig gegenüber der großen Menge Mehl; die Hausfrau vermengt ihn, deckt ein Tuch darüber, läßt das Gemenge über Nacht stehen, und wenn sie am Morgen kommt, ist die ganze Teigmasse durchsäuert[3]. In den beiden Gleichnissen ist nicht etwa eine Entwicklung geschildert, das wäre abendländisch gedacht. Der Morgenländer denkt anders, er faßt Anfangs- und Endstadium ins Auge[4], für ihn ist in beiden Fällen das Überraschende: die Aufeinanderfolge zweier grundverschiedener Zustände[5]. Nicht zufällig ist für den Talmud (b. Sanh. 90b), für Paulus (1.Kor. 15,35—38),

[1] Lev. r. 31 zu 24,2.

[2] G. Dalman, Arbeit und Sitte II, Gütersloh 1932, S. 293; K.-E. Wilken, Biblisches Erleben im Heiligen Land I, Lahr-Dinglingen 1953, S. 108. Die Vögel werden durch den Schatten und den Senfsamen angezogen, ebd. S. 109.

[3] Wenn das ThEv. das kleine Stück Sauerteig mit den großen Broten konfrontiert, so wird zwar der Kontrastcharakter des Gleichnisses erhalten, aber seine Klimax ist verschoben: der Blick ruht nicht mehr auf dem Augenblick, in dem die durchsäuerte Teigmasse sichtbar wird (vgl. B. Gärtner, The Theology of the Gospel According to Thomas, New York 1961, S. 231).

[4] Vgl. die Eigenart semitischer Redeweise, nur die Anfangs- und Endhandlung zu erwähnen, ohne die Zwischenzeit zu berücksichtigen: Mt. 27,8 (scil.: und trägt diesen Namen); 28,15 (scil.: und hat sich erhalten); Lk. 4,14 (Jesus kehrte zurück, scil.: und wirkte...); Joh. 12,24 (s. S.218 A. 3); Apg. 7,44 —45 (vor ἕως ist zu ergänzen: und ließen sie stehen); Apk. 12,5 (Geburt und Entrückung erscheinen als zwei aufeinander folgende Ereignisse, das Erdenleben Jesu wird übersprungen, vgl. M. Rissi, Zeit und Geschichte in der Offb. d. Joh., Zürich 1952, S. 44). Ganz ebenso Mt. 13,33; Lk. 13,21 (vor ἕως ist zu ergänzen: und ließ das Gemenge stehen).

[5] Vgl. A. Schweitzer, Geschichte der Leben-Jesu-Forschung[2], Tübingen 1913, S. 402f.

10*

Johannes (12,24), den 1. Clemensbrief (24,4—5) das Saatkorn Sinnbild der Auferstehung, Symbol des Tod-Leben-Mysteriums. Sie sehen zwei völlig verschiedene Zustände: hier das tote Samenkorn, dort das wogende Getreidefeld, hier Tod, dort durch das Wunder der Allmacht Gottes bewirktes Leben. „Laßt uns auf die Früchte achten. Wie und auf welche Weise geht das Säen vor sich? Es ging der Säemann aus und warf auf die Erde jedes der Samenkörner. Sie fallen auf den Acker, trocken und nackt, und verwesen. Dann aus der Verwesung läßt die erhabene Fürsorge des Herrn sie auferstehen. Und aus dem Einen werden Viele, und sie bringen Frucht" (1. Clem. 24,4—5). Der moderne Mensch geht über ein Ackerfeld und versteht das Wachstum als einen biologischen Vorgang. Die Männer der Bibel gehen über ein Ackerfeld und sehen in dem gleichen Vorgang ein Gotteswunder nach dem anderen, lauter Auferweckungen aus dem Tode. So haben Jesu Hörer die Gleichnisse vom Senfkorn und Sauerteig verstanden, als Kontrastgleichnisse. Ihr Sinn ist: aus den kümmerlichsten Anfängen, aus einem Nichts für menschliche Augen, schafft Gott seine machtvolle Königsherrschaft, die die Völker der Welt umfassen wird[1].

Wenn das richtig ist, so wird man als die Situation, in der die beiden Gleichnisse gesprochen wurden, die Äußerung von Zweifeln an Jesu Sendung erschließen dürfen[2]. Wie anders waren die Anfänge der von Jesus verkündeten Heilszeit als das, was man sich unter dieser vorstellte! Diese armselige Schar, zu der so viele übel beleumdete Gestalten gehörten, sollte die hochzeitliche Heilsgemeinde Gottes sein? Ja, sagt Jesus, sie ist es. Mit derselben zwangsläufigen Sicherheit, mit der aus dem winzigen Senfkorn die große Staude, aus dem kleinen Stück Sauerteig die gärende Teigmasse hervorgeht, wird Gottes Wunder meine kleine Schar zum großen, die Völker umfassenden universalen Gottesvolk der Heilszeit werden lassen. „Ihr wißt nicht, was Gott vermag" (Mk. 12,25). „Ihr seid sehr im Irrtum" (V. 27).

Um die Wucht dieser Aussage voll zu erfassen, muß man noch eine letzte Beobachtung hinzunehmen. Den Hörern Jesu war von der Schrift her (Ez. 31; Dan. 4) der hohe Baum als Bild für die

---

[1] J. Jeremias, Jesu Verheißung für die Völker[2], Stuttgart 1959, S. 59f.; o. S. 146 A. 2.

[2] N. A. Dahl, The Parables of Growth, in: Studia Theologica 5 (1951), S. 140.

Weltmacht geläufig, und das kleine Stück Sauerteig, das den ganzen Teig durchsäuert, war ihnen von der Passa-Haggadha her als Sinnbild der Bosheit und Schlechtigkeit vertraut[1]. Jesus hat die Kühnheit, beiden Vergleichen eine entgegengesetzte Anwendung zu geben. So ist's — nicht mit der Macht des Bösen, sondern mit der königlichen Macht Gottes!

Wollen wir das Gleichnis vom unverzagten Säemann (Mk. 4,3—8; Mt. 13,3—8; Lk. 8,5—8; ThEv. 9 s. o. S. 24)[2] in seinem mutmaßlich ursprünglichen Sinn verstehen, so müssen wir von der Deutung absehen, die seine eschatologische Spitze verfehlt und, den Akzent vom Eschatologischen auf das Psychologische und Paränetische verschiebend, aus ihm eine Mahnung an die Konvertiten gemacht hat, die vor mangelnder Standhaftigkeit in Verfolgungszeit und vor Weltlichkeit gewarnt werden (s. S. 77)[3]. Auszugehen hat das Verständnis von der Feststellung, daß das Gleichnis am Anfang einen anderen Zeitpunkt beschreibt als am Schluß. Es wird uns nämlich zunächst breit die Aussaat geschildert, im Schlußvers ist es jedoch bereits Erntezeit. Wieder haben wir ein Kontrastgleichnis vor uns. Es schildert auf der einen Seite die vielfach erfolglose Arbeit des Säemanns; denn lediglich dieses will die Schilderung des noch nicht gepflügten Brachfeldes (s. S. 7f.) zum Ausdruck bringen[4], wobei sie fortfahren und Unkraut, Glutwind (Schirokko), Heuschrecken und andere Feinde der Saat aufzählen könnte, wie denn tatsächlich das ThEv. (9) noch den Wurm erwähnt[5]. Dem stellt der Schluß des Gleichnisses (V. 8) nicht etwa — wie es nach V. 14—20 den Anschein hat — ein besonders fruchtbares Stück Land gegenüber, sondern das gesamte Feld im Erntestadium. Mit der Ernte wird, wie so oft (s. S. 118ff.), der Einbruch der Königsherrschaft Gottes verglichen. Die die Wirklich-

---

[1] 1.Kor.5,6—8 und dazu J. Jeremias, Die Abendmahlsworte Jesu[3], Göttingen 1960, S. 53f.

[2] Es trägt palästinischen Charakter: vgl. die zahlreichen Semitismen (Beispiele S. 7 A. 2; Mk. 4, 8. 20 ist das dreimalige εἷς bzw. ἕν [so ist zu lesen, nicht εἰς bzw. ἐν!] Fehlübersetzung des aramäischen Multiplikativzeichens ḥadh) und die palästinische Säetechnik (S. 7f.).

[3] Die von der Deutung ausgehende Bezeichnung des Gleichnisses als ‚Gleichnis vom viererlei Acker‘ ist irreführend, vgl. S. 128 A. 2.

[4] Dodd, S. 19. 24. 182.

[5] „Und andere Samenkörner fielen auf die Dornen; die erstickten den Samen, und der Wurm fraß sie" (s. o. S. 24).

keit weit überschreitende[1], orientalischer Redeweise entsprechende[2] Dreiung der Ertragszahlen (dreißig-, sechzig-, hundertfältig) deutet dabei die jedes Maß übersteigende, eschatologische Fülle Gottes an (V. 8)[3]. Scheint auch viel Arbeit für Menschenaugen vergeblich und erfolglos zu sein, mag scheinbar Mißerfolg auf Mißerfolg eintreten, Jesus ist voll Freudigkeit und Zuversicht: Gottes Stunde kommt und mit ihr ein Erntesegen über Bitten und Verstehen. Allem Mißerfolg und Widerstand zum Trotz läßt Gott aus den hoffnungslosen Anfängen das herrliche Ende, das Er verheißen hat, hervorgehen[4]. Wieder ist der Rückschluß auf die Situation, die Jesus den Anlaß zu diesem Gleichnis gab, nicht schwer[5]. Sie wird derjenigen, in der die Gleichnisse vom Senfkorn und Sauerteig gesprochen wurden, nah verwandt sein: es geht um Zweifel am Erfolg der Verkündigung. Nur ruht der Blick nicht, wie dort, auf der Armseligkeit der Gefolgschaft Jesu, sondern auf seinen Mißerfolgen in Gestalt vergeblicher Predigt (Mk. 6, 5f.), erbitterter Gegnerschaft (Mk. 3, 6), zunehmenden Abfalls (Joh. 6, 60). War das alles nicht die Widerlegung seines Sendungsanspruches? Seht auf den Landmann, sagt Jesus. Er könnte verzagen angesichts der vielen Widrigkeiten, die seine Saat zerstören und bedrohen. Dennoch ist er unbeirrt in seiner Zuversicht, daß ihm eine reiche Ernte beschert wird. Ihr Kleingläubigen! „Wie kommt es, daß Ihr keinen Glauben habt?" (Mk. 4, 40).

---

[1] G. Dalman, Arbeit und Sitte III, Gütersloh 1933, S. 153—165: Der Ertrag. Die reichen Zahlenangaben Dalmans ergeben, daß ein zehnfacher Ertrag als gute Ernte gilt, siebeneinhalbfacher Ertrag als das Normale.

[2] Vgl. Sir. 41,4: „Magst Du nun 1000 Jahre leben oder 100 oder 10."

[3] Der überreiche Ertrag des Bodens in der Heilszeit ist schon im AT., aber ebenso in der pseudepigraphischen und rabbinischen Literatur stehende eschatologische Metapher (Dahl [s. S. 148 A. 2] S. 153; J. Jeremias, Unbekannte Jesusworte, Gütersloh 1951, S. 14f.).

[4] Daß damit der Tenor des Gleichnisses richtig getroffen sein dürfte, bestätigt die älteste Exegese: Justin der Märtyrer und der Verfasser der pseudoklementinischen Rekognitionen verstehen das Gleichnis vom Sämann nicht als Aufforderung an die Hörer zur Selbstprüfung, sondern als eine Ermutigung für den christlichen Prediger, nicht an seiner Arbeit zu verzweifeln (Justin, Dial. 125; Rec. 3,14, vgl. M. F. Wiles, Early Exegesis of the Parables, in: Scottish Journal of Theology 11 [1958], S. 293). Diese Deutung ist um so bemerkenswerter, als sie über die allegorische Auslegung, die Justin und der Autor der Rekognitionen bei allen drei Synoptikern fanden, hinausgeht. Sie dürfte auf alter Überlieferung beruhen.

[5] Dahl, ebd. S. 148ff.

Zu den Kontrastgleichnissen gehört schließlich auch das Gleichnis von der selbstwachsenden Saat, das richtiger das Gleichnis vom geduldigen Landmann heißen sollte[1] (Mk. 4,26—29)[2]. Wieder wird der Einbruch der Königsherrschaft Gottes mit der Ernte verglichen[3]. Wieder wird scharf gegenübergestellt! Die Untätigkeit des Landmannes wird plastisch geschildert, der nach der Aussaat sein Leben weiterführt im gleichmäßigen Wechsel von Schlafen und Aufstehen, Nacht und Tag[4]; ohne daß er es sich erklären kann ($\dot{\omega}\varsigma$ $o\dot{v}\varkappa$ $o\tilde{i}\delta\varepsilon\nu$ $a\dot{v}\tau\acute{o}\varsigma$) und ohne daß er etwas dazu tun kann ($a\dot{v}\tau o\mu\acute{a}\tau\eta$), wächst die Saat vom Halm zur Ähre und von der Ähre zum voll ausgebildeten Korn (die Einzelaufzählung der Reifestadien ist ein retardierendes Moment, das die Spannung erhöhen soll). Und dann ist plötzlich eines Tages die Stunde da, die das geduldige Warten belohnt. Das Korn ist reif, die Schnitter ziehen aus, der Jubelruf erschallt: „Herbeigekommen ist die Ernte" (V. 29, vgl. Joel 4,13). So ist es mit der Königsherrschaft Gottes: so sicher wie für den Landmann nach langem Warten die Ernte kommt, so sicher bringt Gott, wenn Seine Stunde gekommen ist, wenn das eschatologische Maß erfüllt ist[5], Endgericht und Königsherrschaft herbei[6]. Menschen können nichts dazu tun, sie können nur warten, Geduld üben, wie der Landmann sie übt (Jak. 5,7). Es ist schon oft vermutet worden, daß dieses Gleichnis

[1] B. T. D. Smith, S. 129ff.; Dahl, ebd. S. 149. Andere irrige Bezeichnungen für Gleichnisse Jesu s. S. 128 A. 2.

[2] Eine (auf deutsche Autoren beschränkte) Übersicht über die neueren Auslegungen des Gleichnisses bietet G. Harder in: Theologia viatorum, Berlin 1948/49, S. 53—60. Eine Übersicht über vier Auslegungen ferner bei F. Mußner, Gleichnisauslegung und Heilsgeschichte, in: Trierer Theologische Zeitschrift 64 (1955), S. 257—262. Harder deutet den Säemann auf Gott, Mußner auf Christus.

[3] Nicht etwa mit der Saat! Vgl. die Bezugnahme auf Joel 4,13 in Mk. 4,29b.c und oben S. 77.

[4] Beachte die auf den Aorist $\beta\acute{a}\lambda\eta$ folgenden beiden Präsentia $\varkappa\alpha\vartheta\varepsilon\acute{v}\delta\eta$ $\varkappa\alpha\acute{\iota}$ $\dot{\varepsilon}\gamma\varepsilon\acute{\iota}\varrho\eta\tau\alpha\iota$, die die Untätigkeit ausmalen.

[5] Die Vorstellung des eschatologischen Maßes, die im NT. eine große Rolle spielt — es redet vom Maß der Zeit (Gal. 4,4), der Heiden (Röm. 11,25), der Märtyrer (Apk. 6,11), der Leiden (Kol. 1,24), der Bußfrist (Apk. 11,3.7), der Sünde (Mt. 23,32; 1. Thess. 2,16) —, bedarf noch der Untersuchung.

[6] In analoger Weise wie Mk. 4,26—29 bringt 4. Esra die Sicherheit des Anbruchs des Endes trotz langer Wartezeit am Vergleich mit der Schwangeren zum Ausdruck: 4,33 „Wann soll das geschehen? ... (40) Geh' hin, frage die Schwangere, ob ihr Schoß, wenn ihre neun Monate um sind, noch das Kind bei sich behalten kann."

im Gegensatz steht zu den Bestrebungen der Zeloten, die messianische Erlösung durch die Abwerfung des Römerjoches mit Gewalt herbeizuzwingen[1], wobei man sich erinnern muß, daß auch zum Jüngerkreis ehemalige Zeloten gehörten[2]. Warum handelte Jesus nicht? Handeln war das Gebot der Stunde! Warum schritt er nicht energisch zur Aussonderung der Sünder und zur Herstellung der reinen Gemeinde (Mt. 13, 24—30, s. S. 224)? Warum gab er nicht das Signal zur Befreiung Israels vom Joch der Heiden (Mk. 12, 14 Par.; [Joh.] 8, 5 f.[3])? War nicht auch dieses Versagen Jesu eine Widerlegung seines Sendungsanspruches? Wieder ist es ein Kontrastgleichnis, mit dem Jesus auf die Zweifel an seiner Sendung und auf die enttäuschten Hoffnungen antwortet. Seht den Landmann an, sagt er, der geduldig auf die Stunde der Ernte wartet! Auch Gottes Stunde kommt unaufhaltsam. Er hat den entscheidenden Anfang gemacht, die Saat ist ausgesät. Bei Ihm bleibt nichts liegen (vgl. Phil. 1, 6). Sein Anfang bürgt für die Vollendung. Bis dahin gilt es, geduldig zu warten und Gott nicht vorzugreifen, sondern Ihm in vollem Vertrauen alles zu überlassen.

Alle vier Gleichnisse haben gemeinsam, daß sie Anfang und Ende gegenüberstellen. Der unscheinbare Anfang und das gewaltige Ende — was ist das für ein Gegensatz! Aber der Kontrast ist nicht die ganze Wahrheit[4]. Aus dem Korn wird die Frucht, aus dem Anfang wird das Ende. Im Allerkleinsten ist das Allergrößte schon wirksam. Im Jetzt hebt das Geschehen schon an, freilich in der Verborgenheit. Diese Verborgenheit der Basileia will geglaubt werden in einer Welt, die davon noch nichts erkennt. Die, denen es geschenkt ist, das Geheimnis der Königsherrschaft zu verstehen (Mk. 4,11), sehen bereits in den verborgenen und unscheinbaren Anfängen die kommende Herrlichkeit Gottes.

Ein Herzstück der Verkündigung Jesu, die starke Zuversicht: Gottes Stunde kommt! Mehr: sie ist schon im Anbruch. In Gottes Anfang liegt das Ende schon eingeschlossen. Alle Zweifel an seiner

---

[1] Namentlich C. A. Bugge, Die Hauptparabeln Jesu I, Gießen 1903, S. 157 ff., vertrat diese Ansicht.

[2] Simon der Zelot und (wahrscheinlich) Judas Iskarioth, beide wohl nicht zufällig Mk. 3, 18 f. par. Mt. 10, 4 als „Jochgenossen" (vgl. Mk. 6, 7) zusammen genannt.

[3] Zu [Joh.] 7, 53—8, 11 s. ZNW. 43 (1950/51), S. 148 f.

[4] Vgl. E. Lohse, Die Gottesherrschaft in den Gleichnissen Jesu, in: Evang. Theologie 18 (1958), S. 157.

Sendung, aller Spott, aller Kleinglaube, alle Ungeduld können Jesus nicht beirren in der Gewißheit: aus einem Nichts, ungeachtet allen Mißerfolgs, unaufhaltsam führt Gott doch Seine Anfänge zur Vollendung. Es gilt nur Ernst zu machen mit Gott, wirklich mit Ihm zu rechnen, allem Augenschein zum Trotz.

Worauf beruht diese Zuversicht? Auf diese Frage geben zwei nah verwandte Gleichnisse die Antwort, zunächst das Gleichnis vom ungerechten Richter (Lk. 18, 2—8).

Zu V. 1 s. S. 156. — V. 2: Die Bezeichnung ὁ κριτὴς τῆς ἀδικίας (V. 6) scheint den Richter als bestechlich kennzeichnen zu wollen; so ist dann auch V. 2 zu verstehen. Ἄνθρωπον μὴ ἐντρεπόμενος: er pfeift darauf, was man ihm nachsagt. — V. 3: Die Witwe ist nicht notwendig als alte Frau vorzustellen. Das frühe Heiratsalter (für Mädchen lag es normalerweise zwischen 13 und 14 Jahren[1]) hatte zur Folge, daß es auch ganz junge Witwen gab[2]. Da die Witwe ihre Klage beim Einzelrichter (nicht bei einem Gerichtshof) anbringt, handelt es sich um eine Geldsache[3]: eine Schuldsumme, ein Pfand, ein Teil des Erbes wird ihr vorenthalten. Sie ist arm, kann dem Richter kein Geschenk machen[4] (schon im AT. sind Witwen und Waisen Typ der Hilf- und Wehrlosigkeit); ihr Prozeßgegner ist als reicher, angesehener Mann zu denken[5]. Ἤρχετο ist iteratives Imperfekt „immer wieder": ihre einzige Waffe ist ihre Beharrlichkeit. Ἐκδίκησόν με ἀπὸ τοῦ ἀντιδίκου μου: „Verhilf mir zu meinem Recht in meinem Prozeß." — V. 4: Οὐκ ἤθελεν: „er weigerte sich", wie Mk. 6, 26 und Lk. 18, 13 mit der Nuance: „er wagte es nicht"[6]. — V. 5: Schließlich gibt er nach: διά γε τὸ παρέχειν μοι κόπον τὴν χήραν ταύτην „weil mir diese Witwe da (ταύτην verächtlich wie οὗτος 15, 30) auf die Nerven fällt". Ἵνα μὴ εἰς τέλος ἐρχομένη ὑπωπιάζῃ με: das ist nicht mit Luther zu übersetzen: „damit sie nicht zuletzt komme und betäube mich", sondern ὑπωπιάζειν („[beim Boxkampf] unter das Auge schlagen") ist mit sy[cur pal pesch] georg u. a. und mit der Mehrzahl der Kommentatoren übertragen zu fassen (wie 1. Kor. 9, 27): „damit sie mich nicht durch ihre Quengelei (ἐρχομένη)[7] total (εἰς τέλος) fertig macht (ὑπωπιάζῃ με)"[8]. Nicht die Furcht vor einem

---

[1] Bill. II, S. 374.

[2] Vgl. E. F. F. Bishop, Jesus of Palestine, London 1955, S. 229.

[3] b. Sanh. 4b (Bar.): „Ein autorisierter Gelehrter darf Vermögensstreitigkeiten als Einzelrichter entscheiden" (Bill. I, S. 289); vgl. Mt. 5, 25.

[4] T. W. Manson, Sayings, S. 306.

[5] K. Bornhäuser, Studien zum Sondergut des Lukas, Gütersloh 1934, S. 162f.

[6] S. S. 140 zu Lk. 18, 13.

[7] Iterativ wie in V. 3, vgl. Lk. 16, 21. Zu ἔρχεσθαι = „wiederkommen" (Semitismus) vgl. S. 197 und ebd. A. 3.

[8] Bl.-Debr. § 207, 3 Anh.: „damit sie mich nicht durch ihr beständiges Kommen (Präsens!) allmählich (Präs. ὑπωπιάζῃ) völlig kaputt macht." The New English Bible, Oxford-Cambridge 1961: "before she wears me out with her persistence".

Wutausbruch der Frau, sondern ihre Beharrlichkeit bringt ihn zum Nachgeben. Er ist die ewige Quengelei leid und will seine Ruhe haben[1]. So erst wird, wie wir sehen werden, die Anwendung V. 7—8a sinnvoll. — V. 7 (ὁ δὲ θεὸς οὐ μὴ ποιήσῃ τὴν ἐκδίκησιν τῶν ἐκλεκτῶν αὐτοῦ τῶν βοώντων αὐτῷ ἡμέρας καὶ νυκτός, καὶ μακροθυμεῖ ἐπ' αὐτοῖς) ist schwierig wegen des Wechsels vom Konjunktiv (ποιήσῃ) zum Indikativ (μακροθυμεῖ), weil durch den Moduswechsel V. 7b zum selbständigen Satz wird. Wörtlich: „Und Gott sollte seinen Auserwählten nicht zu Hilfe eilen[2], die Tag und Nacht zu ihm schreien? Und er hat Geduld mit ihnen." Es liegt eine aramaisierende Konstruktion vor[3]: a) Der Hauptsatz καὶ μακροθυμεῖ ἐπ' αὐτοῖς vertritt einen Relativsatz: „und die er geduldig anhört"[4]; b) die Partizipialkonstruktion (τῶν βοώντων κτλ.) vertritt die Stelle eines Adverbialsatzes: „wenn sie zu ihm schreien"[5]. Also: „Und Gott sollte Seinen Auserwählten nicht zu Hilfe eilen, Er, der sie geduldig anhört, wenn sie Tag und Nacht zu Ihm schreien?" Der aramaisierende Satzbau weist auf das Alter der Überlieferung. — V. 8a: Ἐν τάχει hier = „plötzlich, unvermutet" (vgl.

---

[1] H. B. Tristram, Eastern Customs in Bible Lands, London 1894, S. 228 (zitiert von B. T. D. Smith, S. 150), schildert sehr anschaulich den Gerichtshof von Nisibis (Mesopotamien). Gegenüber dem Eingang saß der Kadi, halb in Kissen begraben, rund um ihn Sekretäre. Im vorderen Teil der Halle drängte sich die Bevölkerung; jeder forderte, daß seine Sache zuerst drankomme. Die Klügeren tuschelten mit den Sekretären, steckten ihnen „Gebühren" zu und wurden prompt abgefertigt. Inzwischen jedoch unterbrach eine arme Frau am Rande beständig die Verfahren mit lautem Schreien nach Gerechtigkeit. Sie wurde streng zur Ruhe verwiesen, und vorwurfsvoll wurde erzählt, daß sie jeden Tag käme. „Und das werde ich," schrie sie laut, „bis der Kadi mich anhört." Endlich, am Schluß der Sitzung, fragte der Kadi ungeduldig: „Was will die Frau?" Ihre Geschichte war bald erzählt. Der Steuereinnehmer zwang sie zu Abgaben, obwohl ihr einziger Sohn zum Militärdienst geholt worden war. Der Fall war rasch entschieden. So wurde ihre Ausdauer belohnt. Hätte sie Geld gehabt, um einen Schreiber zu bezahlen, wäre sie viel früher zu ihrem Recht gekommen. Eine genaue moderne Analogie zu Lk. 18,2ff.!

[2] Diese Bedeutung hat τὴν ἐκδίκησιν ποιεῖν Test. Sal. 22,4, wohl auch Apg. 7,24; vgl. im Zusammenhang Lk. 18,3.5 ἐκδικεῖν: zum Recht verhelfen.

[3] Erkannt von H. Sahlin, Zwei Lukas-Stellen. Lk. 6,43—45; 18,7 = Symbolae Biblicae Upsalienses 4, Uppsala 1945, S. 9—20.

[4] Vgl. Mk. 2,15b: ἦσαν γὰρ πολλοί, καὶ ἠκολούθουν αὐτῷ = „denn die Zahl derer war groß, die ihm nachfolgten". Eine typisch semitische Konstruktion: formale Parataxe bei logischer Hypotaxe. Weitere Beispiele: Lk. 1,49 („dessen Name heilig ist und dessen Erbarmen..."); 11,14 („der stumm war"); 11,44 („von denen die Menschen..."); 22,47 („dem Judas ... voranging"); Mt. 1,21a („dessen Name").

[5] Das Aramäische ersetzt den Adverbialsatz gern durch Aussagesätze, Imperative, Fragesätze, Partizipia: Mk. 4,13 („wenn Ihr dieses Gleichnis nicht versteht"); Mk. 11,24 („wenn Ihr glaubt"); Mt. 7,7 („wenn Ihr bittet"); Mt. 8,9; 18,21.26; vgl. Lk. 12,42 mit 12,45 u. ö. Wir werden S. 196f. sehen, wie wichtig diese Beobachtung für das Verständnis von Mt. 12,43—45 ist.

154

LXX Dt.11,17; Jos.8,18f.; Ps.2,12; Ez.29,5; Sir.27,3)[1] wird Er ihnen helfen! V.8b: Unerwartet schließt das Gleichnis mit andringendem Ernst: „Es fragt sich nur (πλήν), wird der Menschensohn, wenn er kommt, Glauben auf Erden vorfinden?" Die in den früheren Auflagen geäußerte Vermutung, daß V.8b von Lukas als Abschluß angefügt worden sei, läßt sich nicht halten[2].

Die vielfach geltend gemachten Bedenken gegen die Echtheit der Verse 6—8 hat Bultmann prägnant zusammengefaßt: „Die Anwendung V. 6—8 ist sicher sekundär (vgl. Jülicher); sie ist durch εἶπεν δὲ ὁ κύριος abgesetzt und fehlt in der Parallele 11,5—8. Sie ist V. 8b noch durch einen sekundären Nachtrag vermehrt."[3] Den Verweis auf Jülicher würde ich freilich streichen; Jülicher begründet nämlich die Unechtheitserklärung damit, daß „die Stimmung" der Verse 6—8 „bei Jesus so unwahrscheinlich wie in der Ur-gemeinde herrschend" gewesen sei[4] — eine psychologische Argumentation, bei der Jülicher an die Rachegedanken denkt, die er zu Unrecht in τὴν ἐκδίκησιν ποιεῖν (V. 7 f.) ausgedrückt findet. Konsequenterweise hätte er dann aber auch das Gleichnis selbst Jesus absprechen müssen, da er auch in ἐκδικεῖν (V. 3.5), allerdings ebenfalls zu Unrecht, den Wunsch nach Rache ausgedrückt findet. Richtig ist dagegen, daß in dem eng verwandten Gleichnis Lk. 11,5—8 eine entsprechende Anwendung fehlt. Man be-denke jedoch, daß die Anwendung des Gleichnisses 11,5—8 auf Gott keine Schwierigkeit bot, während die Wahl des brutalen Richters zur Veran-schaulichung der Hilfsbereitschaft Gottes beim ersten Hören so schockierend sein mußte, daß hier von Anfang an ein deutendes Wort unentbehrlich war. Fest steht jedenfalls, wie wir sahen, daß sich V. 6—8 (einschließlich V. 8b) vom Sprachlichen her als vorlukanisch und palästinisch zu erkennen geben.

---

[1] C. Spicq, La parabole de la veuve obstinée et du juge inerte, aux déci-sions impromptues (Lc. XVIII, 1—8), RB. 68 (1961), S. 68—90, hier S. 81 bis 85.

[2] Es liegt nämlich kein lukanischer Sprachgebrauch vor: πλήν = „in-dessen", „jedoch" kommt zwar bei Lukas 14mal vor, fehlt aber in Acta und findet sich auch nicht in der lukanischen Bearbeitung des Markus-stoffes, ist also Eigenart der lukanischen Quelle, nicht des Evangelisten; mit πλήν fällt auch ἄρα (im NT. nur Lk.18,8; Apg.8,30; Gal.2,17; vielleicht Röm.7,25) als lukanische Eigenart. Ferner kann die Betonung des Glaubens schwerlich auf paulinischen Einfluß zurückgeführt werden, da der auf-fallende Artikel (τὴν πίστιν) hier Aramaismus sein wird: im Aramäischen wird *hemanutha* regelmäßig determiniert gebraucht (vgl. C. C. Torrey, The Four Gospels, London 1933, S. 312; auch Dt.32,20 steht die determinierte Form im Tg. Jer. I, die undeterminierte nur im Tg. Onkelos). Schließlich weist ὁ υἱὸς τοῦ ἀνθρώπου auf vorlukanische Überlieferung, da Lukas die Wendung (25mal im Evangelium) nicht von sich aus verwendet. Wir haben also Lk.18,8b einen alten Menschensohn-Spruch vor uns.

[3] R. Bultmann, Die Geschichte der synoptischen Tradition[3], Göttingen 1958, S. 189.

[4] Jülicher II, S. 286

Lukas stellt dieses Gleichnis mit dem vom Pharisäer und Zöllner offenbar als Anleitung zum rechten Beten (vgl. 18,1) zusammen: anhaltend soll das Gebet sein und demütig. Aber das Gleichnis vom Pharisäer und Zöllner ist von Hause aus sicher keine Gebetsanweisung (s. S. 139ff.). Gleiches gilt wahrscheinlich auch von unserem Gleichnis trotz des Einleitungsverses (18,1), der lukanische Eigentümlichkeiten aufweist[1]. Denn bei dieser Deutung wird die Gestalt der Witwe in den Mittelpunkt gestellt, während die Anwendung (V. 6—8a) zeigt, daß die Erzählung auf die Gestalt des Richters ausgerichtet ist[2]. Warum erzählt Jesus die Geschichte? V. 7—8a antworten: die Hörer sollen den Schluß von dem Richter auf Gott ziehen. Wenn schon dieser rücksichtslose Mann, der der Witwe das Gehör versagt, ihr schließlich doch, wenn auch erst nach langem Zögern, in ihrer Bedrängnis hilft, bloß um die ständige Belästigung durch die Querulantin loszuwerden — wieviel mehr Gott! Gott hört die Armen mit nimmermüder Geduld an, vollends Seine Auserwählten, ihre Not geht Ihm ans Herz; ἐν τάχει bringt er die Rettung. Ist das Gleichnis, wie V. 8b annehmen läßt, zu den Jüngern gesagt[3], dann ist es offenbar veranlaßt durch Sorge und Angst der Jünger im Blick auf die Notzeit, die ihnen Jesus klar und ohne Beschönigung ankündigt: Verjagtwerden, Beleidigungen, Denunziationen, Verhöre, Martyrien, letzte Anfechtungen des Glaubens, wenn Satan sich offenbart. Sie hat schon begonnen. Wer kann durchhalten bis zum Ende? Habt keine Angst vor Verfolgung, sagt Jesus. Ihr seid doch Gottes Auserwählte! Er wird Euer Rufen

---

[1] S. S. 92 A. 3.

[2] Daher ist die verbreitete Bezeichnung des Gleichnisses als das 'Gleichnis von der bittenden Witwe' nicht zutreffend.

[3] G. Delling, Das Gleichnis vom gottlosen Richter, in: ZNW. 53 (1962), S. 1—25 vermutet, daß Jesus das Gleichnis zu „jüdischen Frommen" (S. 22) gesagt habe. Dann müßte es in Jesu Umwelt Kreise gegeben haben, die sich als die „Auserwählten" (V. 7) wußten, den Menschensohn erwarteten (V. 8) und in höchster Not und Verzweiflung nach seinem Kommen schrien (V. 7). Das alles würde auf die Gemeinde zutreffen, die hinter den Bilderreden des äthiopischen Henochbuches (37—71) steht. Diese Menschen nennen sich „die Auserwählten", sie warten auf den Menschensohn und werden verfolgt (vgl. Hen. 46,8, wo nach dem besseren Text zu übersetzen ist: „Und sie verfolgten die Häuser Seiner Versammlungen und die Gläubigen, die am Namen des Herrn der Geister hängen"; 47,1—4: blutige Verfolgungen). Darf man annehmen, daß diese Gruppe in Jesu Tagen noch existierte und noch immer verfolgt wurde? Oder erhielt das äth. Henochbuch, das eine Kompilation ist, vielleicht gar seine heutige Gestalt erst in Jesu Tagen? Aber wo im damaligen Palästina wäre diese Gruppe zu suchen? Wer wären ihre Verfolger?

hören. Er wird sogar — unter Aufhebung Seines heiligen Willens — die Notzeit verkürzen (Mk. 13,20). An Seiner Macht, Güte und Hilfe gibt es keinen Zweifel. Das ist das Allergewisseste. Sorge sollte Euch etwas anderes machen: wird der Menschensohn, wenn er kommt, Glauben vorfinden auf Erden?

Fast ein Doppelgleichnis zu dem vom ungerechten Richter ist das Gleichnis von dem nachts um Hilfe gebetenen Freund (Lk. 11,5—8)[1].

Das Gleichnis malt lebendig die Verhältnisse in einem palästinischen Dorf. V. 5: Es gibt keine Läden, sondern die Hausfrau bäckt vor Sonnenaufgang den Tagesbedarf für die Familie; man weiß aber im Dorf, wer abends noch Brot hat[2]. Drei Brotfladen gelten noch heute als Mahlzeit für eine Person. Er will sie nur geborgt haben und bald ersetzen. — V. 6: Die Bewirtung des Gastes ist unbedingte Ehrensache im Morgenlande. — V. 7: Die Ärgerlichkeit des gestörten Nachbarn kommt schon im Fortfall der Anrede (anders V. 5) zum Ausdruck[3]. Ἤδη = „längst" (wie z. B. auch Joh. 19,28): der Morgenländer geht früh schlafen. Es ist ja abends dunkel im Haus; das kleine Öllämpchen, das die Nacht über brennt, verbreitet nur schwachen Schein. „Längst ist die Tür verschlossen", nämlich durch Schloß und Riegel. Der Riegel, ein Balken oder eiserner Stab, ist durch an den Türflügeln befindliche Ringe gezogen[4]; das Öffnen des Riegels ist umständlich und mühsam und verursacht lautes Geräusch. „Und die Kinder sind so wie ich (μετ' ἐμοῦ) zu Bett": es ist an ein Fellachenhaus gedacht, das aus einem einzigen Raum besteht[5]; die ganze, in dem erhöhten Teil des Hauses auf einer Matte liegende Familie würde aufgestört werden, wenn der Vater aufsteht und den Riegel öffnet[6]. Οὐ δύναμαι: „ich kann nicht" ist, wie so oft im Leben, so viel wie: ich will nicht[7]. — V. 8: „Nicht wahr (λέγω ὑμῖν)[8], selbst wenn er nicht aus Freundschaft aufsteht und ihm gibt, wird er διά γε τὴν ἀναίδειαν αὐτοῦ (entweder: wegen der Zudringlichkeit des Bittenden, oder semitisierend: wegen seiner [eigenen] Schamlosigkeit, d.h. um nicht als schamlos dazustehen[9]) aufstehen und ihm geben, soviel er braucht".

---

[1] Die übliche Bezeichnung des Gleichnisses als 'Gleichnis vom bittenden Freund' ist irreführend, s. S. 128 A. 2.

[2] A. M. Brouwer, De Gelijkenissen, Leiden 1946, S. 211.

[3] T. W. Manson, Sayings, S. 267.

[4] G. Dalman, Arbeit und Sitte VII, Gütersloh 1942, S. 70—72.

[5] So auch Mt. 5,15.

[6] K. H. Rengstorf in: Das Neue Testament Deutsch 3[9], Göttingen 1962, z. St.

[7] T. W. Manson, Sayings, S. 267.     [8] Jülicher II, S. 269.

[9] So A. Fridrichsen in: Symbolae Osloenses XIII (1934), S. 40—43. Ein schlagender Beleg für diese Übersetzungsmöglichkeit findet sich b. Ta'an. 25a miššum kissupha = wegen der Scham, um sich nicht schämen zu müssen.

Lukas überliefert das Gleichnis im Rahmen des Gebetskatechismus 11,1—13, hat es also als Mahnung zu anhaltendem Bitten verstanden, wie besonders 11,9—13 zeigt; aber dieser Rahmen ist, wie wir S. 105 sahen, sekundär und darf daher nicht zum Ausgangspunkt für die Auslegung genommen werden, wenn versucht werden soll, den ursprünglichen Sinn des Gleichnisses zu ermitteln. Das Verständnis des Gleichnisses hat vielmehr davon auszugehen, daß τίς ἐξ ὑμῶν (11,5) im NT. regelmäßig Fragesätze einleitet, auf die eine emphatische Antwort: „Unmöglich! Niemand!" oder „Selbstverständlich! Jeder!" erwartet wird[1]. Im Deutschen wird dieses τίς ἐξ ὑμῶν am besten mit „Könnt Ihr Euch vorstellen, daß jemand von Euch..." wiedergegeben (Mt. 6,27 par. Lk. 12,25; Mt. 7,9 par. Lk. 11,11; Mt. 12,11 par. Lk. 14,5; Lk. 14,28; 15,4; 17,7). Dann aber kann die Frage unmöglich mit V. 6 enden, weil V. 6 nur die Situation schildert und noch keinerlei emphatische Antwort herausfordert. Vielmehr müssen V. 5—7 als zusammenhängende rhetorische Frage gefaßt werden[2]: „Könnt Ihr Euch vorstellen, daß, wenn jemand von Euch einen Freund hat und dieser um Mitternacht zu ihm kommt und zu ihm sagt: ‚Freund, borge mir drei Brote, da mein Freund auf der Reise zu mir gekommen ist und ich ihm nichts vorzusetzen habe' — daß dann jener von innen antwortet: ‚Laß mich in Frieden...'? Könnt Ihr Euch das vorstellen?" Antwort: Undenkbar! Unter keinen Umständen wird er den bittenden Freund im Stich lassen! So erst, wenn V. 7 nicht eine zunächst erfolgte Ablehnung schildert, vielmehr die Undenkbarkeit einer solchen, entspricht das Gleichnis den Sitten morgenländischer Gastlichkeit, und so erst bekommt es seine volle Schärfe[3]. Denn wenn V. 5—7 als zusammenhängende Frage gefaßt wird, ergibt sich, daß in V. 8 nicht von einem erneuten Bitten des Nachbarn, sondern ausschließlich von den Motiven des um Hilfe gebetenen Freundes die Rede ist: wenn er schon nicht aus Freundschaft die Bitte erfüllt, so doch wenigstens, um den Zudringlichen loszuwerden (oder: um nicht als ungefällig dazustehen)[4]. V. 8 unterstreicht also noch einmal das: Undenkbar! Das heißt: nicht der Bittende (so der Lukas-Zusammenhang), sondern der im Schlafe gestörte Freund steht im Mittelpunkt der Erzählung. Nicht von der Beharrlichkeit des Bittens, sondern von der Gewißheit der Erfüllung der Bitte handelt das Gleichnis. Dann aber

---

[1] S. S. 102.   [2] A. Fridrichsen ebd.   [3] Ebd.
[4] S. S. 157 A. 6 (zu V. 8).

ist deutlich, daß das Gleichnis zu demselben Schluß a minore ad maius herausfordern will wie das Gleichnis vom ungerechten Richter. Wenn schon der Freund, mitten in der Nacht im Schlaf gestört, nicht einen Augenblick zögert, die Bitte des in Verlegenheit geratenen Nachbarn zu erfüllen, obwohl die ganze Familie durch das Öffnen des Riegels aus dem Schlaf gerissen wird, — wieviel mehr Gott! Er hört die, die in Not sind. Er hilft ihnen. Er tut mehr, als sie erbitten. Darauf könnt Ihr Euch mit aller Gewißheit verlassen.

Mit diesen beiden Gleichnissen vom Richter und vom nachts um Hilfe gebetenen Freund, die beide die Zuversicht zum Ausdruck bringen, daß Gott das Rufen der Seinen erhört, wenn sie aus ihrer Not zu ihm schreien, gehört sachlich zusammen das kurze Logion: πᾶς γὰρ ὁ αἰτῶν λαμβάνει (Mt. 7, 8 = Lk. 11, 10). Diese sprichwortartige, kurze Sentenz[1] stammt offenbar aus der Erfahrung des Bettlers[2]: man muß nur zäh bleiben beim Betteln, darf sich nicht abweisen und durch harte Worte abschrecken lassen, dann erhält man eine Gabe. Jeder Besucher des Orients kann ein Lied singen von der Zähigkeit der orientalischen Bettler[3]. Jesus wendet die Bettlerweisheit[4] auf die Jünger an. Wenn schon der Bettler, obwohl zuerst hart abgewiesen, weiß, daß Zähigkeit im Bitten die Hände seiner hartherzigen Mitmenschen öffnet — wieviel mehr dürft Ihr wissen, daß Euer Anhalten am Gebet die Hände Eures himmlischen Vaters öffnet!

Die vier Kontrastgleichnisse und die beiden zuletzt besprochenen Gleichnisse sind, wenn unsere Deutung zutrifft, aus verschiedenem Anlaß gesprochen. Ging es bei den Kontrastgleichnissen um die Zuversicht Jesu gegenüber Zweifeln an seiner Sendung, so wollen die Gleichnisse vom Richter und vom Freund den Jüngern die Gewißheit schenken, daß Gott sie aus der kommenden Angst er-

---

[1] J. Schniewind in: Das Neue Testament Deutsch 2⁸, Göttingen 1956, z. St.

[2] K. H. Rengstorf, „Geben ist seliger denn Nehmen". Bemerkungen zu dem außerevangelischen Herrenwort Apg. 20, 35, in: Die Leibhaftigkeit des Wortes, Festgabe für A. Köberle, Hamburg 1958, S. 23—33, hier S. 28f.

[3] Diese Zähigkeit ist übrigens nicht bloß Habgier, sondern hat tiefere Gründe: einerseits nämlich steht der Arme unter besonderem Gottesrecht und Gottesschutz und hat daher ein von Gott garantiertes Anrecht auf die Gabe, weshalb der „Beruf" des Bettlers (sic!) keineswegs ein verachteter ist; andererseits ist der Bettler so zäh, weil er die Gabe benötigt, um selbst Gutes tun zu können: „Selbst ein Armer, der von Almosen lebt, übe Wohltätigkeit!" (b. Giṭ. 7b; vgl. Mk. 12, 41ff. par. Lk. 21, 1ff., ferner Joh. 13, 29 verglichen mit Lk. 8, 3: der Jüngerkreis gibt Almosen, obwohl selbst von Unterstützung lebend, s. K. H. Rengstorf, a. a. O. S. 29. 32).

[4] A. a. O. S. 29.

lösen werde. Dennoch gehören beide Gleichnisgruppen aufs engste zusammen. Denn hier wie dort geht es um das gleiche unbeirrbare Vertrauen; hier wie dort sagt Jesus: Macht doch Ernst mit Gott! Er tut Wunder, und Sein Erbarmen mit den Seinen ist das Gewisseste, was es gibt.

### 4. Im Angesicht der Katastrophe

Jesu Botschaft ist nicht nur Heilsverkündigung, sondern auch Unheilsankündigung, Warnung und Bußruf angesichts des furchtbaren Ernstes der Stunde. Die Zahl der hierher gehörenden Gleichnisse ist groß, erschreckend groß. Immer wieder hat Jesus warnend seine Stimme erhoben, um einem verblendeten Volk die Augen zu öffnen.

Das kleine Gleichnis von den Kindern auf der Gasse (Mt. 11,16f. par. Lk. 7,31f.) wird schon durch die überaus gehässige Kritik an Jesus in V. 19a als alte Überlieferung erwiesen: die Beschimpfung Jesu als ἄνθρωπος φάγος καὶ οἰνοπότης stammt aus Dt. 21,20 und kennzeichnet ihn durch diese Anknüpfung als „störrischen und widerspenstigen Sohn", der die Steinigung verdient hat[1]. Ihr seid, sagt Jesu Antwort, wie die Kinder auf der Gasse! Die rufen ihren Gefährten zu: Spielverderber, Spielverderber!

„Wir spielten die Flöte,
Ihr habt nicht getanzt!
Wir sangen die Klage,
Ihr schlugt nicht die Brust!"

(Mt. 11,17; Lk. 7,32).

---

[1] In sprachlicher Hinsicht beachte man als Altersindizien die Übersetzungsvarianten, auf die der Vergleich der Matthäus- und der Lukas-Fassung führt (z.B. Matthäus: ἐκόψασθε „Ihr schlugt Euch an die Brust" / Lukas: ἐκλαύσατε „Ihr stimmtet die Trauerklage an", beides = 'arqedhtun), ferner den Reim mit Wortspiel (raqqedhtun „Ihr tanztet" // 'arqedhtun „Ihr klagtet"), den die syrischen Übersetzungen bieten, und die beiden antithetischen Parallelismen (Mt. 11,17a // 17b; 18 // 19a). Inhaltlich ergibt sich das Alter (abgesehen von der Kritik an Jesus) daraus, daß Jesus sich mit dem Täufer zusammenschließt; die Urkirche betont die Unterordnung des Täufers. Das Wort ὁ υἱὸς τοῦ ἀνθρώπου spricht trotz des Gebrauchs in der Öffentlichkeit nicht gegen das Alter von V. 19a, da es hier nicht apokalyptischer term. techn. ist, sondern den gleichen Sinn hat wie das sofort folgende ἄνθρωπος (= bar naš): „es kam einer, der nicht fastete..."

„Wir wollten Hochzeit spielen", so rufen die Knaben ihren Kameraden zu (der Reigentanz bei der Hochzeit ist überwiegend Sache der Männer[1]), aber „Ihr hattet keine Lust"! „Wir wollten Begräbnis spielen" (vgl. b. Jebh. 121b: Kinder, die Begräbnis einer Heuschrecke spielen), so rufen die Mädchen ihren Spielgefährtinnen zu (die Totenklage ist Sache der Frauen[2]), aber „Ihr habt nicht mitgespielt"!

So anschaulich diese alltägliche Straßenszene geschildert ist, so viel Kopfzerbrechen hat ihre Anwendung auf die Schimpfworte, mit denen das Volk den Täufer und Jesus belegt (Mt. 11, 18f.; Lk. 7, 33f.), bereitet. Denn schon das Bild ist mehrdeutig. Streiten sich die Kinder, deren Worte Jesus wiedergibt, untereinander, weil die einen ein fröhliches, die anderen ein trauriges Spiel vorschlagen (so offenbar Lk. 7, 32: ἀλλήλοις), oder zanken sie sich mit anderen Kindern, die keine Lust zum Mitspielen haben (so offenbar Mt. 11, 16: τοῖς ἑτέροις)? Die Frage ist nicht belanglos, weil je nach ihrer Beantwortung die Anwendung des Bildes verschieden ausfällt. Für diese hat man, wie ein Blick in die Kommentare zeigt, zahllose Vorschläge gemacht, ohne daß ein restlos befriedigendes Resultat erzielt worden wäre. Mir will scheinen, daß alles klar wird, wenn wir uns von einem erfahrenen Kenner Palästinas sagen lassen, daß das Wort καθημένοις (Mt. 11, 16; Lk. 7, 32) beachtet sein will: aus ihm ergibt sich nämlich, daß die von Jesus geschilderten Kinder es sich als Zuschauer bequem gemacht haben und sich selbst in Gestalt des Flötenspielens und des Klagegesanges die weniger anstrengenden Rollen der Spiele vorbehalten haben, während ihre Spielgefährten „the more strenuous exercises" übernehmen sollen[3]. Aber diese wollen sich nicht kommandieren lassen und werden deshalb mit Vorwürfen überschüttet (προσφωνεῖν Mt. 11, 16; Lk. 7, 32). Es streiten sich also nicht die Knaben mit den Mädchen darum, was gespielt werden soll (so offenbar Lk. 7, 32: ἀλλήλοις), sondern die am Straßenrand sitzenden Jungen und Mädchen schelten die anderen Kinder, weil sie sich nicht nach ihren Einfällen richten wollen (so richtig Mt. 11, 16: τοῖς ἑτέροις).

So seid Ihr, sagt Jesus, genau wie diese herrschsüchtigen und unverträglichen Kinder, die ihren Kameraden vorwerfen, daß sie Spielverderber seien, weil sie nicht nach ihrer Pfeife tanzen wollen. Gott schickt seine Boten, die letzten Boten, zur letzten Generation vor der Katastrophe. Aber Ihr habt nur zu kommandieren und zu kritisieren. Den Täufer erklärt Ihr für verrückt, weil er fastet,

---

[1] Bill. I, S. 514r. 1040; E. Baumann, Zur Hochzeit geladen, in: Palästina-Jahrbuch 4 (1908), S. 69—71 (mit Noten der Tanzmelodien); vgl. G. Dalman, Palästinischer Diwan, Leipzig 1901, Melodienanhang S. 354—363.

[2] Bill. I, S. 521—523.

[3] E. F. F. Bishop, Jesus of Palestine, London 1955, S. 104.

während Euch nach Frohsinn zumute ist. Und mich beschimpft Ihr, weil ich mit den Zöllnern Tischgemeinschaft halte, während Ihr strenge Sonderung von den Sündern fordert. Die Bußpredigt paßt Euch nicht, und die Evangeliumspredigt paßt Euch auch nicht. So kindisch mäkelt Ihr an den Boten Gottes herum und — — Rom brennt[1]! Seht Ihr denn nicht, daß „Gott ($\dot{\eta}$ $\sigma o \varphi \acute{\iota} a$) an[2] Seinen Werken[3] gerechtfertigt wird[4]" (Mt. 11,19), d. h. daß die $\check{\epsilon} \varrho \gamma a$, die Zeichen der anbrechenden Entscheidungsstunde, Gott recht geben[5]? Daß Bußruf und Evangelium das letzte, das allerletzte Warnsignal Gottes sind?

Ihr verblendeten Menschen! Die Wetterzeichen vermögt Ihr zu deuten und die Zeichen der Zeit (Lk. 12,54—56) nicht? „Wo das Aas ist, sammeln sich die Geier" (Mt. 24,28 par. Lk. 17,37)[6]. Sie kreisen „nicht über dem leeren Raum"[7]. Sie wittern die Beute. Merkt Ihr nicht, daß etwas in der Luft liegt? Aber nein! Ihr gleicht einem Hause, dessen Räume im Dunklen liegen, weil ihnen die Lichtquelle fehlt; Ihr seid blind! Ihr seid verstockt (Mt. 6,22f.; Lk. 11,34—36)!

Das Bildwort vom Auge als der Lampe des Leibes ist bei Matthäus (6,22f.) an die Jünger gerichtet, bei Lukas (11,34—36) dagegen ein Schelt-wort an die Menge. Matthäus hat außerdem, wie sein Kontext zeigt, das Logion als Allegorie verstanden; hatte 6,19—21 gemahnt: „Gebet! Sammelt Euch Schätze bei Gott!", so fügt 6,22f. hinzu: „Gebt gern! Gebt ohne Miß-gunst ($\dot{\partial} \varphi \vartheta a \lambda \mu \dot{o} \varsigma$ $\pi o \nu \eta \varrho \acute{o} \varsigma$ = Neid, Mißgunst[8])!" Diese allegorische Aus-deutung des Bildwortes raubt jedoch der Anwendung 6,23b ihren Sinn.

---

[1] Dodd, S. 29.

[2] $\dot{A} \pi \acute{o}$ = min q°dham = angesichts, vgl. J. Wellhausen, Das Evangelium Matthaei, Berlin 1904, S. 55.

[3] Es ist schon oft vermutet worden, daß $\dot{a} \pi \dot{o}$ $\tau \tilde{\omega} \nu$ $\check{\epsilon} \varrho \gamma \omega \nu$ $a \dot{v} \tau \tilde{\eta} \varsigma$ (Mt. 11,19) / $\dot{a} \pi \dot{o}$ $\tau \tilde{\omega} \nu$ $\tau \acute{\epsilon} \kappa \nu \omega \nu$ $a \dot{v} \tau \tilde{\eta} \varsigma$ (Lk. 7,35) Übersetzungsvarianten sind. $T \dot{a}$ $\check{\epsilon} \varrho \gamma a$ $a \dot{v} \tau \tilde{\eta} \varsigma$ = °obhadhaih; das müßte von der vorlukanischen Überlieferung infolge Hörfehlers als °abhdaih (ihre Knechte) verstanden, zunächst mit $o \dot{\iota}$ $\pi a \tilde{\iota} \delta \epsilon \varsigma$ $a \dot{v} \tau \tilde{\eta} \varsigma$ übersetzt und dann zu $\tau \dot{a}$ $\tau \acute{\epsilon} \kappa \nu a$ $a \dot{v} \tau \tilde{\eta} \varsigma$ verdeutlicht worden sein — ein etwas umständlicher, aber nicht unvorstellbarer Prozeß.

[4] $\dot{E} \delta \iota \kappa a \iota \acute{\omega} \vartheta \eta$ ist gnomischer Aorist, der eine zeitlose Wahrheit ausspricht (Übersetzungsgriechisch).

[5] Dodd, S. 115 zu Mt. 11,19: „The actual facts of the present situation … are the manifestation of His ,Kingdom'."

[6] Statt $\dot{a} \epsilon \tau o \acute{\iota}$ (Adler) müßte es $\gamma \tilde{\upsilon} \pi \epsilon \varsigma$ (Geier) heißen. Denn nur die Geier nähren sich vom Aas, die Adler jagen lebende Beute. Es handelt sich um eine Fehlübersetzung: aram. nišra bezeichnet sowohl den Adler als auch den Geier.

[7] Hanns Lilje in einer Predigt.

[8] Feste Redensart! Belege bei Bill. I, S. 833—835.

Dieser bleibt nur dann gewahrt, wenn das Bildwort 6,22—23a einen ganz schlichten Erfahrungssatz ausspricht:

„Lampe des Körpers ist das Auge.
Ist dein Auge heil[1], so ist dein ganzer Körper hell,
ist dein Auge krank[2], so ist dein ganzer Körper finster."

Erst 6,23b bringt, wie der Imperativ Lk.11,35 (σκόπει οὖν) bestätigt, die Anwendung des Bildes:

„Wenn nun dein inneres Licht finster (σκότος) ist,
wie groß ist dann die Finsternis (σκότος)[3]!"

Ist schon leibliche Blindheit furchtbar, wieviel mehr die innere! (Zur Vorstellung vom „inneren Licht", das aus dem Menschen hervorleuchtet[4], vgl. ThEv. 24: „Es ist ein Licht drinnen in einem Lichtmenschen, und es [oder: er] leuchtet der ganzen Welt." Die gleiche Vorstellung liegt übrigens der rabbinischen Vorschrift zugrunde, daß man die Priester nicht anblicken soll, wenn sie den Priestersegen erteilen; sie hatten, während sie den Segen sprachen, die gespreizten Hände wie ein Gitter vor die Augen zu halten, und man sagte, daß dabei die Herrlichkeit Gottes „durch die Fenstergitter blinzele" [Hohesl. 2,9][5]). Ist aber Mt.6,22f. par. Lk.11,34—36 nicht eine Warnung vor Habgier, sondern vor innerer Blindheit, dann hat Lukas recht, wenn er das Wort zur Menge und im Blick auf Jesu Gegner gesprochen sein läßt[6]. Blind sein heißt verstockt sein[7]. Ihr seid verstockt! Welch furchtbare Finsternis (τὸ σκότος πόσον Mt.6,23)!

Ihr feiert und tanzt — und der Vulkan kann jeden Augenblick losbrechen! Das grausige Geschick von Sodom und Gomorrha wird sich wiederholen (Lk.17,28f.)! Die Sintflut steht vor der Tür (Mt.24,37—39; Lk.17,26f.)[8]!

Das Nebeneinander von Feuerflut und Wasserflut steht auch hinter dem Doppelbildwort Lk.12,49f.: „Ein Feuer auf Erden anzuzünden[9] kam ich, und wie wünschte ich, daß es schon brenne! Eine Taufe habe ich, mit der

---

[1] Ἁπλοῦς = aram. šᵉlim = „unversehrt, heil, gesund", vgl. Bill. I, S.431f.; ihm folgt E. Sjöberg, Das Licht in dir. Zur Deutung von Matth.6,22f. Par., in: Studia Theologica 5 (1951), S. 89—105, hier S. 91f.

[2] Πονηρός = aram. bíš = „schlimm, krank".

[3] Das zweimalige σκότος erklärt sich vom Aramäischen her. Aram. hᵃšakh = 1. adj. „finster" (= σκότος 1°), 2. subst. „Finsternis" (= σκότος 2°). Das erste σκότος in Mt.6,23b ist also Fehlübersetzung; richtig wäre σκοτεινόν.

[4] Auf diese Vorstellung wies mich Dr. Chr. Burchard hin.

[5] Belege bei Bill. IV, S. 239. 245f.

[6] So auch C. Edlund, Das Auge der Einfalt, Kopenhagen-Lund 1952, S.117.

[7] Jes. 6,10; Mt. 15,14; 23,16f. 19. 26; Oxyrh. Pap. 840 und dazu J. Jeremias, Unbekannte Jesusworte[3], Gütersloh 1963, S. 60.

[8] Vgl. noch Mt.7,24—27 par. Lk.6,47—49.

[9] Πῦρ βαλεῖν ist Semitismus und bedeutet nicht: „Feuer werfen", sondern: „Feuer anzünden".

getauft werden muß, und wie reißt es mich hin und her[1], bis sie vollendet ist!" In diesem Doppelwort klingt der tragische Konflikt wider, den wir in der Bibel in dieser Schärfe nur noch in den Selbstbekenntnissen des Propheten Jeremia finden, der Konflikt zwischen Sendungsauftrag und widerstrebendem natürlichem Empfinden[2]. Jesus ist der Bringer der Heilszeit. Aber er weiß — und das erschüttert ihn aufs tiefste —: der Weg zu Heil und Neuschöpfung geht durch Unheil und Verderben, durch Läuterung und Gericht, durch Feuer- und Wasserflut[3]. „Wer mir nahe ist, ist dem Feuer nahe; wer mir fern ist, ist dem Reiche fern[4]."

Gottes Fluch liegt auf dem unfruchtbaren Feigenbaum (Lk. 13, 7). Er wird abgehauen und ins Feuer geworfen werden (Mt. 7,19)! Furchtbarer als das Schicksal des grünen Holzes wird das des dürren sein (Lk. 23,31)! Unversehens wird das Unglück Euch packen wie die Schlinge den ahnungslosen Vogel (Lk. 21,34f.)! Zwölf Stunden hat der Tag, sagt das Bildwort vom Wandersmann. Nur kurze Zeit noch ist es hell, dann kommt die Nacht mit ihrem Dunkel, in dem man sich auf den steinigen Pfaden stößt, den Weg verliert und ziellos umherirrt (Joh. 12,35 vgl. 11,9f.). Laßt Euch warnen durch den Hausvater, der im tiefen Schlaf lag, als bei ihm eingebrochen wurde (Mt. 24,43f.; Lk. 12,39f.; ThEv. 21b)[5]. Hört die Geschichte von dem törichten reichen Mann (Lk. 12,16—20; ThEv. 63[6]), der sich's nach reicher Ernte wohl sein ließ und dessen Sicherheit Gott über Nacht ein jähes Ende setzte.

Bei Lukas bildet ein einleitender Dialog V. 13—15 die Situationsangabe. Der jüngere von zwei Brüdern beschwert sich, daß der ältere ihm das Erbteil verweigert[7]; daß er sich an Jesus wendet, obwohl dieser Laie ist, läßt das

---

[1] Συνέχομαι wie Phil. 1, 23 von einander widerstreitenden Gefühlen.

[2] T. W. Manson, Sayings, S. 120.

[3] Der Parallelismus membrorum verbietet die übliche Beschränkung von V. 50 auf Jesu eigenes Schicksal.

[4] Agraphon (ThEv. 82; Origenes, in Jerem. hom. 3,3), vgl. J. Jeremias, Unbekannte Jesusworte[3], Gütersloh 1963, S. 64—71.

[5] S. S. 45—48.

[6] „Jesus sagte: Es war ein reicher Mann, der hatte viele Güter. Er sagte: Ich will meine Güter benutzen, um zu säen, zu ernten, zu pflanzen und meine Scheunen mit Frucht zu füllen, damit ich an nichts Mangel leide. Das ist es, was er in seinem Herzen dachte. Und in jener Nacht starb er. Wer Ohren hat, der höre!"

[7] Der ältere Bruder möchte das Erbe ungeteilt lassen. Solche Erbengemeinschaft (consortium) wird vom Psalmisten gepriesen (Ps. 133, 1: „Siehe, wie fein und lieblich ist es, wenn Brüder einträchtig zusammen bleiben") und ist z. B. Mt. 6,24 vorausgesetzt (s. S. 192 A. 8).

große Ansehen erkennen, das Jesus im Volke genießt (V. 13). Jesus lehnt ein Urteil nicht bloß deshalb ab, weil es nicht seines Amtes wäre (V. 14), sondern vor allem, weil Hab und Gut belanglos sind für den Erwerb des Lebens (V.15). Warum Jesus den irdischen Besitz so radikal für unwichtig erklärt, das erläutert anschließend das Gleichnis. Dieser Dialog (V. 13 f., jedoch ohne das Logion V. 15) wird im ThEv. 72 als selbständiges Stück überliefert; er wird deshalb ursprünglich nicht zu dem Gleichnis gehören. — V. 16: Ἀνθρώπου τινός: ein Großgrundbesitzer. — V. 18: Bei τὰς ἀποθήκας ist „nicht an Scheunen gedacht, in denen das Getreide aufbewahrt wurde, bis es gedroschen werden kann, sondern an Speicher, Vorratshäuser, in denen später die Körner aufgehoben werden“[1]. — V. 20: Εἶπεν δὲ αὐτῷ ὁ θεός: Gott ließ ihm (etwa im Traum durch den Todesengel) sagen. Τὴν ψυχήν σου ἀπαιτοῦσιν (3. Ps. pl. = Gott) ἀπὸ σοῦ: das Leben ist ein Darlehen, das Gott gab und dessen Rückforderung er für die nächste Nacht ankündigen läßt. Ἃ δὲ ἡτοίμασας „was du erworben hast“, vgl. Herm. sim. 1, 1. 2. 6. — Zu V. 21 s. S. 105. — Im ThEv. (s. S. 164 A. 6) ist das Gleichnis stark verkürzt.

Dieser reiche Kornbauer, der für viele Jahre Mißernten nicht fürchten zu müssen glaubt (V. 19), ist ein Narr (V. 20), d. h. nach biblischem Sprachgebrauch ein Mensch, der Gott praktisch verleugnet (Ps. 14,1). Er rechnet nicht mit Gott, sieht nicht das Damoklesschwert über seinem Haupte, den drohenden Tod. Hier aber gilt es, einen verhängnisvollen Kurzschluß zu vermeiden. Es ist nämlich nicht so, wie es zunächst scheint, als ob Jesus die uralte Weisheit ‚Rasch geht der Tod den Menschen an‘ seinen Hörern einprägen wollte. Vielmehr zeigt der Gesamttenor sämtlicher Warnrufe und Warngleichnisse Jesu, daß er als die drohende Gefahr nicht den unvermuteten Tod des einzelnen im Auge hat, sondern die bevorstehende eschatologische Katastrophe und das bevorstehende Gericht. So auch hier. Lk. 12, 16—20 ist ein eschatologisches Gleichnis. Jesus erwartet, daß seine Hörer den Schluß auf ihre Situation ziehen: so töricht wie der vom Tode bedrohte reiche Narr sind wir, wenn wir Hab und Gut raffen — im Angesicht der Sintflut!

Was kommt? Der Schakal, der sich von Leichen nährt, wird sich wie an den Täufer an den Menschensohn heranmachen (Lk. 13, 32)[2].

---

[1] W. Michaelis, Die Gleichnisse Jesu, Hamburg 1956, S. 264 A. 154.
[2] A. M. Brouwer, De Gelijkenissen, Leiden 1946, S. 221 f. Aram. ta‘ᵃla heißt sowohl Schakal wie Fuchs; die Deutung von ἀλώπηξ auf die fuchsartige Verschlagenheit (vgl. Bill. II, S. 200 f.) des Herodes Antipas bleibt möglich.

Das wird der Auftakt sein. Dann kommt die große Versuchungsstunde, der letzte Ansturm des Bösen, Tempelzerstörung und namenloses Unheil (Lk. 23, 29) und danach Gottes Gericht. Es kommt die Scheidung. Kluge und törichte Jungfrauen, treue und gewissenlose Verwalter werden offenbar werden, Hörer und Täter des Wortes auseinander treten, mitten durch die Herde wird die Trennung gehen. Zwei auf dem Feld, zwei an der Mühle, dort Männer, hier Frauen, äußerlich ganz gleich, für Menschenaugen kein Unterschied — aber die Scheidung enthüllt beide Male einen furchtbaren Gegensatz: einer ein Kind Gottes, der andere ein Kind des Verderbens (Mt. 24, 40 f.).

Es kennzeichnet die zahlreichen Gleichnisse, die vom kommenden Gericht handeln, daß viele von ihnen eine Warnung an ganz bestimmte Menschengruppen richten. An Jesu Feinde richtet sich das aus Lk. 19, 12. 14 f. 17. 19. 27 zu erschließende Gleichnis vom Thronprätendenten[1]. Die Gleichnisse von dem mit der Aufsicht betrauten Knecht (Mt. 24, 45—51 a; Lk. 12, 42—46)[2], von den anvertrauten Geldern (Mt. 25, 14—30; Lk. 19, 12—27)[3] und vom Türhüter (Mk. 13, 33—37; Lk. 12, 35—38)[4] reden, wie wir sahen, wahrscheinlich die Führer des Volkes an, insbesondere die Schriftgelehrten. Großes hat Gott ihnen anvertraut: die geistliche Führung des Volkes, das Wissen um seinen Willen, die Schlüssel zur Königsherrschaft Gottes[5]. Nun steht das Gericht Gottes vor der Tür, die Prüfung, ob die Theologen Gottes großes Vertrauen gerechtfertigt oder mißbraucht haben, ob sie Gottes Gabe genützt oder aus Selbstsucht und Überängstlichkeit den Mitmenschen vorenthalten haben, ob sie ihnen die Tür zu Gottes Reich geöffnet oder verschlossen haben. Ihr Gericht wird besonders hart sein. Wer Gottes Willen kannte, sagt ihnen das Bildwort von den zwei Sklaven (Lk. 12, 47—48 a), wird härter gestraft werden als das Volk, das das Gesetz nicht kennt. Vom Gleichnis von den bösen Weingärtnern (Mk. 12, 1 ff. Par.)[6] berichten die Evangelisten, daß es zu den Sanhedristen gesagt sei (11, 27 Par.). Das dürfte richtig sein. Denn seit Jes. 5 ist der Weinberg stehendes

---

[1] S. S. 55 f.          [2] S. S. 53 ff.
[3] S. S. 55 ff.          [4] S. S. 50 ff.
[5] Vgl. ThWBNT. III, S. 747, 12 ff.
[6] S. o. S. 67 ff.

Bild für Israel[1]; da Jesus nun aber nicht vom Weinberg, sondern von dessen Pächtern spricht, ist anzunehmen, daß er nicht das Volk als Ganzes, sondern seine Führer anredet. Genauer wären es nach dem jetzigen Kontext (Vollmachtsfrage nach der Tempelreinigung) die Verwalter des Gotteshauses (also speziell die priesterlichen Mitglieder des Synedriums[2]), denen die ungeheuer scharfe Drohung gilt. Das Heiligtum ist zur Räuberhöhle geworden. Gott hat unbegreifliche Geduld geübt, aber jetzt ist das Maß der Schuld, das eschatologische Maß Gottes (s. S. 151 A. 5), erfüllt, jetzt wird er Pacht und Rechenschaft fordern, und die letzte Generation wird die aufgehäufte Schuld büßen müssen.

Den Pharisäern gilt nach Mt. 15, 12 das Wort von den blinden Blindenführern, die mitsamt den Geführten in die Grube fallen werden (Mt. 15, 14; Lk. 6, 39; ThEv. 34); auch das sinnverwandte Bildwort vom Splitter und Balken (Mt. 7, 3—5; Lk. 6, 41 f.; ThEv. 26) wird ursprünglich zu ihnen gesagt sein[3] und nach Mt. 12, 33 auch das Wort vom guten und schlechten Baum (par. Mt. 7, 16—20; Lk. 6, 43 f.), zu dem das Bildwort vom guten und schlechten Schatz (Mt. 12, 35; Lk. 6, 45; ThEv. 45 b) das inhaltsgleiche Gegenstück darstellt. Alle diese Bildworte rufen ihnen zu: Eure Taten und Worte zeigen, daß Ihr abgründig schlecht seid und dem Gerichte Gottes verfallen[4]. Ebenfalls zu Pharisäern ist nach Joh. 9, 40 (vgl. 10, 6. 19—21) das Hirtengleichnis (10, 1—5) gesagt[5]. Es wirft ihnen und ihren Führern vor, daß sie als Räuber und Diebe die Herde Gottes zerstört haben; das Kommen des guten Hirten deckt ihre Verderbnis auf.

---

[1] Jes. 27, 2—6; Jer. 12, 10; Ps. 80, 9—18.

[2] E. Lohmeyer, Kultus und Evangelium, Göttingen 1942, S. 52 ff. Über das Kollegium der Oberpriester als Fraktion des Synedriums vgl. J. Jeremias, Jerusalem zur Zeit Jesu³, Göttingen 1962, S. 181 ff.

[3] Das Wort ὑποκριτής (Mt. 7, 5 par. Lk. 6, 42; im ThEv. fehlend) gilt in den Evangelien sonst nie den Jüngern. Vgl. A. Schlatter, Der Evangelist Matthäus, Stuttgart 1929, S. 243: „Dieser (Spruch) hat den Pharisäismus tief verwundet."

[4] Sprachlich ist zu Lk. 6, 44 a (ἕκαστον γὰρ δένδρον ἐκ τοῦ ἰδίου καρποῦ γινώσκεται) zu beachten, daß ἕκαστος hier nicht „jeder" bedeutet (dann wäre 6, 44 a eine allgemeine Aussage), sondern für ἑκάτερος steht = uterque (also: sowohl der gute wie der schlechte Baum wird an seiner Frucht erkannt), vgl. H. Sahlin in: Symbolae Biblicae Upsalienses 4, Uppsala 1945, S. 5.

[5] Nachdrücklich betont von J. A. T. Robinson, The Parable of John 10, 1—5, in: ZNW. 46 (1955), S. 233—240.

An die Hauptstadt, die dabei repräsentativ für das ganze Volk angeredet wird, ist der Klageruf Mt. 23,37 par. Lk. 13,34, das Wort von der Henne und den Küchlein, gerichtet. Es knüpft an Jes. 31,5 an: „Gleich flatternden Vögeln, so wird Jahwe der Heerscharen Jerusalem beschirmen, beschirmen und erretten, verschonen und befreien." Gott wird hier in kühnem Bilde mit flatternden Vögeln verglichen, die ihre Jungen beschützen. Jesus wendet das Bild auf sich an als den Beauftragten und Stellvertreter Gottes. Vor dem kommenden Verderben, das Jerusalem bedroht wie ein zum Stoß ansetzender Raubvogel eine Schar von Küchlein, hat Jesus schützen, „beschirmen, erretten, verschonen, befreien" wollen. Aber Ihr habt nicht gewollt. Nun verläßt Gott den Tempel, den Ihr entweiht habt, und gibt ihn und Euch dem Gerichte preis (Mt. 23,38; Lk. 13,35)!

An Israel als Ganzes schließlich richtet sich das Gleichnis vom Feigenbaum (Lk. 13,6—9) und das Drohwort vom unbrauchbar gewordenen Salz, das man auf die Straße wirft und zertreten läßt (Mt. 5,13; Lk. 14, 34f.; vgl. Mk. 9,50a): die Zugehörigkeit zum Gottesvolk bedeutet keinen Schutz vor Gottes Gericht.

Mt. 5,13; Lk. 14,34f.: Die seltsame Wendung: „Wenn Salz töricht wird" beruht auf einem Übersetzungsfehler. Der Stamm *tpl* hat im Hebräischen (und nach Ausweis unseres Logions auch im Aramäischen) die doppelte Bedeutung: 1. ἄναλος sein (Aquila Ez. 13,10.15; 22,28); 2. töricht reden. Daß es im aramäischen Urtext tatsächlich *taphel* hieß, wird durch das dann vorliegende Wortspiel gesichert: ʾin taphel milḥa, bᵉma jᵉthabbᵉlun[1]. Die Markusüberlieferung übersetzte richtig: „Wenn Salz salzlos wird (ἄναλος γένηται)" (9,50; die Matthäus- und Lukasüberlieferung dachte bei der Übersetzung: „Wenn Salz töricht wird" schon an die Deutung: törichte Jünger, törichtes Israel!). Es ist anzunehmen, daß Jesus mit der Wendung „salzlos gewordenes Salz" eine Redensart (= etwas Unbrauchbares; etwas, das seinen Sinn verfehlt) aufgreift[2]. — Ἐν τίνι ἁλισθήσεται (Mt. 5,13): wohl nicht: „wodurch soll es (das Salz) wieder Salzkraft gewinnen" (so Mk. 9,50), sondern: „womit sollen (die Speisen) gesalzen werden" (so Lk. 14,34). — Εἰ μή (Mt. 5,13) nennt nicht die Ausnahme („außer"), es ist vielmehr adversativ („sondern", vgl. Lk. 4,26.27; Mt. 12,4; Gal. 1,19): „Salzlos gewordenes Salz ist zu nichts mehr zu gebrauchen, sondern wird auf die Straße geworfen." — Auf die Frage, wo sich im Lebensbereich der Hörer Jesu der Vorgang abspielt, daß Salz „salzlos" wurde und deshalb auf die Straße geworfen

---

[1] Vgl. M. Black, An Aramaic Approach to the Gospels and Acts², Oxford 1954, S. 123—125.

[2] M. Black, ebd. S. 123.

wurde, wird jetzt meistens die folgende Antwort gegeben: die arabischen Bäcker kleiden die Böden ihrer Backöfen gelegentlich mit Salzplatten aus, damit das Salz vermöge seiner katalytischen Einwirkung auf das schlechte Brennmaterial (z.B. getrockneten Kamelmist) das Brennen befördere; nach ca. 15 Jahren erlischt diese katalytische Wirksamkeit der Salzplatten, so daß man sie auf die Straße wirft[1]. Aber diese Deutung übersieht, daß offenbar vom Speisesalz die Rede ist (S.168). So wird man bei der ohnehin näher liegenden, weil dem Alltag entnommenen alten Auskunft bleiben müssen, die daran erinnert, daß das Salz nicht industriell gewonnen, sondern aus verdunsteten Lachen vom Ufer des Toten Meeres bzw. von den kleinen Seen am Rande der syrischen Wüste, die im Sommer austrocknen, geholt wurde[2]. Diese vom Boden abgeschabte Salzkruste ist nie rein, sondern enthält Fremdbestandteile (Magnesia, Kalk, Pflanzenreste), die, wenn das Salz durch Feuchtigkeit aufgelöst wird, als unbrauchbare Reste zurückbleiben[3].— Während Matthäus und Markus das Salzwort als Jüngerspruch bringen, läßt Lukas es als Warnung an die Menge (14,25) gerichtet sein. Das dürfte der ursprünglichen Zielrichtung des Logions näher stehen, denn nach b. Bekh. 8b hat das Judentum den Salzspruch als Drohwort gegen Israel verstanden[4].

Die letzte Generation des Gottesvolkes, die Messiasgeneration, ist die Entscheidungsgeneration; sie ist entweder Trägerin der Gesamtschuld (Mt.23,35; Lk.11,50 vgl. Mk.12,9) oder Empfängerin der vollen Gnade (Lk.19,42). Aber Jesu Unheilsverkündigung richtet sich auch — und darin erreicht sie ihre höchste Schärfe — an die messianische Heilsgemeinde. Auch durch ihre Mitte wird die Scheidung hindurchgehen. Zwei Jünger Jesu bauen ihr Haus, äußerlich ist kein Unterschied. Aber die Flut der endzeitlichen Trübsal macht es offenbar, daß der eine auf Felsengrund, der andere auf Sand gebaut hatte (Mt.7,24—27; Lk.6,47—49).

In einmaliger konkreter Situation sind die Gleichnisse, die von der drohenden Krisis handeln, gesprochen, das ist grundlegend für ihr Verständnis. Sie wollen nicht ethische Maximen einprägen, sondern sie wollen ein verblendetes, in sein Verderben rennendes Volk wachrütteln, vorab seine Führer, die Theologen und die Priester. Aber sie wollen mehr. Sie wollen zur Buße rufen.

---

[1] Diese Erklärung trug zuerst F. Scholten, Palästina. Bibel, Talmud, Koran II, Stuttgart 1931, zu Abb. 114—117 vor. Ihm folgten L. Köhler in: ZDPV. 59 (1936), S. 133f.; ders., Kleine Lichter: 50 Bibelstellen erklärt, Zürich 1945, S. 73—76; S. Bender-F. A. Paneth, Das „Salz der Erde", in: Deutsches Pfarrerblatt 53 (1953), S. 31f.

[2] A. Schlatter, Der Evangelist Matthäus, Stuttgart 1929, S. 147. Ich entsinne mich aus meiner Kindheit, daß uns Beduinen im Jerusalemer Pfarrhaus solches Salz vom Toten Meer zum Verkauf anboten.

[3] Vgl. W. Bauer, Wörterbuch zum NT.[5], Berlin 1958, Sp. 114.

[4] Bill. I, S. 236.

## 5. Das drohende Zuspät

Es ist die letzte Stunde. Gottes gnädige Herrschaft ist angebrochen. Aber noch steht die Sintflut vor der Tür (Mt. 24,37—39 vgl. 7,24—27), liegt die Axt an der Wurzel des unfruchtbaren Feigenbaumes. In unbegreiflicher Selbstaufhebung seines heiligen Willens hat Gott noch einmal die Bußfrist verlängert (Gleichnis vom Feigenbaum, Lk. 13,6—9), so wie er umgekehrt in der letzten Notzeit den heiligen Willen aufheben und die Frist des Antichrist um der Auserwählten willen verkürzen kann (Mk. 13,20).

Lk. 13,6: Ἐν τῷ ἀμπελῶνι: Weingärten sind in Palästina meist auch mit Fruchtbäumen bepflanzt, sind also Obstgärten. — V. 7: Τρία ἔτη: drei Jahre lang war zunächst dem Baum reines Wachstum vergönnt gewesen (Lev. 19,23), so sind schon sechs Jahre seit seiner Pflanzung vergangen. Er ist also hoffnungslos unfruchtbar. Καταργεῖ: der Feigenbaum saugt besonders viel Nahrung auf und nimmt so den ihn umgebenden Weinstöcken die Aufbaustoffe weg. — V. 8: Λέγει: zum Praesens historicum bei Lukas als Kennzeichen alter Überlieferung s. S. 182. Καὶ βάλω κόπρια: an keiner Stelle wird im AT. das Düngen eines Weingartens erwähnt[1]; vollends braucht der hinsichtlich der Pflege anspruchslose Feigenbaum solche Fürsorge nicht. Der Gärtner will also Ungewöhnliches tun, das Letztmögliche versuchen. — V. 9: Εἰς τὸ μέλλον (scil. ἔτος): dieses eine Jahr ist die allerletzte Frist. — In der Aḥiqar-Geschichte (schon im 5. Jahrhundert v. Chr. bezeugt) heißt es: „Mein Sohn, Du bist wie ein Baum, der keine Früchte brachte, obwohl er beim Wasser stand, und sein Herr war genötigt, ihn abzuhauen. Und er sagte zu ihm: Verpflanze mich, und wenn ich auch dann keine Frucht bringe, so haue mich ab. Aber sein Herr sagte zu ihm: Als Du am Wasser standest, brachtest Du keine Frucht, wie willst Du Frucht bringen, wenn Du an anderer Stelle stehst?"[2] Jesus benutzt diese Volkserzählung, die in verschiedenen Fassungen umgelaufen sein wird, gibt ihr aber einen anderen Schluß: die Bitte wird nicht abgelehnt, sondern gewährt; aus einer Gerichtsankündigung wird ein Ruf zur Buße. Gottes Barmherzigkeit geht bis zur Aufhebung des schon gefaßten Strafentschlusses. Ganz neu ist bei Jesus der fürbittende ἀμπελουργός. Ist die Einführung dieser Gestalt nur auf den Wunsch, die Schilderung lebendig zu gestalten, zurückzuführen? Oder steht mehr dahinter — verbirgt sich hinter dem fürbittenden Gärtner, der den Aufschub des Strafgerichtes erwirkt, Jesus selbst? Man wird hier daran zu erinnern haben, daß die Gleichnisse von den Jüngern anders verstanden werden mußten als von der Menge oder den Gegnern. Für das Verständnis der Jünger mag die zweite Möglichkeit — vgl. Lk.22,31f.! — durchaus zutreffen.

---

[1] G. Dalman, Arbeit und Sitte IV, Gütersloh 1935, S. 325.
[2] Arab. 8,30 (A. S. Lewis in: R. H. Charles, The Apocrypha and Pseudepigraphia of the Old Testament II, Oxford 1913, S. 775).

Aber die Gnadenfrist, die Gott gewährt, ist die unwiderruflich letzte. Seine Geduld ist erschöpft, wenn der letzte *dies poenitentiae* ungenutzt verstreicht. Ist die von Gott gewährte Bußfrist abgelaufen, dann steht es in keines Menschen Macht, sie zu verlängern (Lk. 13, 9).

Das dürfte auch der ursprüngliche Sinn von Mt. 6, 27 (par. Lk. 12, 25) sein (τίς δὲ ἐξ ὑμῶν μεριμνῶν δύναται προσθεῖναι ἐπὶ τὴν ἡλικίαν αὐτοῦ πῆχυν ἕνα;). Dieses Logion ist durch das Stichwort μεριμνᾶν in seinen jetzigen Zusammenhang hineingekommen. Ursprünglich wird es selbständig gewesen sein, und zwar legt die Einleitung τίς δὲ ἐξ ὑμῶν die Vermutung nahe, daß es zur Öffentlichkeit gesagt war (s. S. 102). Πῆχυς kann unmöglich die Körpergröße meinen, dazu ist das Maß (Elle = 0,52 m[1]) viel zu groß. Ist aber ein Minimum an Zeit gemeint, dann wird das Logion eschatologisch zu verstehen sein. Alle verzweifelte Mühe (zu μεριμνᾶν s. S. 212) wird in der Stunde der Katastrophe nicht vermögen, die Lebensfrist auch nur um eine Spanne zu verlängern.

Dann wird die Tür zum festlichen Saal zugeschlossen werden, und dann heißt es: zu spät! Dieses Zuspät schildern zwei eng verwandte Gleichnisse, die beide von der verschlossenen Tür des gefüllten Festsaals handeln: die Gleichnisse von den zehn Jungfrauen (Mt. 25, 1—12 vgl. Lk. 13, 25—27) und vom großen Abendmahl (Lk. 14, 15—24 par. Mt. 22, 1—10).

Das Gleichnis von den zehn Jungfrauen erfordert eine Vorbemerkung. Wir hatten S. 48—50 gesehen, daß schwerwiegende Gründe dafür sprechen, daß es ursprünglich nicht eine Allegorie war, sondern die Schilderung einer wirklichen Hochzeit, mit der Jesus die Menge angesichts der bevorstehenden eschatologischen Krisis aufrütteln wollte. Nun ist aber gegen die Echtheit des Gleichnisses geltend gemacht worden, daß es angeblich eine Anzahl Einzelzüge enthalte, für die sich in den rabbinischen Quellen keine Parallelen beibringen lassen, so namentlich für den Beginn der Hochzeitsfeier zu nächtlicher Stunde, die Einholung des Bräutigams mit Lampen und seine Verspätung bis zur Mitternacht[2]. Da nun diese Züge, die „in dem Bilde einer natürlichen Hochzeit nicht unterzubringen" sein sollen[3], Verwandtschaft mit Vorstellungen der urchristlichen Parusieerwartung aufweisen, müsse das Gleichnis als eine Jesus nachträglich in den Mund gelegte Allegorie der Urgemeinde betrachtet werden, die die Gemeinde ermahnen wollte, trotz der Parusieverzögerung nicht nachzulassen in Bereitschaft für

---

[1] In Palästina galt die Elle des philetärischen Maßsystems = 525 mm, vgl. J. Jeremias, Jerusalem zur Zeit Jesu[3], Göttingen 1962, S. 11.
[2] G. Bornkamm, Die Verzögerung der Parusie, in: In memoriam E. Lohmeyer, Stuttgart 1951, S. 119—126.
[3] Ebd. S. 122.

das Ende[1]. Dazu ist zu sagen: Die Behauptung, daß sich die genannten Hochzeitsbräuche in der rabbinischen Literatur nicht nachweisen lassen, trifft nicht zu. Der falsche Anschein ist dadurch entstanden, daß wir keine zusammenhängende Schilderung einer Hochzeitsfeier aus Jesu Tagen besitzen, sondern nur moderne Materialsammlungen, die die verstreuten Einzelnachrichten der rabbinischen Literatur zu einem Mosaik zusammenzufügen versuchen[2]. Die Nachprüfung ergibt, daß diese Materialsammlungen nicht vollständig sind. Das ist angesichts der Quellenlage nicht überraschend; das Material ist unübersehbar und weit verstreut. Und das Bild ist außerordentlich bunt: die Hochzeitsbräuche waren — wie noch heute — regional verschieden, außerdem sind sie seit der Tempelzerstörung wiederholt unter dem Eindruck nationaler Unglückszeiten tiefgreifenden Einschränkungen unterworfen worden[3]; vor allem aber verteilen sich die uns erhaltenen Zufallsnachrichten räumlich auf Palästina und Babylonien, zeitlich auf viele Jahrhunderte. So erklärt es sich, daß manche Einzelheiten bisher noch nicht notiert worden sind. Zu diesen bisher übersehenen Hochzeitsbräuchen gehört die Einholung des Bräutigams mit Lichtern und die gelegentliche Verzögerung seines Kommens. Daß der nächtliche Einzug des Bräutigams im Lichterglanz dem Spätjudentum nicht unbekannt war, ergibt sich aus Mekh. Ex. 19,17, wo Dt. 33,2 „Jahwe kam vom Sinai . . . (zu seiner Rechten brennendes Feuer)" mit den Worten gedeutet wird: „wie ein Bräutigam, der der Braut entgegenzieht". Ebenso läßt sich belegen, daß der Fall vorkam — freilich offensichtlich als Ausnahme! —, daß das Kommen des Bräutigams sich bis Mitternacht hinzog, falls man sich über die Höhe der Hochzeitsverschreibung nicht einigen konnte[4].

Die Feststellung, daß sowohl die Einholung des Bräutigams mit Lichtern als auch die Verzögerung seiner Ankunft bis in die Nacht nicht freie Schöpfungen der Phantasie sind, sondern Züge aus dem Leben, wird durch die modernen palästinischen Hochzeitsbräuche bestätigt. Hier geben uns die Berichte aus den einzelnen Teilen des Landes[5] zwar ein sehr buntes, in Einzel-

---

[1] Ebd. S. 125f.

[2] Die beste Zusammenstellung bei Bill. I, S. 504—517; ferner S. Krauß, Talmudische Archäologie II, Leipzig 1911, S. 37—43.

[3] Soṭa 9,14: nach 70: Verbot der Kränze der Bräutigame und der Handtrommel; nach 117: Verbot der Kränze der Bräute; nach 135: Verbot der Brautsänften.

[4] Ich verdanke den Hinweis Herrn Kollegen C.-H. Hunzinger, der seinen Fund bald zu veröffentlichen beabsichtigt.

[5] F. A. Klein, Mitteilungen über Leben, Sitten und Gebräuche der Fellachen in Palästina, in: ZDPV. 6 (1883), S. 81 — 101; L. Schneller, Kennst du das Land?[16], Jerusalem 1899; G. Dalman, Palästinischer Diwan, Leipzig 1901; L. Bauer, Volksleben im Lande der Bibel, Leipzig 1903; E. Baumann, Zur Hochzeit geladen, in: Palästina-Jahrbuch 4 (1908), S. 67—76; F. Jeremias, Eine Hochzeit in Jerusalem, in: Kirchl. Monatsblatt d. Limbach-Rabensteiner Pastorenkonferenz, IV. Jahrg. Nr. 4, Juli 1909; G. Rothstein, Moslemische Hochzeitsgebräuche in Lifta bei Jerusalem, in: Palästina-Jahrbuch 6 (1910), S. 102-136; H. Granqvist, Marriage Conditions in a Palestinian Village II, Helsingfors 1935.

heiten von Dorf zu Dorf abweichendes[1] Bild, aber gemeinsam ist ihnen fast allen[2], daß Höhepunkt und Abschluß der Hochzeitsfeier der in nächtlicher Stunde erfolgende Einzug des Bräutigams in sein väterliches Haus ist[3]. Ich gebe zwei Beispiele. Dörfliche Verhältnisse schildern, in allem Wesentlichen übereinstimmend, zwei langjährige Kenner Palästinas, F. A. Klein (1883) und L. Bauer (1903)[4]. Nachdem schon der Tag mit Tanzen und anderen Unterhaltungen ausgefüllt war, findet nach Anbruch der Nacht das Hochzeitsmahl statt. Bei Fackelschein wird sodann die Braut in das Haus des Bräutigams geleitet. Schließlich kündet ein Bote das Kommen des Bräutigams an, der sich bis dahin außerhalb des Hauses aufhalten mußte; die Frauen lassen die Braut allein und gehen mit Fackeln dem Bräutigam entgegen, der an der Spitze seiner Freunde erscheint. In städtische (christliche) Verhältnisse führt die Schilderung einer Jerusalemer Hochzeit (1906), die mein verstorbener Vater 1909 veröffentlichte[5]. Am späteren Abend wurden die Gäste im Hause der Braut bewirtet. Nach stundenlangem Warten auf den (wiederholt durch Boten angekündigten) Bräutigam kam dieser endlich eine halbe Stunde vor Mitternacht, um die Braut abzuholen, von seinen Freunden in einem Lichtermeer von brennenden Kerzen geleitet und von den ihm entgegengehenden Gästen empfangen. In einem feierlichen Zug zog dann die Hochzeitsgesellschaft, wieder in einer Flut von Licht, zum Hause des Vaters des Bräutigams, wo die Trauung und eine erneute Bewirtung stattfanden. Wie die Einholung des Bräutigams mit Lichtern wird auch das stundenlange Warten auf das Kommen des Bräutigams häufig in den modernen Berichten über arabische Hochzeiten in Palästina erwähnt. Die Verzögerung ist auch heutzutage regelmäßig dadurch veranlaßt, daß man sich über die den nächsten Angehörigen der Braut zustehenden Geschenke nicht einigen kann[6]. Das Unterlassen dieses oft wilden Feilschens würde als arge Gleichgültigkeit der Verwandten gegenüber der Braut ausgelegt werden; es bedeutet dagegen eine Schmeichelei für den Bräutigam, wenn seine künftigen Verwandten auf diese Weise zeigen, daß sie die Braut nur mit größtem Zögern fortgeben[7].

Wir sehen: man kann keinesfalls sagen, daß das Gleichnis von den zehn Jungfrauen „eine Situation schildert, die sich als irdisch-natürliches Geschehen nicht vorstellen läßt"[8]. Nimmt man hinzu, daß der Vergleich der Heilsgemeinde mit den klugen Jungfrauen im Rahmen des sonstigen Bildgebrauchs Jesu liegt, während in einer urchristlichen Allegorie statt dessen

---

[1] Den Nachweis lieferte an Hand exakten Materials die grundlegende Arbeit von H. Granqvist (s. vorige Anm.).

[2] Anders: Bethlehem und Umgebung (L. Schneller, S. 188).

[3] F. A. Klein, S. 98; L. Schneller, S. 187; G. Dalman, S. 193 (mohammedanische Hochzeit); L. Bauer, S. 94; E. Baumann, S. 76; F. Jeremias, S. 3f.; G. Rothstein, S. 122; H. Granqvist, S. 115.

[4] S. S. 172 A. 5.          [5] Ebd.

[6] K.-E. Wilken, Biblisches Erleben im Heiligen Land I, Lahr-Dinglingen 1953, S. 243f.

[7] H. Granqvist (s. o. S. 172 A. 5), S. 73.

[8] G. Bornkamm (s. o. S. 171 A. 2), S. 125.

der Vergleich der Heilsgemeinde mit der Braut zu erwarten wäre[1], so wird man Bedenken tragen, in dem Gleichnis eine „spätere, mit allegorisierenden Zügen durchsetzte Gemeindebildung"[2] zu sehen. Gewiß hat die Urkirche vielfach ihr vorliegende Gleichnisse allegorisch ausgedeutet; aber daß sie ein künstliches, der Wirklichkeit widersprechendes Bild von einer Hochzeitsfeier aus freier Phantasie geschaffen haben sollte, ist äußerst unglaubhaft.

V. 1 f.: Ὁμοιωθήσεται: das Gleichnis von den zehn Jungfrauen ist eines der Gleichnisse mit Dativanfang: die Königsherrschaft Gottes wird nicht mit den Jungfrauen, sondern mit der Hochzeit verglichen[3]. Δέκα ist runde Zahl, ebenso πέντε in V. 2. Εἰς ὑπάντησιν: die Hochzeitsfeier findet, wie wir sahen, im heutigen Palästina ihren Höhepunkt und Abschluß mit dem nächtlichen Einzug des Bräutigams in sein elterliches Haus. Die λαμπάδες, mit denen die weibliche Jugend dem Zug entgegengeht, sind keinesfalls Tonlämpchen (λύχνοι Mk. 4,21 u. ö), aber auch nicht Laternen (φανοί Joh. 18,3), sondern Fackeln (oben mit ölgetränkten Lappen oder Werg umwickelte Stangen[4]). Also: „So geht es zu beim Anbruch der Königsherrschaft Gottes, wie wenn junge Mädchen mit Fackeln den Bräutigam einholen. — V. 3: Οὐκ ἔλαβον μεθ' ἑαυτῶν ἔλαιον: haben sie in der Eile des Aufbruches die ἀγγεῖα (s. V. 4) vergessen? Ihre Kennzeichnung als „töricht" empfiehlt eine andere Erklärung: sie waren so kurzsichtig, nicht mit einer Verzögerung der Hochzeitsfeier zu rechnen und kamen deshalb nicht auf den Gedanken, daß sie Öl zum Nachtränken der Fackeln nötig haben würden. — V. 4: Τὰ ἀγγεῖα: kleine Krüge mit engem Hals. — V. 5: Χρονίζοντος τοῦ νυμφίου: über den Grund der Verzögerung s. S. 172 f. Ἐνύσταξαν (ingressiver Aorist!) πᾶσαι καὶ ἐκάθευδον (duratives Imperfekt!) „sie fielen alle in einen leichten Dämmerschlaf". Vgl. b. Pes. 120 (Bill. I, S. 970). — V. 7: Sie warten mit brennenden Fackeln (vgl. V. 8: σβέννυνται), weil beim pötzlichen Kommen des Bräutigams die Flamme nicht so rasch entzündet werden kann[5]. Ἐκόσμησαν τὰς λαμπάδας ἑαυτῶν: sie befreien die Lappen von angekohlten Resten und begießen sie mit Öl, damit die Fackeln wieder hell brennen. — V. 10: Εἰς τοὺς γάμους: zum Hochzeitshause, wo sie mit den Fackeln Tänze und Reigen aufführen, bis die Fackeln erlöschen[6]. V. 11: Zum Praes. hist. ἔρχονται als Indiz für alte Überlieferung

---

[1] Die Braut wird überhaupt nicht erwähnt (in Mt. 25,1 sind die lediglich von D Θλ it vg sy bezeugten Worte καὶ τῆς νύμφης Zusatz, wie V. 5 und 6 zeigen, vgl. ThWBNT. IV, S. 1093, 8 ff.). So geläufig der urchristlichen Literatur der Vergleich der Heilsgemeinde mit der Braut ist (2. Kor. 11,2; Eph. 5,31 f. [auf die Parusie zu beziehen: Christus verläßt die himmliche Welt, um sich mit der Kirche zu vereinen!]; Apk. 19,7 f.; 21,2.9; 22,17 vgl. Joh. 3,29), so unbekannt ist dieser Vergleich der gesamten Predigt Jesu. Jesus vergleicht vielmehr die Heilsgemeinde mit Hochzeitsgästen (Mk. 2,19 a; Mt. 22,1 ff. 11 ff.). So auch Mt. 25,1—12: wir haben hier also den Sprachgebrauch Jesu, nicht den der Urkirche, vor uns.

[2] G. Bornkamm a. a. O. S. 125, nach R. Bultmann, Die Geschichte der synoptischen Tradition[3], Göttingen 1958, S. 125. 190 f.

[3] S. S. 99 f.     [4] Vgl. Schneller (s. o. S. 172 A. 5), S. 188.

[5] G. Dalman, Arbeit und Sitte IV, Gütersloh 1935, S. 25.

[6] Schneller, ebd.

174

s. S. 198 A. 2. — V. 12: *Oὐκ οἶδα ὑμᾶς* ist die Formel der *nᵉzipha* (des Verweises des Lehrers, durch den er dem Schüler für sieben Tage die Gemeinschaft aufsagt[1]), d. h. der Sinn ist: „ich will nichts mit Euch zu tun haben." — Zu V.13 s. o. S. 48. 105. 110.

Das Gleichnis ist eines der Krisisgleichnisse[2]. Der Hochzeitstag ist angebrochen, das Festmahl ist bereitet. „Der Herr, unser Gott, der Allmächtige, hat seine königliche Herrschaft angetreten. Laßt uns uns freuen und jubeln und ihm die Ehre geben, denn die Hochzeit ist herbeigekommen ... Selig, die zum Hochzeitsmahl ... eingeladen sind" (Apk. 19,6f. 9). Nur, wer diesen Jubelklang, mit dem das Gleichnis in V. 1 einsetzt, nicht überhört, kann den Ernst der Mahnung ermessen: um so mehr gilt es jetzt, sich zu rüsten auf die Stunde der Probe und der Scheidung, die der Vollerfüllung vorangehen wird. Diese Stunde wird so plötzlich kommen wie der Bräutigam um Mitternacht. Wehe denen, die dann den törichten Jungfrauen gleichen, deren Lampen erloschen waren und denen die Tür des Hochzeitshauses verschlossen blieb. Für sie ist es zu spät. Denn, so fügt das Gleichnis von der verschlossenen Tür (Lk. 13,24—30), das dem Schluß von Mt. 25,1—12 parallel läuft, hinzu: die Berufung auf die Gemeinschaft mit Jesus hilft den Anklopfenden nichts, wenn ihre Taten böse waren (Lk. 13,27)[3].

Das unwiderrufliche Zuspät schildert auch das Gleichnis vom großen Abendmahl (Mt. 22,1—10; Lk. 14,15—24). Es hat im Thomasevangelium (64) den folgenden Wortlaut: „Jesus sagte: Ein Mann hatte Gäste, und als er das Mahl bereitet hatte, sandte er seinen Knecht, damit er die Gäste einlade. Er (der Knecht) ging zu dem ersten und sagte zu ihm: Mein Herr lädt dich ein! Er sagte: Ich habe Geld von Kaufleuten (zu bekommen); sie kommen am Abend zu mir, und ich werde hingehen und ihnen Anweisungen geben. Ich entschuldige mich für das Mahl. Er ging zu einem anderen und sagte zu ihm: Mein Herr hat dich eingeladen! Er sagte zu ihm: Ich habe ein Haus gekauft, und man verlangt mich für einen Tag. Ich werde keine Zeit haben. Er kam zu einem anderen und sagte zu ihm: Mein Herr lädt dich ein! Er sagte zu

---

[1] Bill. I, S. 469; IV, S. 293.      [2] S. o. S.49f.

[3] In diesen Zusammenhang dürfte auch das Gleichnis des Thomasevangeliums (97) von der Frau gehören, deren Mehlkrug leck wurde, ohne daß sie es merkte, und die mit leerem Krug zu Hause ankam — falls es auf Jesus zurückgeht, was durchaus zu erwägen ist. Es warnt vor falscher Sicherheit.

ihm: Mein Freund wird Hochzeit feiern und ich werde das Festmahl herrichten. Ich werde nicht kommen können; ich entschuldige
mich für das Mahl. Er ging zu einem anderen und sagte zu ihm:
Mein Herr lädt dich ein! Er sagte zu ihm: Ich habe ein Dorf gekauft und gehe hin, die Pacht einzuholen. Ich werde nicht kommen
können; ich entschuldige mich. Der Knecht kam und sagte seinem
Herrn: Die du zum Mahl eingeladen hast, haben sich entschuldigen
lassen. Der Herr sagte zu seinem Knecht: Geh hinaus auf die
Straßen und bringe, die du finden wirst, damit sie an dem Mahl
teilnehmen. Die Käufer und die Kaufleute werden nicht in die
Orte meines Vaters eingehen."

Wir haben bereits gesehen, daß das Gleichnis bei Matthäus ungewöhnlich
stark überarbeitet worden ist, so daß es bei ihm geradezu zu einem allegorischen Abriß der Heilsgeschichte geworden ist[1]. Bei Lukas und im ThEv. dagegen dürfte (abgesehen von einzelnen Erweiterungen wie der Verdoppelung
der Einladung der Ungeladenen bei Lukas[2] und der Ausweitung der Entschuldigungen im ThEv.[3]) im wesentlichen die ursprüngliche Fassung erhalten geblieben sein. — V. 16: Der Privatmann, der nur einen Diener hat, ist
ursprünglicher als der ἄνθρωπος βασιλεύς (Mt. 22, 2), s. S. 24. 65 f. 102. Die Geladenen sind angesehene Leute, Großgrundbesitzer (s. zu V. 19). — V. 17: Das
Mahl ist ἤδη = „jetzt" bereit. Die Wiederholung der Einladung in der Stunde
des Mahles ist eine besondere Höflichkeit, wie die vornehmen Kreise Jerusalems
sie übten[4]. — V. 18: Das singuläre ἀπὸ μιᾶς ist wörtliche Wiedergabe eines
min ḥᵃdha = „auf einmal", wie es im Syrisch-Palästinischen belegt ist[5]. —
V. 19: Ζεύγη βοῶν: Bei den Arabern Palästinas ist das verbreitetste Feldmaß
der feddān; man versteht darunter diejenige Ackermenge, die an einem Tag
mit einem Joch Ochsen bewältigt werden kann. Daneben gibt es den gesetz-
lichen feddān, der der Jahresarbeit eines Jochs Ochsen entspricht, im Durchschnitt bei gutem Boden 9—9, 45 Hektar[6]. Im allgemeinen verfügt der Bauer
über 1—2 Joch Ochsenkraft[7], also 10—20 Hektar. Der Aristeasbrief (zwischen
145—127 v. Chr.) setzt den durchschnittlichen Landbesitz etwas höher an,
wenn er sagt, daß bei der Landnahme jeder Israelit 100 Aruren (= 27,56
Hektar) erhalten habe (§ 116). Der Mann im Gleichnis nun hat 5 Joch Ochsen
neu gekauft. Er hat demnach allermindestens 45 Hektar in Besitz, wahrscheinlich aber viel mehr, ist also Großgrundbesitzer. — V. 20: Γυναῖκα ἔγημα:
das dem Aor. ἔγημα zugrunde liegende semit. Perf. beschreibt hier die eben
beendete Handlung: „ich habe ganz kürzlich geheiratet." Zu Gastmählern
wurden nur Männer eingeladen; der Jungverheiratete will seine junge Frau

---

[1] S. 62 f. 65—67.    [2] S. 61.    [3] S. 175 f.

[4] Midhr. Klagel. 4, 2 (Bill. I, S. 881), vgl. Esth. 6, 14.

[5] M. Black, An Aramaic Approach to the Gospels and Acts[2], Oxford 1954,
S. 83 (im Anschluß an J. Wellhausen, Einleitung in die drei ersten Evangelien[2],
Berlin 1911, S. 26). — Beispielsweise wird ἐφάπαξ (1. Kor. 15, 6) = „auf einmal"
im Syr.-Pal. mit min ḥᵃdha wiedergegeben.

[6] G. Dalman, Arbeit und Sitte II, Gütersloh 1932, S. 47 f.    [7] Ebd. S. 40.

nicht allein lassen[1]. — V. 21: „Krüppel, Blinde, Lahme" sind im Orient eo ipso Bettler. Sie werden nicht aus sozialem Empfinden oder (wie in V. 13) aus religiösem Antrieb eingeladen, sondern aus Verärgerung. — V. 23: Zu den Bettlern soll der Diener die Obdachlosen von den „Landstraßen und Weinbergsumfriedungen"[2] holen. Ἀνάγκασον: auch die Ärmsten wahren die morgenländische Höflichkeit, sich aus Bescheidenheit so lange gegen die Bewirtung zu sträuben, bis sie bei der Hand genommen und mit sanfter Gewalt ins Haus gezogen werden[3]. Γεμισθῇ: Dem Hausherrn liegt alles daran, daß auch der letzte Platz besetzt wird. — V. 24: Die Frage ist umstritten, wen das „ich" in Lk. 14, 24 („ich sage euch", „mein Mahl") meint. Das λέγω γὰρ ὑμῖν paßt wegen des Plurals nicht zur vorangehenden Rede des Hausherrn, der in V. 23 nur zu einem Knechte sprach. Es scheint also wie 11, 8; 15, 7. 10; 16, 9; 18, 8. 14; 19, 26 Einleitung des abschließenden Urteils Jesu zu sein, der dann mit μου τοῦ δείπνου von Seinem Mahl, d. h. dem messianischen Mahl (vgl. Lk. 22, 30) gesprochen hätte. So dürfte Lukas V. 24 verstanden haben und mithin in dem Gleichnis eine Allegorie auf das messianische Mahl gesehen haben. Auch im ThEv. 64 ist der Schlußsatz als Wort Jesu verstanden und auf das himmlische Mahl bezogen: „Die Käufer und die Kaufleute werden nicht in die Orte meines Vaters eingehen." Ursprünglich wird jedoch V. 24 Rede des Hausherrn sein, denn 1. wird mit γάρ der Befehl in V. 23 begründet und 2. entspricht μου τοῦ δείπνου (V. 24) dem μου ὁ οἶκος (V. 23). Freilich überschreitet V. 24 auch als Rede des Hausherrn den Rahmen der Erzählung: nur mit Bezug auf das Mahl der Heilszeit ist V. 24 wirklich eine Drohung[4].

Wäre uns diese Erzählung nicht so vertraut, so würden wir noch stärker empfinden, wie unwirklich sie ist. Namentlich zwei Züge sind es, die der Einordnung in die Realitäten des Lebens spotten: 1. daß die Geladenen samt und sonders, wie auf Verabredung, alle „auf einmal" absagen, und 2. daß der Gastgeber an ihrer Stelle ausgerechnet die Bettler und Obdachlosen an die Festtafel ruft[5]. Der Schluß scheint unvermeidlich, daß das ganze eine

---

[1] W. Michaelis, Die Gleichnisse Jesu, Hamburg 1956, S. 156.     [2] S. S. 61.

[3] Vgl. A. M. Rihbany, Morgenländischen Sitten im Leben Jesu[5], Basel o. J. (1962), S. 90 f.

[4] Die Schwierigkeit, daß V. 24 im Rahmen der Erzählung keine echte Drohung ist (für Gäste, die nicht zum Mahl kommen wollen, ist es keine Drohung, daß sie nicht zugelassen werden!), vermeidet der Vorschlag von E. Linnemann, Gleichnisse Jesu, Göttingen 1961, S. 95, die Antworten der Erstgeladenen V. 18 f. nicht als Absagen, sondern nur als Ankündigungen eines verspäteten Kommens zu verstehen. Dann ist in der Tat V. 24 im Rahmen der Erzählung eine sinnvolle Drohung: alle Plätze sind schon besetzt, wenn sie verspätet eintreffen. Doch hat dieser Vorschlag gegen sich, daß der Wortlaut von V. 18 f. dieses Verständnis für den unbefangenen Leser kaum nahelegt, daß V. 20 sicher eine definitive Absage ist (deshalb von Linnemann ebd. als Zusatz betrachtet), vor allem aber, daß auch die vier Entschuldigungen im ThEv., die Matthäusfassung (22, 6!) und die sofort zu besprechende rabbinische Parallele die Absagen als endgültig verstehen.

[5] Einen Bedürftigen zum Festtagsessen ins Haus zu holen, galt als gutes Werk (Tob. 2, 2 vgl. Pes. 9, 11). In unserer Geschichte wird aber ein ganzer Festsaal mit Bettlern gefüllt.

Allegorie ist. Dieser Schluß wäre jedoch falsch. Vielmehr knüpft Jesus, wie eine neuere Untersuchung überzeugend gezeigt hat[1], an einen bekannten Erzählungsstoff an[2], nämlich an die Geschichte vom reichen Zöllner Bar Maʿjan und vom armen Schriftgelehrten, die sich auf Aramäisch im palästinischen Talmud findet[3]. Daß Jesus diese Geschichte kannte, ist dadurch gesichert, daß er sie noch einmal benutzt hat: im Gleichnis vom reichen Mann und armen Lazarus hat er, wie wir noch sehen werden[4], ihren Schluß verwendet. Der reiche Zöllner Bar Maʿjan, so hören wir, starb und erhielt ein glänzendes Begräbnis; in der ganzen Stadt ruhte die Arbeit, weil alle Leute ihm das letzte Geleit geben wollten. Gleichzeitig starb ein frommer Schriftgelehrter, und niemand nahm von seiner Beerdigung Notiz. Wie kann Gott so ungerecht sein, daß er das zuließ? Die Antwort lautet: Bar Maʿjan, weit davon entfernt, ein frommes Leben zu führen, hatte ein einziges Mal ein gutes Werk getan und war dabei vom Tode überrascht worden. Da die Todesstunde entscheidet, die gute Tat also nicht mehr durch böse Taten aufgehoben werden konnte, mußte sie von Gott vergolten werden, und das geschah durch das großartige Leichenbegängnis. Welches aber war denn nun jene gute Tat des Bar Maʿjan? „Er hatte ein Festmahl (ᵃrisṭon = ἄριστον) für die Ratsherrn (bulbuṭajja = βουλευταί) veranstaltet, aber sie kamen nicht. Da ordnete er an: die Armen (miskene) sollen kommen und es essen, damit die Speisen nicht verderben"[5]. Im Schlaglicht dieser Geschichte wird uns jetzt das rätselhafte Verhalten der Geladenen Lk. 14, 18—20 klar[6]. Der Gastgeber ist als ein Zöllner zu denken, der es zu Geld gebracht hat und der die Einladung veranstaltet, weil er endlich von den alteingesessenen Kreisen gesellschaftlich für voll genommen werden möchte. Aber sie weisen ihm wie auf Verabredung alle die kalte Schulter und sagen mit den fadenscheinigsten Ausreden ab. Da läßt er in seinem Ärger die Bettler ins Haus rufen, um den Honoratioren der Stadt zu zeigen, daß er nicht auf sie angewiesen ist und nichts mehr mit ihnen zu tun haben will. Wie Jesus sich nicht gescheut hat, am betrügerischen Verwalter die Notwendigkeit entschlossenen Handelns (S. 44. 181), am Verhalten des skrupellosen Richters (S. 156), des verachteten Hirten (S. 132—135) und der armen Frau (ebd.) die unermeßliche Güte Gottes zu veranschaulichen, so hat er nicht das mindeste Bedenken gehabt, in unserem Fall zur Veranschaulichung des Zornes und der Güte Gottes das Verhalten eines Zöllners zu wählen. Daß dessen Motiv genau so wenig selbstlos und edel ist wie dasjenige des Richters, der sich aus Bequemlichkeit einer Querulantin entledigt (S. 156), hat Jesus nicht nur nicht gestört, sondern eher in der Wahl seiner Beispiele bestärkt. Denn so gewinnt

---

[1] W. Salm, Beiträge zur Gleichnisforschung, Diss. Göttingen 1953, S. 144—146.

[2] Weitere Beispiele für solche Anknüpfungen S. 199.

[3] j. Sanh. 6, 23c par. j. Ḥagh. 2, 77d; kritische Ausgabe des Textes bei G. Dalman, Aram. Dialektproben, Leipzig 1927, S. 33f.

[4] S. S. 182.

[5] Dalman (s. A. 3) 34, 6f. Der Fortgang der Geschichte ist unten S. 182 berichtet.

[6] Zum Folgenden vgl. W. Salm, a.a.O. S. 144—146.

178

ja der Schluß (V. 24) erst seine unerhörte Wucht[1]. Wir müssen es uns so vorstellen, daß Jesu Zuhörer schmunzeln bei der Schilderung, wie der Parvenü eine Brüskierung nach der anderen erlebt und dabei immer mehr in Wut gerät, und daß sie in helles Gelächter ausbrechen, wenn sie sich ausmalen, wie die Hautevolée mit spöttischer Miene von den Winkeln der Fenster aus beobachtet, welch seltsamer Zug schäbiger Gäste sich zum festlich gerüsteten Zollhause bewegt. Wie müssen sie zusammenfahren, wenn Jesus, der Hausherr, schneidend ausruft: Das Haus ist voll, das Maß erfüllt, der letzte Platz besetzt, schließt die Türen, niemand wird jetzt noch hereingelassen!

Auch dieses Gleichnis wird nur richtig verstanden, wenn man den Freudenklang nicht überhört, der in dem Ruf liegt: ,,Es ist alles bereit" (V. 17). ,,Siehe, jetzt ist die hochwillkommene Zeit, siehe, jetzt ist der Tag des Heils" (2. Kor. 6, 2). Gott erfüllt seine Verheißung und tritt aus der Verborgenheit hervor[2]. Aber wenn die ,,Kinder des Reiches", die Theologen und die Kreise der Frommen, den Ruf Gottes in den Wind schlagen, dann werden die Verachteten und Gottesfernen an ihre Stelle treten (s. o. S. 61), jenen aber wird das Zuspät aus der verschlossenen Tür des festlichen Saales entgegenklingen.

### 6. Die Forderung der Stunde

Aus diesem drohenden Zuspät ergibt sich die Forderung der Stunde. Sie heißt: jetzt gilt es, entschlossen zu handeln. Das sagt das Gleichnis vom Schuldner (Mt. 5, 25 f.; Lk. 12, 58 f.)[3].

Mt. 5, 25: *Τῷ ἀντιδίκῳ*: der eine Schuld oder ein Darlehen einklagt. *Μήποτε (σε παραδῷ ὁ ἀντίδικος τῷ κριτῇ)* darf nicht mit ,,auf daß nicht dermaleinst" (Luther) übersetzt werden, was auf eine unbestimmte Zukunft weisen würde, sondern heißt ,,auf daß nicht (scil. eh' Du Dich's versiehst)". *Καὶ εἰς φυλακὴν βληθήσῃ*: die Verurteilung eines Schuldners zu Gefängnisstrafe durch das Gericht ist dem jüdischen Recht unbekannt. Wir müssen schließen, daß Jesus bei der Schilderung der Bestrafung absichtlich auf außerjüdische Rechtsverhältnisse Bezug nimmt, die von seinen Hörern als unmenschlich empfunden wurden (dasselbe gilt von der Hinrichtung durch Ertränken Mk. 9, 42 par., vom Verkauf der Frau Mt. 18, 25 und der Folterung Mt. 18, 34), um die Furchtbarkeit des Gerichtes besonders eindringlich zu machen. — V. 26: *Οὐ μὴ ἐξέλθῃς* = du wirst nicht eher entlassen werden (semitisierende Meidung des Passivs). *Τὸν ἔσχατον κοδράντην*: das Viertel-As (in Palästina = $1/100$ Denar[4]) war die kleinste Münze der römischen

---

[1] Richtig gesehen von W. Salm, ebd. Das Folgende zum Teil in engem Anschluß an Salms ausgezeichnete Ausführungen.
[2] Mit Recht betont von E. Linnemann, a. a. O. S. 96—98.
[3] S. S. 39—41.   [4] Bill. I, S. 291.

Währung. Kein Heller wird Dir erlassen werden: die peinliche Genauigkeit der Abrechnung veranschaulicht die Unerbittlichkeit des Strafvollzuges.

Du bist, sagt Jesus, in der Lage des Verklagten, der in aller Kürze vor dem Richter stehen wird, dort jeden Augenblick verhaftet werden kann und der auf dem Wege zum Gericht seinen Gegner trifft. Selbst mitgerissen von der vorgestellten Szene, ruft Jesus beschwörend aus[1]: Bring die Angelegenheit ins reine, solange es noch Zeit ist! Erkenne Deine Schuld an! Bitte Deinen Gegner um Nachsicht und Geduld (vgl. Mt. 18,26.29)! Es geht Dir furchtbar, wenn es Dir nicht gelingt.

Aufs engste ist diesem Gleichnis verwandt das Gleichnis vom betrügerischen Haushalter (Lk. 16,1—8).

V. 1: *Ἄνθρωπος πλούσιος*: es sind wahrscheinlich galiläische Verhältnisse vorausgesetzt, der *πλούσιος* ist vermutlich als Besitzer einer großen Domäne gedacht, der an Ort und Stelle einen Verwalter hat[2]. *Διεβλήθη*: der Orient kennt weder Buchführung noch geregelte Kontrolle. — V. 3: *Εἶπεν δὲ ἐν ἑαυτῷ* = er überlegte (das Semitische hat kein Wort für denken, nachdenken, überlegen). *Σκάπτειν*: „Feldarbeit zu tun" ist er nicht gewöhnt. — V. 4: *Ἔγνων* = „jetzt fällt mir ein". — V. 5—7: Zur Unterschlagung (V. 1) fügt er die Urkundenfälschung. Die Schuldner (*χρεοφειλέτης*) sind entweder Pächter, die einen bestimmten Teil des Ertrages ihres Landes als Pachtzins abzuliefern haben, oder Großhändler, die Lieferungen gegen Schuldschein erhalten haben. 100 Bath (= 36,5 hl) Öl entsprechen dem Ertrag von 146 Ölbäumen[3] und einer Schuldsumme von etwa 1000 Denaren; 100 Kor (= 364,4 hl)[4] Weizen sind 550 Zentner Weizen und entsprechen dem Ertrag von 42 Hektar[5] und einer Schuldsumme von etwa 2500 Denaren. Es handelt sich also um sehr hohe Schulden. Der Nachlaß (18 hl Öl, 73 hl Weizen) ist wertmäßig in beiden Fällen ungefähr gleich, da Öl viel teurer ist als Weizen[6]; in Geldwert ausgedrückt beträgt er 500 Denare[7]. Jesus schließt

---

[1] W. Salm, Beiträge zur Gleichnisforschung, Diss. Göttingen 1953, S. 107.

[2] Vgl. oben S. 72f.; W. Grundmann, Die Geschichte Jesu Christi, Berlin 1956, S. 171.

[3] Der durchschnittliche Ertrag eines Ölbaums beträgt in Palästina 120 kg Oliven bzw. 25 l Öl, vgl. J. Herz, Großgrundbesitz in Palästina zur Zeit Jesu, in: Palästina-Jahrbuch 24 (1928), S. 100; G. Dalman, Arbeit und Sitte IV, Gütersloh 1935, S. 192. Bis zu 30 l: K.-E. Wilken, Biblisches Erleben im Heiligen Land II, Lahr-Dinglingen 1954, S. 89.

[4] G. Dalman, ebd. III (1933), S. 152.

[5] G. Dalman, ebd. S. 155. 159 nach L. Pinner, Wheat Culture in Palestine, Tel Aviv 1930, S. 68: im modernen Palästina belief sich nach achtjährigem Durchschnitt der Ertrag eines Hektars an Weizen auf 652,4 kg.

[6] K. H. Rengstorf in: Das Neue Testament Deutsch 3[9], Göttingen 1962, z. St.

[7] Nach B. M. 5,1 ist der Normalpreis für 1 Kor Weizen 1 Golddenar = 25 Silberdenare. Also 20 Kor = 500 Denare. Vgl. zum Getreidepreis noch J. Jeremias, Jerusalem zur Zeit Jesu[3], Göttingen 1962, S. 137—139.

sich in unserem Gleichnis also der Vorliebe des morgenländischen Erzählers für hohe Zahlen an[1]. — V. 6f.: *Δέξαι σου τὰ γράμματα*: „Da hast du deinen Schuldschein." Der Verwalter hat die von den Schuldnern geschriebenen Pachtverträge bzw. Schuldscheine in Verwahrung. Er läßt sie von diesen selbst ändern, weil er hofft, daß bei gleicher Handschrift der Betrug nicht auffällt, oder er läßt sie neue Urkunden ausfertigen. — V. 7: *Λέγει*: zum Praes. hist. s. S. 182. In derselben Weise verfährt er mit den anderen Schuldnern (*ἕνα ἕκαστον* V. 5). — V. 8: *Καὶ ἐπῄνεσεν ὁ κύριος τὸν οἰκονόμον τῆς ἀδικίας*: mit dem *κύριος* ist wahrscheinlich ursprünglich Jesus gemeint, s. o. S. 42.

Der von jeher viel diskutierte Anstoß, den diese Geschichte immer wieder geboten hat, weil sie einen verbrecherischen Menschen als Vorbild hinstellt[2], sollte schwinden, wenn man das Gleichnis in seinem ursprünglichen Bestand (V. 1—8) betrachtet und von den Erweiterungen (V. 9—13) absieht[3]. Wie im Gleichnis vom nächtlichen Einbrecher[4] wird Jesus an einen konkreten Vorfall, der ihm mit Entrüstung erzählt worden sein wird, anknüpfen. Er hat ihn absichtlich als Beispiel gewählt, weil er bei Hörern, die den Vorfall noch nicht kannten, doppelter Aufmerksamkeit sicher sein konnte. Die Zuhörer erwarten, daß Jesus mit einem Wort scharfer Mißbilligung schließen wird. Es trifft sie völlig unerwartet, daß Jesus statt dessen – den Betrüger lobt. Ihr seid empört? Lernt daraus! Ihr seid ja in derselben Lage wie dieser Gutsverwalter, dem das Messer an der Kehle saß, dem der Ruin seiner Existenz drohte, — nur daß die Krise, die Euch droht, ja in der Ihr schon mitten drin steht, unvergleichlich furchtbarer ist. Dieser Mann war *φρόνιμος* (V. 8a), d. h. er hat die kritische Situation erfaßt[5]. Er hat die Dinge nicht laufen lassen, er hat gehandelt in letzter Minute, ehe das drohende Unheil über ihn hereinbrach, — gewiß skrupellos betrügerisch (*τῆς ἀδικίας*, V. 8), Jesus beschönigt das nicht, aber darauf kommt es hier nicht an — er hat kühn, entschlossen und klug gehandelt, sich eine neue Existenz gebaut. Klug sein, das ist die Forderung der Stunde auch für Euch! Alles steht auf dem Spiele!

Gegenüber dieser Forderung der Stunde gibt es keine Ausflüchte. Das sagt das Gleichnis vom reichen Mann und armen Lazarus (Lk. 16, 19—31).

---

[1] Weitere Beispiele s. S. 23 ff.

[2] Die verschiedenen Versuche einer „Ehrenrettung" des ungerechten Haushalters sind sämtlich mißglückt.

[3] S. S. 42 ff. über die Erweiterungen des Textes.    [4] S. S. 45 f.

[5] S. S. 43 A. 1.

In sprachlicher Hinsicht ist das zweifache Praesens historicum (V. 23: ὁρᾷ; V. 29: λέγει) bei Lukas sehr auffällig. Er hat nämlich von den 90 Praes. hist., die sich in dem von ihm übernommenen Markusstoff[1] fanden, nur ein einziges (Lk. 8, 49: ἔρχεται) beibehalten, die anderen 89 beseitigt. Dadurch sind die sechs Praes. hist., die sich in lukanischen Gleichnissen (13, 8; 16, 7. 23. 29; 19, 22) und in der Gleichniseinleitung 7, 40 finden, als Indizien für das Vorliegen vor-lukanischer Überlieferung gesichert. — Für das Verständnis des Gleichnisses im einzelnen wie im ganzen ist die Feststellung wesentlich, daß es in seinem ersten Teil an einen bekannten Erzählungsstoff anknüpft, der die Umkehrung des Geschickes im Jenseits zum Gegenstand hatte. Es ist das ägyptische Märchen von der Fahrt des Si-Osiris und seines Vaters Seton Chaemwese, ins Totenreich, das mit den Worten schließt: „Wer auf Erden gut ist, zu dem ist man auch im Totenreich gut, wer aber auf Erden böse ist, zu dem ist man auch [dort] böse"[2]. Alexandrinische Juden hatten diese Erzählung nach Palästina gebracht, und dort wurde sie als die Geschichte von dem armen Schriftgelehrten und dem reichen Zöllner Bar Maʿjan sehr beliebt. Daß Jesus an diese Erzählung anknüpft, wird dadurch bestätigt, daß er sie im Gleichnis vom Großen Abendmahl ebenfalls verwendet (s. S. 178 f.). Dort haben wir den Anfang der Geschichte schon berichtet: wie der Schriftgelehrte ohne Geleit bestattet wird, aber der Zöllner mit großem Gepränge. Jetzt kommt es auf ihren Schluß an. Ein Kollege des armen Schriftgelehrten darf im Traum sehen, wie sich das Schicksal der beiden Männer im Jenseits gestaltet: „Einige Tage später sah jener Schriftgelehrte seinen Kollegen in Gärten von paradiesischer Schönheit, durchströmt von Quellwasser. Und er sah auch Bar Maʿjan, den Zöllner, wie er am Ufer eines Flusses stand und das Wasser erreichen wollte, aber nicht konnte"[3]. — V. 19: Der reiche Mann, der es nicht nötig hat zu arbeiten, veranstaltet täglich Gastmähler, bekleidet mit einem kostbaren Obergewand aus roter Purpurwolle und einem Untergewand aus feiner ägyptischer Leinwand[4]. Daß seine Schuld nicht deutlicher hervorgehoben wird, obwohl er, wie sein Geschick zeigt, als gottloser Prasser gedacht ist, erklärt sich

---

[1] Lukas hat den Markusstoff in Blöcken in den Ur-Lukas eingeschoben: 1) Mk. 1, 21—39; 2) Mk. 1, 40—3, 11; 3) Mk. 4, 1—25; 3, 31—35; 4, 35—6, 44; 8, 27—9, 40; 4) Mk. 10, 13—52; 5) Mk. 11, 1—14, 16. Dieselbe Technik des Einschubs von Blöcken in seine Quelle hat Lukas bei der Komposition der Apostelgeschichte angewendet, vgl. J. Jeremias, Untersuchungen zum Quellenproblem der Apostelgeschichte, in: ZNW. 36 (1937), S. 205—221, bes. 219.

[2] H. Greßmann, Vom reichen Mann und armen Lazarus, in: Abh. d. preuß. Akad. d. Wiss. 1918, phil.-hist. Klasse Nr. 7. Die Handschrift stammt aus der Zeit um 50—100 n. Chr., für die Erzählung selbst ist 331 v. Chr. der Terminus post quem (S. Morenz in: ThLZ. 78 [1953], Sp. 188).

[3] j. Sanh. 6, 23 c par. j. Hagh. 2, 77 d, kritische Ausgabe des Textes von G. Dalman, Aramäische Dialektproben[2], Leipzig 1927, S. 33 f. Obiges Zitat bei Dalman, S. 34 Z. 9—11.

[4] R. Delbrueck, Antiquarisches zu den Verspottungen Jesu, in: ZNW. 41 (1942), S. 128. — Purpurmäntel waren sehr teuer; ebenso galten leinene Gewänder als besonderer Luxus.

daraus, daß Jesus an einen seinen Hörern bekannten Stoff anknüpft. — V. 20: Lazarus ist die einzige Gestalt eines Gleichnisses, die einen Namen erhält; der Name („Gott hilft") hat also besondere Bedeutung. Lazarus ist ein gelähmter ($\dot{\epsilon}\beta\dot{\epsilon}\beta\lambda\eta\tau o = r^eme = $ „hingeworfen, liegend"), von einer Hautkrankheit (V. 21 b) heimgesuchter Bettler ($\pi\tau\omega\chi\dot{o}\varsigma$ vgl. Joh. 13, 29), der auf der Straße vor dem Eingangstor zum Palast des Reichen seinen Bettelplatz hat, von dem aus er die Vorübergehenden um eine Gabe anruft. — V. 21: Ἐπιθυμεῖν mit Infinitiv bezeichnet bei Lukas stets[1] das unbefriedigt gebliebene Verlangen: „er hätte sich gern (wenn er gekonnt hätte) gesättigt"[2]. Ἀπὸ τῶν πιπτόντων ἀπὸ τῆς τραπέζης τοῦ πλουσίου: πίπτειν = $n^ephal$ = semitisierendes Meiden des Passivs: „geworfen werden"[3]. Es muß also übersetzt werden: „das, was von denen, die an der Tafel des Reichen saßen, auf den Boden geworfen wurde." Gemeint sind damit nicht zu Boden fallende Krümel, sondern Stücke der Brotfladen, die man zum Eintauchen in die Schüssel und zum Abwischen der Hände gebrauchte und dann unter den Tisch warf[4]. Wie gern hätte Lazarus mit ihnen seinen Hunger gestillt! Die Hunde sind wild herumlungernde Straßenhunde, deren sich der hilflose, kaum bekleidete Gelähmte nicht zu erwehren vermag. Für das Vergeltungsdenken des antiken Judentums ist er durch sein Geschick als von Gott gestrafter Sünder gekennzeichnet. Weil Jesus nicht, wie die Volkserzählung, einen frommen Schriftgelehrten schildert, ist das Folgende für die Hörer unerwartet. — V. 22: Εἰς τὸν κόλπον Ἀβραάμ ist Bezeichnung des Ehrenplatzes beim himmlischen Gastmahl zur Rechten (vgl. Joh. 13, 23) des Hausvaters Abraham; dieser Ehrenplatz, das höchste Ziel der Hoffnung, besagt, daß Lazarus an der Spitze sämtlicher Gerechten steht. Er erlebt eine Umkehrung der Verhältnisse: auf Erden sah er den Reichen an der Tafel sitzend, jetzt darf er selbst am Festtisch sitzen; auf Erden war er verachtet, jetzt genießt er höchste Ehre. Er erfährt, daß Gott der Gott der Ärmsten und Verlassenen ist. Ἀπέθανεν δὲ καὶ ὁ πλούσιος καὶ ἐτάφη: das Begräbnis des Reichen ist, wie der oben er-

---

[1] Lk. 15, 16; 16, 21; 17, 22; 22, 15; so auch Mt. 13, 17; 1. Pt. 1, 12; Apk. 9, 6. Anders im NT. nur Hbr. 6, 11.

[2] So versteht die v. l. + καὶ οὐδεὶς ἐδίδου αὐτῷ φ l vg$^{cl}$. Vgl. S. 129 A. 8 zu ἐπεθύμει Lk. 15, 16.

[3] Vgl. Lk. 10, 18 πεσόντα (vom Satan) mit Joh. 12, 31 ἐκβληθήσεται und mit Apk. 12, 9 ἐβλήθη. Ferner Joh. 12, 24 πεσών (vom Weizenkorn) = „gestreut werden".

[4] Nach dem Essen sollen die am Boden liegenden Brotreste gesammelt werden; wer das unterläßt, fällt (wegen seiner Mißachtung des Brotes) dem Fürsten der Armut in die Hände (b. Ḥul. 105 b). Daher sagt das Sprichwort: „Brotreste im Haus bringen Armut hinein" (b. Pes. 111 b). In den Häusern der Schriftgelehrten war man besonders achtsam. „Ist der bei Tisch Bedienende ein Gelehrtenschüler, so liest er die Brocken von (mindestens) Olivengröße auf" (Tos. Ber. 6, 4; b. Ber. 52 b [Bar.]). Aber im allgemeinen war man sehr achtlos. „Man soll nicht von einem Stück Brot (das man in die Schüssel eingetunkt hat) abbeißen und es dann wieder in die Schüssel eintunken, wegen der Lebensgefahr (durch ansteckende Krankheiten)" (Tos. Ber. 5, 8) — scil.: sondern man wirft den Rest unter den Tisch (S. Krauß, Talmudische Archäologie III, Leipzig 1912, S. 51 f.).

wähnte zugrunde liegende Erzählungsstoff zeigt, ein glänzendes Leichenbegängnis. — Es handelt sich V. 23—31 nicht um das endgültige Schicksal,
sondern um das Schicksal unmittelbar nach dem Tode[1]. Das geht
schon aus dem Vergleich mit dem Erzählungsstoff, an den Jesus
anknüpft, hervor und wird durch die Verwendung des Wortes ᾅδης
(V. 23) bestätigt; denn das NT. scheidet durchweg scharf zwischen dem
zwischenzeitlichen ᾅδης und der endzeitlichen γέεννα[2]. Es ist also vom
Zwischenzustand die Rede[3]. — V. 23: Daß Gerechte und Gottlose sich im
Jenseits gegenseitig sehen, ist eine dem Spätjudentum geläufige Vorstellung[4].
— V. 24: Der Reiche beruft sich auf die Abrahamskindschaft, d. h. auf
den (durch die Abstammung vermittelten) Anteil am stellvertretenden Ver-
dienst Abrahams. Seine bescheidene Bitte soll die Furchtbarkeit der Qualen
illustrieren: schon ein einziger Tropfen Wasser auf der Zunge aus der Wasser-
quelle, die am Ort der Gerechten fließt, wäre eine Linderung der Pein. —
V. 25: Die Abrahamskindschaft wird anerkannt (τέκνον)[5], nicht aber ihr
Heilswert[6]. Nach dem Wortlaut von V. 25 könnte es so scheinen, als ob die
Vergeltungslehre, die hier formuliert wird, rein äußerlich gemeint sei (irdi-
scher Reichtum / jenseitige Qual; irdische Armut / jenseitige Erquickung).
Aber (ganz abgesehen vom Widerspruch des Kontextes V. 14f.): wo hätte
Jesus jemals die Ansicht vertreten, daß der Reichtum an sich die Hölle, die
Armut an sich das Paradies nach sich ziehe? Daß in Wahrheit V. 25 sagen
will, daß vielmehr Gottlosigkeit und Lieblosigkeit bestraft, Frömmigkeit und
Ergebung vergolten werden, zeigt der Vergleich mit dem von Jesus benutzten
Erzählungsstoff eindeutig. Weil der Stoff bekannt ist, deutet Jesus nur an,
ohne kraß auszumalen: einerseits durch den Namen Lazarus = „Gott hilft“
(s. zu V. 20), andererseits durch die Bitte V. 27ff., mit der der Reiche seine
Unbußfertigkeit anerkennt[7]. — V. 26: Die „Kluft“ bringt die Unwiderruf-
lichkeit der Entscheidung Gottes zum Ausdruck. V. 26 zeigt, daß Jesus keine
Purgatoriumslehre kennt. — V. 27: Πέμψῃς denkt an eine Erscheinung des ver-

---

[1] Vgl. ThWBNT. V, S. 767 A. 37 s. v. παράδεισος; W. Michaelis, Versöhnung des Alls, Gümlingen 1950, S. 65f.

[2] ThWBNT. I, S. 148f. 655f.

[3] Die physischen Qualen sprechen nicht dagegen. Sie waren durch den
Stoff vorgegeben und werden im Judentum für die Schilderung des Zwischen-
zustandes verwendet, obwohl dieser leiblos ist.

[4] Im Zwischenzustand: 4. Esra 7, 85. 93; syr. Bar. 51, 5f.; rabbinische
Belege: Bill. II, S. 228; IV, S. 1040. — Im Endzustand: Lk. 13, 28; Bill. IV,
S. 1114f.

[5] K. Bornhäuser, Studien zum Sondergut des Lukas, Gütersloh 1934, S. 155.

[6] Vgl. Mt. 3, 9 Par.; Joh. 8, 37ff.

[7] Hingegen wird man aus dem Verbum ἀπέλαβες (16, 25) keine Schlüsse
auf das Verhalten der beiden im irdischen Leben ziehen dürfen (der Reiche
habe das Gute eigensüchtig hingenommen, Lazarus das schwere Geschick gehorsam angenommen, vgl. W. Michaelis, Die Gleichnisse Jesu, Hamburg 1956,
S. 217). Dagegen spricht eindeutig das Wort ὁμοίως. Es liegt vielmehr
aramaisierende Meidung des Passivs vor (ἀπολαμβάνειν = von Gott
zugeteilt erhalten, wie Gal. 4, 5; Kol. 3, 24; 2. Joh. 8).

storbenen Lazarus „vielleicht im Traum oder in einem Gesicht"[1].—V. 28: $\Delta\iota\alpha$-
$\mu\alpha\varrho\tau\acute\upsilon\varrho\epsilon\sigma\theta\alpha\iota$ = „beschwören" (scil. mit dem Hinweis auf die Vergeltung nach
dem Tode). — V. 31: $\text{᾽}A\nu\alpha\sigma\tau\tilde\eta$ bringt eine letzte Steigerung. Bisher war nur von
einer Erscheinung des toten Lazarus die Rede, jetzt wird sogar seine leibliche
Auferstehung von den Toten ins Auge gefaßt! Selbst ein solches, alle denk-
baren Bezeugungen der Macht Gottes im Alltag übersteigendes Wunder
bliebe ohne Eindruck auf Menschen, die nicht „auf Moses und die Propheten
hören", d.h. ihnen nicht gehorchen. Der Verweis auf „Moses und die Propheten" als Inbegriff der Offenbarung (V. 29. 31) ist vorösterlich (dieses Urteil gilt auch für Lk. 13, 28); die Wendung schließt nach Lk. 24, 27. 44 den
Gehorsam gegenüber der abschließenden Offenbarung nicht aus, sondern ein,
denn diese bringt ja doch die Offenbarung in Gesetz und Propheten auf das
Vollmaß (Mt. 5, 17).

Das Gleichnis ist eines der vier doppelgipfligen Gleichnisse[2]. Der
erste Gipfel (V. 19—23) hat die Umkehrung des Geschickes im Jenseits
zum Gegenstand, der zweite Gipfel (V. 24—31) die Abweisung der beiden Bitten des Reichen, Lazarus zu ihm und zu seinen fünf Brüdern
zu schicken. Da der erste Teil an einen bekannten Erzählungsstoff
anknüpft, liegt der Ton auf dem Neuen, das Jesus diesem hinzufügt,
auf dem „Epilog"[3]. Wie alle anderen doppelgipfligen Gleichnisse hat
also auch das unsere „Achtergewicht". Das heißt: Jesus will nicht
zu dem Problem reich und arm Stellung nehmen, er will auch
nicht Belehrung über das Leben nach dem Tode geben, sondern
er erzählt das Gleichnis, um Menschen, die dem Reichen und seinen
Brüdern gleichen, vor dem drohenden Verhängnis zu warnen. Der
arme Lazarus ist also nur eine Nebengestalt, eine Kontrastfigur.
Es geht um die sechs Brüder, und man sollte das Gleichnis nicht
„Vom reichen Mann und vom armen Lazarus" nennen, sondern
„Von den sechs Brüdern". Die überlebenden Brüder, die ihr Gegenstück in den Menschen der Sintflutgeneration haben, die ahnungslos das Leben genossen, ohne das Brausen der herannahenden Sintflut zu hören (Mt. 24, 37—39 Par.), sind Diesseitsmenschen wie
ihr verstorbener Bruder. Wie dieser leben sie in herzloser Selbstsucht, taub für Gottes Wort, weil sie meinen, daß mit dem Tode
alles aus ist (V. 28). Höhnisch ist Jesus von solchen skeptischen
Weltmenschen entgegengehalten worden, daß er ihnen schon hand-
feste Beweise für ein Leben nach dem Tode beibringen müsse,
wenn sie seine Drohung ernst nehmen sollten. Jesus möchte ihnen
die Augen öffnen, aber die Erfüllung ihrer Forderung wäre nicht

[1] W. Michaelis, ebd. S. 264 A. 151.
[2] S. S. 34.    [3] T. W. Manson, Sayings, S. 298.

der richtige Weg. Ein Wunder wäre sinnlos; selbst das größte Wunder, eine Totenauferstehung, wäre vergeblich[1]. Denn wer sich dem Wort Gottes nicht beugt, wird auch nicht durch ein Mirakel zur Umkehr gerufen werden. *Auditu salvamur, non apparitionibus* (Bengel). Die Zeichenforderung ist Ausflucht und Ausdruck der Unbußfertigkeit. Darum gilt: „Nimmermehr wird Gott diesem Geschlecht ein Zeichen geben" (Mk. 8,12)[2].

**Was gilt es zu tun?** Jesus antwortet in immer neuen Bildworten: Bleibt wach (Mk.13,35), schürzt die Gewänder[3], zündet Lampen an (Lk.12,35), zieht das Feierkleid an (Mt.22,11—13)! Was diese und verwandte Bilder meinen, läßt sich am besten an dem kleinen Gleichnis vom Gast ohne Feiergewand (Mt. 22,11—13) zeigen[4].

V. 11: *Εἰσελθὼν δὲ ὁ βασιλεὺς θεάσασθαι τοὺς ἀνακειμένους*: Daß der Gastgeber selbst nicht mitißt (z.B. Lev. r. 28 zu 23,10), ist bei feierlichen Mahlzeiten eine besondere Höflichkeit; er überläßt die Speisen seinen Gästen allein und erscheint nur während des Mahles. *Ἔνδυμα γάμου*: bei dem fehlenden „Hochzeitsgewand" ist nicht an ein besonderes Kleid zu denken, das man nur ausnahmsweise bei Feierlichkeiten trug, sondern es ist ein reingewaschenes Kleid gemeint (vgl. Apk.22,14; 19,8)[5]; das schmutzige Gewand ist Mißachtung des Gastgebers. — V.12: Zur Anrede *ἑταῖρε* s. zu Mt.20,13 (S. 137). *Πῶς εἰσῆλθες* = „mit welchem Recht (nicht: auf welche Weise) kamst Du herein?" „Er aber schwieg" — und somit erfahren wir nicht, wieso er nicht festlich gekleidet ist. Hat er sich unberechtigt ein-

---

[1] Vgl. Joh.11,46ff.: die Auferweckung des Lazarus vollendet die Verstockung.

[2] Das ist in jedem Fall auch der Sinn des Logions vom Jonaszeichen. Die Matthäus-Fassung ist sekundär (s. S. 107); Lk.11,30 („wie Jonas den Niniviten zum Zeichen wurde, so wird es der Menschensohn für dieses Geschlecht sein") bietet die ältere Fassung (nur *τοῖς Νινευίταις* könnte verdeutlichender Zusatz sein, vgl. A. Vögtle, S. 272). Nach dieser älteren Fassung ist die Wiederkehr des Gottgesandten aus dem Tode das tert. comp. Die Parusie ist das einzige Zeichen, das Gott — zu spät zur Umkehr! — geben wird; ein anderes Zeichen gibt Gott nicht. Vgl. ThWBNT. III, S. 413; A. Vögtle in: Synoptische Studien (Wikenhauser-Festschrift), München o.J. = 1954, S. 230—277.

[3] Das Schürzen geschieht so, daß die Zipfel des langen, losen Gewandes in das Gürteltuch gesteckt werden, damit das Gewand bei der Arbeit nicht hindert und nicht beschmutzt wird (G. Dalman, Arbeit und Sitte V, Gütersloh 1937, S. 232—240).

[4] Zum Kontext s. o. S. 62f.; zu V.14 s. S. 105.

[5] I. K. Madsen, Zur Erklärung der evangelischen Parabeln, in: ThStKr. 101 (1929), S. 301 A. 2; Dalman, ebd., S. 158. Vgl. Ta'an. 4,8 (vom Tanzfest der Jungfrauen Jerusalems): „Alle Kleider mußten frisch gewaschen sein."

geschlichen und schweigt er beschämt, als er sich ertappt sieht? Oder war sein unmöglicher Aufzug ein bewußter Affront gegen den Gastgeber und ist sein Schweigen Trotz? Die rabbinische Parallele, die sofort zu zitieren ist, führt auf eine andere Antwort: er war eingeladen, aber er war töricht, hatte sich nicht vorbereitet, der Ruf zum Hochzeitsmahl kam früher, als er erwartete. Wir haben also eines der zahlreichen Krisisgleichnisse[1] vor uns: der Ruf kann jeden Augenblick ergehen. Wehe dem, der nicht gerüstet ist!

Woran aber denkt Jesus sachlich bei dem sauberen Gewand, das man anhaben muß, will man zur Hochzeitstafel zugelassen werden? Man wird hier wohl zwischen der rabbinischen Antwort und der des Evangeliums unterscheiden müssen. Die rabbinische Antwort ergibt sich aus b. Schab. 153a. Dort steht: Ein palästinischer Theologe des ausgehenden 1. Jahrhunderts, R. 'Äli'äzär, „sagte: Tu' Buße einen Tag vor Deinem Tode! Da fragten ihn seine Schüler: Wieso weiß denn der Mensch, an welchem Tage er sterben wird? Er antwortete ihnen: Um so mehr tue er heute Buße, er könnte morgen sterben; so wird er sein Leben lang in der Buße erfunden werden. Auch Salomo in seiner Weisheit hat ja gesagt: Jederzeit seien Deine Kleider weiß, und zu keiner Zeit fehle das Öl auf Deinem Haupte" (Qoh. 9, 8). Zur Erläuterung dieser Worte folgt ein Gleichnis des Rabban Joḥanan bän Zakkai (um 80)[2] von einem König, der zum Gastmahl lud, ohne die Stunde zu bestimmen. Die Klugen zogen das Feierkleid an, die Törichten gingen an ihre Arbeit. Plötzlich ergeht der Ruf zum Mahl, und die, die besudelte Kleider haben, werden nicht zur Tafel zugelassen. Hier steht es schwarz auf weiß: das Feierkleid ist die Buße[3]. Zieh es an, ehe es zu spät ist, „einen Tag vor Deinem Tode" — heute! Die Umkehr, das ist das Gebot der Stunde.

Aber es gibt noch eine andere, im Alten Testament verwurzelte Deutung des Bildes vom hochzeitlichen Kleid, und die Gesamtheit der Worte Jesu spricht eindeutig dafür, daß diese zweite Deutung ihm vorschwebte. Jes. 61, 10 (also in einem Kapitel, das

---

[1] S. S. 45—60.
[2] Die Parallele Midhr. Qoh. 9, 8 schreibt das Gleichnis R. Jehudha I. († 217) zu; aber W. Bacher, Agada der Tannaiten I², Straßburg 1903, S. 36 A. 1, betont mit Recht, daß schon R. Meïr (um 150) das Gleichnis kennt, weshalb die Autorangabe in b. Schab. 153a (Rabban Joḥanan bän Zakkai) den Vorzug verdient.
[3] Die Parallele Midhr. Qoh. 9, 8 deutet das weiße Kleid auf Gebotserfüllungen, gute Werke und Torastudium. Das ist kein sachlicher Unterschied, sondern die rabbinische Auslegung zu dem Wort Buße.

Jesus besonders wichtig war: Mt. 5,3f; 11,5 par. Lk. 7,22 s. S. 115f.; Lk. 4,18f. s. S. 116f.; 215 A. 6) heißt es:

> „Denn er hat mich bekleidet mit den Gewändern des Heils,
> umhüllt mit dem Mantel der Gerechtigkeit,
> wie einen Bräutigam, der sich den Kopfschmuck aufsetzt,
> und wie eine Braut, die sich mit ihrem Geschmeide schmückt."

Gott kleidet die Erlösten mit dem Hochzeitskleid des Heils! Häufig redet die Apokalyptik von diesem Kleid. Äth. Hen. 62,15f. schildert das „Kleid der Herrlichkeit", mit dem „die Gerechten und Auserwählten" angetan werden sollen, folgendermaßen:

> „Und dieses soll Euer Kleid sein:
> ein Kleid des Lebens bei dem Herrn der Geister.
> Eure Kleider werden nicht veralten,
> und Eure Herrlichkeit wird nicht vergehen vor dem Herrn
> der Geister."[1]

Immer wieder spricht die Offenbarung Joh. von dem eschatologischen Kleid als dem weißen Gewand (3,4.5.18), dem herrlichen, reinen Byssuskleid (19,8), das Gott schenken wird. „Freut Euch und jubelt und füget Freude zu Eurer Freude, denn es sind die Zeiten vollendet, daß ich mein Kleid ($\check{\varepsilon}\nu\delta\upsilon\mu\alpha$) anziehe, welches mir von Anfang an bereitet war", sagt Pistis Sophia 8[2]. An allen diesen Stellen ist das weiße Gewand bzw. das Kleid des Lebens und der Herrlichkeit, das nie veraltet und nie vergeht, Sinnbild der von Gott zugesprochenen Gerechtigkeit (vgl. bes. Jes. 61,10), und das Bekleidetwerden mit diesem Kleide ist Sinnbild der Zugehörigkeit zur Gemeinde der Erlösten. Erinnern wir uns, daß Jesus von der Heilszeit als dem neuen Mantel sprach (Mk. 2,21 Par., s. S. 117f.) und daß er die Vergebung mit dem Ehrenkleid verglich, das der Vater dem verlorenen Sohne anlegen läßt (Lk. 15,22, s. S. 130), so werden wir nicht bezweifeln, daß es dieser Vergleich ist, der auch hinter Mt. 22,11—13 steht. Gott bietet Dir das reine Gewand des Heils und der zugesprochenen Gerechtigkeit an. Zieh es an, einen Tag

---

[1] Vgl. ferner slav. Hen. 9 (ed. A. Vaillant, Le Livre des Secrets d'Hénoch, Paris 1952, S. 24, 15ff.): „Und der Herr sprach zu Michael: ‚Nimm Henoch und ziehe ihm die irdischen (Kleider) aus und salbe ihn mit dem guten Öl und ziehe ihm die Kleider der Herrlichkeit an'."

[2] Ed. C. Schmidt, Koptisch-gnostische Schriften I, Leipzig 1905, S. 9, 27—29.

vor dem Anbruch der Sintflut, einen Tag vor der Besichtigung der Hochzeitsgäste — heute!

Umkehr im Sinne Jesu, das hat uns J. Schniewind unermüdlich eingeprägt[1], ist Hochzeitskleid und brennendes Licht (Mt. 5,16), ist mit Öl gesalbtes Angesicht (6,17), ist Musik und Tanz (Lk. 15, 25), ist Freude — Freude des Kindes, das heimkehren darf, Freude Gottes mehr als über neunundneunzig Gerechte. Aber echt ist die Heimkehr nur, wenn sie das Leben erneuert.

Die Heimkehr beginnt damit, daß Menschen „wieder[2] wie die Kinder werden" (Mt. 18, 3)[3]. Es ist bekanntlich umstritten, welches das tertium comparationis beim Vergleich mit dem Kinde ist, und die Zahl der Deutungsvorschläge ist groß. Feststehen dürfte jedoch in jedem Fall, daß bei den „Kindern" an Kleinstkinder gedacht ist; so versteht schon das ThEv. 22: „Diese kleinen (Kinder), die gesäugt werden, gleichen denen, die in das Königreich eingehen."

Abgesehen werden muß von solchen Deutungsversuchen, die aus abendländischem Denken erwachsen sind, aber im morgenländischen, insbesondere im biblischen Sprachgebrauch keine Stütze finden, z.B.: das Kind läßt sich beschenken, das Kind ist von Natur demütig[4] usw. Dann bleiben nur drei Deutungsmöglichkeiten, die in Frage kommen. Erstens: es ist eine feste Wendung der jüdischen Taufterminologie, daß der Proselyt einem „neugeborenen Kinde" gleicht, weil ihm Gott in der Taufe die Sünden vergibt[5]. Hier ist das Kind — und zwar das Kleinstkind — Urbild der Reinheit. Mt. 18,3 hätte bei Vorliegen dieses Vergleichs den Sinn: „Wenn Ihr nicht

---

[1] Zuletzt: Das Gleichnis vom verlorenen Sohn, Göttingen 1940, S. 8f., wieder abgedruckt in: J. Schniewind, Die Freude der Buße (Kleine Vandenhoeck-Reihe 32), Göttingen 1956, S. 40f.

[2] Ἐὰν μὴ στραφῆτε καὶ γένησθε ὡς τὰ παιδία . . . Στρέφεσθαι heißt hier schwerlich „sich bekehren", da das Wort diese Bedeutung nur vereinzelt hat (in LXX nur Jer. 41[34], 15 v. l. Cod. A; im NT. nur Joh. 12, 40). Das gebräuchliche Wort für „sich bekehren" ist vielmehr ἐπιστρέφειν. Daher ist anzunehmen, daß στρέφεσθαι an unserer Stelle Wiedergabe von aram. tubh, hᵃphakh in der Bedeutung „wieder" ist (vgl. P. Joüon in: Recherches de science religieuse 18 [1928], S. 347f.).

[3] Mt. 18, 3 ist gegenüber den Parallelen Mk. 10, 15; Lk. 18, 17; Joh. 3, 3. 5 stärker semitisch gefärbt (vgl. J. Jeremias, Die Kindertaufe in den ersten vier Jahrhunderten, Göttingen 1958, S. 64 A. 4) und daher als die ältere Fassung des Logions anzusehen.

[4] T. W. Manson, Sayings, S. 207: „There is no parallel in Rabbinical literature to the idea that the child is the type of humility."

[5] Belege bei J. Jeremias, ebd. S. 39ff.; E. Sjöberg, Wiedergeburt und Neuschöpfung im palästinischen Judentum, in: Studia Theologica 4 (1950), S. 44—85.

(durch Gottes Vergebung) rein werdet wie die (neugeborenen) Kinder, könnt Ihr nicht Einlaß finden[1] in die Königsherrschaft Gottes." Näher liegt eine zweite Deutung, weil Matthäus sie im Kontext vertritt. Er erläutert das „wieder wie ein Kind werden" mit: ταπεινοῦν ἑαυτόν (Mt. 18,4); das „sich selbst erniedrigen" geschieht durch das Geständnis der Schuld[2], durch das Geringwerden vor Gott; Mt. 18,4 besagt also: „Wer sich (vor Gott) erniedrigt (so daß er wird) wie dieses Kind[3]." Das tertium comparationis beim Vergleich mit dem Kind ist nach dieser Deutung das Kleinsein des Kindes, und „wieder wie ein Kind werden" hieße: „wieder klein werden" — nämlich vor Gott! Aber der Vergleich von Mt. 18,3 mit der Markus- und Lukas-Parallele zeigt, daß das Logion ursprünglich isoliert überliefert war; erst die Überlieferung wird V. 4 (vielleicht eine Umbildung von Mt. 23,12b) hierhergestellt haben. So muß noch eine dritte Deutung des „wieder wie ein Kind werden" erwogen werden. Wir wissen, daß Jesus Gott mit *Abba* „Vater" (Mk. 14,36, vgl. Röm. 8,15; Gal. 4,6) angeredet hat. Die Gottesanrede Abba ist ohne Parallele in der gesamten jüdischen Literatur[4]. Dieser auffällige Tatbestand erklärt sich daraus, daß Abba ein alltägliches Familienwort war, das niemand auf Gott anzuwenden gewagt hätte. Jesus hatte die Vollmacht, es zu tun: er redet zu seinem himmlischen Vater so vertrauensvoll und geborgen wie das Kind zu seinem Vater[5]. Hier dürfte der Schlüssel zu Mt. 18,3 liegen[6]: Kinder können Abba sagen. „Wenn Ihr nicht Abba sagen lernt, könnt Ihr nichtEinlaß finden in die Königsherrschaft Gottes." Für diese Deutung des „wieder wie ein Kind werden" spricht ihre Schlichtheit und ihre Verankerung im Zentrum des Evangeliums.

Dann ist also dieses der Anfang der Umkehr und des neuen Lebens: daß ein Mensch seinen Gott ganz kindlich-getrost Abba nennen lernt, weil er sich bei Ihm geborgen weiß und ohne Grenzen geliebt.

Aber gewiß hat Mt. 18,4 darin recht, daß zu solchem Wiederkindwerden das Geständnis der Schuld gehört (vgl. Lk. 15,18), die Beugung, das Armwerden, das Wiederkleinwerden vor Gott. Das

---

[1] *Εἰσέλθητε*: das zugrunde liegende aramäische Imperfekt hat modalen Sinn („könnt") und meidet das Passiv (wörtlich: „werdet Ihr nicht eingehen").

[2] *Ταπεινοῦν ἑαυτόν* = hebr. *hišpil ʿaṣmo* = aram. *ʾašpel garmeh* = die Schuld gestehen (A. Schlatter, Der Evangelist Matthäus, Stuttgart 1929, S. 545).

[3] Zu ὡς τὸ παιδίον τοῦτο (Mt. 18,4) vgl. ὡς παιδίον (Mk. 10,15; Lk. 18,17) = „wie wenn er ein Kind wäre".

[4] J. Jeremias, Abba, in: Jeremias, Abba. Studien zur neutestamentlichen Theologie und Zeitgeschichte, Göttingen 1965 (im Druck); vgl. Bill. I, S. 393f. 410; II, S. 49f.; unter dem gesamten Material für die Anrede Gottes als Vater findet sich nirgendwo Abba. Hier haben wir mit Sicherheit die ipsissima vox Jesu!

[5] Die zentrale Bedeutung von Abba als Gottesbezeichnung und Gottesanrede im Munde Jesu ist ausführlich entfaltet in Jeremias, Abba. (s. vorige Anm.).

[6] T. W. Manson, Teaching, S. 331.

ist der tiefere Sinn, den Jesus mit der παραβολή von den Tischplätzen (Lk. 14,7—11 par. Mt. 20,28 D it syᶜ) im Auge hat.

Im Aramäischen ist dieses in zwei Fassungen überlieferte Logion ein
„rhythmic couplet" im antithetischen Parallelismus[1]; die beiden Fassungen
sind in ihrer inhaltlichen und strukturellen Übereinstimmung bei völlig ab-
weichendem Wortlaut ein Schulbeispiel für Übersetzungsvarianten im NT.
(s. o. S. 21f.). — Lk. 14,8: Γάμοι = δειπνῆσαι (Mt. 20,28 D) hat die weite Bedeutung „Gastmahl"[2]. Die vornehmsten Gäste, die entweder durch ihr Alter
oder durch ihre soziale Stellung ausgezeichnet sind[3], kommen gewöhnlich
zuletzt. — V. 9: Der Beschämte muß den letzten Platz einnehmen, weil alle
anderen Plätze inzwischen besetzt sind. — V. 10: Die Mahnung, freiwillig den
untersten Platz einzunehmen, hat ihr alttestamentliches Vorbild Prov. 25,6f.:
„Maße Dir nicht Ehre an vor dem König und stelle Dich nicht an den Platz der
Großen. (7) Denn besser ist es, man sagt zu Dir: 'Komm hier herauf', als daß
man Dich vor dem Fürsten herabsetzt"; in der rabbinischen Literatur findet
sich eine Entsprechung im Munde des R. Šimʿon b. ʿAzzai (um 110)[4]; vor allem
entspricht ihr in den Evangelien Mk. 12,39 par. Lk. 20,46; Mt. 23,6, wo Jesus
das ehrgeizige Trachten der Schriftgelehrten nach den Ehrenplätzen scharf
geißelt. Jesus gibt also tatsächlich eine Tischregel, und παραβολή muß so
übersetzt werden[5]. — Was den Schlußsatz V. 11 (ὅτι πᾶς ὁ ὑψῶν ἑαυτὸν
ταπεινωθήσεται, καὶ ὁ ταπεινῶν ἑαυτὸν ὑψωθήσεται) anlangt, so möchte man zunächst vermuten, daß wir einen der sekundären generalisierenden Abschlüsse
(s. o. S. 109ff.) vor uns haben. Aber dagegen spricht entscheidend, daß die
eben erwähnte rabbinische Parallele mit einem inhaltlich genau entsprechenden Wort Hillels (um 20 v. Chr.) schließt: „Meine Erniedrigung ist meine Erhöhung, und meine Erhöhung ist meine Erniedrigung." Das heißt: V. 11 ist
ein alter Spruch, den Jesus schon vorfand und der auch in der rabbinischen
Literatur mit der Tischregel verbunden wird. Die Frage ist nur, ob Jesus dem
Schlußsatz genau denselben Sinn beigelegt hat wie Hillel. Bei diesem ist er
als Lebensweisheit gemeint: Hochmut kommt zu Fall, Bescheidenheit findet
ihren Lohn. Ist Lk. 14,11 ebenfalls als Lebensweisheit, als weltkluge Anstands-
regel, gemeint? Schwerlich! Denn der Vergleich von 14,11 sowohl mit 14,14b[6]
als auch mit 18,14 und mit Mt. 23,12 zeigt, daß Lk. 14,11 von dem eschatologischen Handeln Gottes redet[7], der am Jüngsten Tag die Hochmütigen
erniedrigen und die Demütigen erhöhen wird. So wird also in Lk. 14,11 die
Tischregel zum Auftakt für eine „eschatologische Warnung"[8], die auf das

---

[1] M. Black, An Aramaic Approach to the Gospels and Acts[2], Oxford 1954,
S. 132.

[2] S. S. 22.          [3] T. W. Manson, Sayings, S. 278.
[4] Lev. r. 1,5 (s. S. 106).     [5] S. S. 16.
[6] Lk. 14,8—11 und 12—14 sind parallel aufgebaut: antithetischer Parallelismus mit eschatologischem Schlußwort.
[7] Die Passiva in Lk. 14,11 umschreiben demnach den Gottesnamen, die
Futura reden vom Endgericht.
[8] M. Dibelius, Die Formgeschichte des Evangeliums[2], Tübingen 1933,
S. 249.

himmlische Festmahl schaut und die zum Verzicht auf selbstgerechte Ansprüche vor Gott und zu demütiger Selbsteinschätzung aufruft.

Zum demütigen Verzicht auf alle pharisäische Selbstgerechtigkeit fordert auch das Bildwort vom Knechtslohn auf (Lk. 17,7—10).

Es ist nicht sicher, ob es von Hause aus zu den Jüngern gesagt ist (so der jetzige Kontext, der aber ganz stark lukanische Färbung aufweist[1]). Denn es ist fraglich, ob unter den ἀπόστολοι (17,5) Bauern waren, die Acker, Vieh und Knecht besaßen, wie Jesus es bei den Angeredeten voraussetzt, wenn es auch keine großartigen wirtschaftlichen Verhältnisse sind, die geschildert werden: der Bauer, von dem die Rede ist, kann sich nur einen Knecht leisten, der Feldarbeit ebenso wie Hausarbeit tun muß. Da hinzukommt, daß die Wendung τίς ἐξ ὑμῶν (17,7) mit Vorliebe Worte an die Gegner bzw. an die Menge einleitet[2], muß also die Möglichkeit erwogen werden, daß das auch für unser Gleichnis gilt. „(7) Könnt Ihr Euch vorstellen[3]", fragt Jesus, „daß einer von Euch zu seinem Knecht, wenn er vom Pflügen oder Viehhüten heimkommt, sagt: ‚Schnell, setz Dich zu Tisch'? (8) Wird er ihm nicht vielmehr sagen: ‚Richte mir das Abendbrot, gürte Dich (s. S. 186 A. 3) und warte mir bei der Mahlzeit auf. Hinterher kannst Du selber zu Abend essen'? (9) Wird er sich dann etwa bei seinem Knecht bedanken, wenn er seine Weisungen ausgeführt hat? (10) Ebenso sollt auch Ihr, selbst wenn Ihr alles getan habt, was Euch Gott befohlen hat[4], denken[5]: ‚Armselige[6] Knechte sind wir. Wir haben nur[7] unsere Pflicht und Schuldigkeit getan'." Die Anerkennung Gottes haben wir nicht verdient, und alle unsere guten Werke begründen vor Ihm keinen Anspruch.

Aber die Umkehr ist mehr, ist Tat, Abkehr von der Sünde, Absage an den Zwei-Herren-Dienst (Mt. 6,24; Lk. 16,13; ThEv. 47a)[8], Gehorsam gegen Gottes Gebot (Lk. 16,29—31), Gehorsam gegen Jesu Wort. Wie der Lastträger das Joch auf Nacken und Schultern legt, an dessen beiden Enden Ketten oder Stricke

[1] Lk. 17,5: οἱ ἀπόστολοι, προστιθέναι; 17,6: εἶπεν δέ.

[2] S. S. 102.

[3] S. o. S. 158.

[4] Πάντα τὰ διαταχθέντα: Das Passiv umschreibt den Gottesnamen, vgl. W. Pesch, Der Lohngedanke in der Lehre Jesu, München 1955, S. 21 A. 59.

[5] Λέγειν = „denken" (vgl. Mt. 9,3 Par.; 14,26). Das Semitische hat kein genaues Äquivalent für unser Wort „denken".

[6] Ἀχρεῖος heißt hier nicht „unnütz", sondern „armselig". Es ist also nicht gesagt, daß die Pflichterfüllung wertlos sei oder daß sie faule, unzuverlässige Knechte seien, sondern ἀχρεῖος ist Bescheidenheitsausdruck.

[7] S. S. 36 A. 3.

[8] Der Fall, daß ein Sklave zwei Herren zu dienen hatte, kam nicht selten vor (ein Beispiel: Apg. 16,16.19), namentlich wenn Brüder nach dem Tode des Vaters das Erbe ungeteilt ließen.

die Last aufnehmen[1], so sollen Jesu Jünger das Joch ihres Meisters auf ihre Schultern nehmen[2]; Jesu Last ist leichter als diejenige, die bisher auf ihren Schultern lag (Mt. 11,28—30). Dabei kommt alles auf die Tat an, sagt das Gleichnis vom Hausbau (Mt. 7,24—27; Lk. 6,47—49). Wie der vom Sturm begleitete[3] wolkenbruchartige Herbstregen[4] das Fundament der Häuser erprobt, so wird über Nacht die Sintflut hereinbrechen und Euer Leben auf die Probe stellen. Die Bergpredigt schließt mit dem Weltgericht! Wer wird bestehen? Der φρόνιμος, d. h. der Mensch, der die eschatologische Situation erfaßt hat[5]. Die Schrift sagte: bestehen beim Ansturm der Flut (Jes. 28,15) wird nur das Haus, das auf dem festen, in Zion gelegten Grundstein errichtet ist: „wer glaubt, flieht nicht" (Jes. 28,16). Die Zeitgenossen Jesu lehrten: Bestand hat, wer die Tora kennt und ihr gehorcht[6]. Jesus lenkt zur Schrift zurück, aber er gibt eine neue, von seinem Hoheitsbewußtsein getragene Antwort: „Wer meine Worte hört und ihnen gehorcht." Das bloße Wissen um Jesu Wort führt ins Verderben[7], alles hängt am Gehorsam.

Dieser Gehorsam muß ein völliger sein. Die Tür, die zum Festsaal führt, in dem das Mahl der Heilszeit stattfindet, ist eng; wer zu ihr gelangen will, muß darum kämpfen, solange es noch Zeit ist; viele werden es versuchen, aber die Kraft nicht aufbringen (Lk. 13,23f.)[8]. Besonders schwer ist es für die Reichen.

---

[1] Diese Deutung von ζυγός (Mt. 11,29) verdanke ich K. Bornhäuser. Vgl. Jes. 10,27: „Seine Last wird von Deiner Schulter und sein Joch von Deinem Nacken verschwinden"; 14,25.

[2] Konkret gemeint ist mit dem „Aufnehmen des Joches Jesu" der Eintritt in seine Nachfolge.

[3] G. Dalman, Arbeit und Sitte I, Gütersloh 1928, S. 188: stärkerer Regen kommt in Palästina nie ohne Sturm.

[4] So Matthäus. Bei Lukas ist das Bild verschoben und an einen über die Ufer steigenden Fluß gedacht, was für Palästina ferner liegt.

[5] S. S. 43 A. 1.        [6] Bill. I, S. 469f.

[7] ῏Ην ἡ πτῶσις αὐτοῦ μεγάλη (Mt. 7,27) ist sprichwörtliche Redensart, vgl. μέγα πτῶμα πίπτειν (Philo, mut. nom. 7 § 55; ebriet. 38 § 156; migr. Abr. 13 § 80) = völlig zugrunde gehen (L. Haefeli, Sprichwörter und Redensarten aus der Zeit Christi, Luzern o. J. = 1934, S. 40).

[8] Matthäus legt bei diesem Logion den Akzent auf einen Einzelzug, nämlich darauf, daß der Jünger, der zum Heil gelangen will, den Mut haben muß, sich von der großen Menge zu lösen und den Passionsweg der kleinen Schar zu gehen (7,13f.). Lukas hat die Situation des Logions erhalten. Es ist die Frage eines Anonymus: „Herr, sind es nur (s. S. 36 A. 3) wenige, die gerettet werden?" Jesus antwortet mit der Mahnung: Setzt alle Kraft

Jesus denkt an den brutalen Reichen des Orients, wenn er sagt, daß leichter ein Kamel (es ist das größte Tier der Umwelt[1]) durch ein Nadelöhr (die kleinste Öffnung) gehe als ein Reicher ins Reich Gottes (Mk. 10,25 Par.)[2]. Denn die Nachfolge Jesu setzt die Bereitschaft zur restlosen Hingabe voraus. Die eschatologische Stunde fordert den radikalen Bruch mit der Vergangenheit, ja, wenn es sein muß, auch mit den Nächststehenden (Lk. 14,26 Par.). Das sagen die Bildworte von den Toten, die man selbst ihre Toten begraben lassen soll (Mt. 8,21f.; Lk. 9,59f.), und vom Pflüger, der nur nach vorwärts schauen darf (Lk. 9,61f.).

Der sehr leichte palästinische Pflug wird mit einer Hand regiert[3]. Diese eine Hand, meist ist es die linke[4], muß gleichzeitig die senkrechte Stellung des Pfluges wahren, ihm durch Druck Tiefe geben und ihn über im Wege stehende Felsen und Steine hinwegheben[5]. Die andere Hand braucht der Pflüger, um die störrischen Ochsen[6] mit dem etwa 2 m langen, an der Spitze mit einem eisernen Stachel versehenen Treibstock anzutreiben[7]. Gleichzeitig muß der Pflüger, zwischen den Tieren hindurchblickend, ständig die Furche im Auge behalten. Diese primitive Art des Pflügens erfordert Geschick und konzentrierte Aufmerksamkeit. Wenn der Pflüger sich umblickt, wird die neue Furche schief. So muß, wer sich Jesus anschließen will, entschlossen sein, alle Brücken zur Vergangenheit abzubrechen und den Blick nur auf das kommende Gottesreich zu richten.

Immer wieder bringt Jesus den Begeisterten die Schwere der Nachfolge dadurch zum Bewußtsein, daß er sie abschreckt: so Mt. 10,37f. par. Lk. 14,26f., im Bildwort von der Heimatlosigkeit des Menschensohnes (Mt. 8,19f.; Lk. 9,57f.; ThEv. 86,

---

ein, viele werden versagen (13,23f.) — ein Aufruf zum Eintritt in die Nachfolge, der den Akzent ganz umfassend auf die Schwere des geforderten Einsatzes legt.

[1] Vgl. Mt. 23,24, wo in dem Gegensatzpaar Kamel / Mücke das größte und das kleinste Tier der palästinischen Umwelt einander gegenübergestellt werden.

[2] Die nur ganz schwach bezeugte Lesart $\varkappa\acute{\alpha}\mu\iota\lambda o\varsigma$ = Schiffstau (statt $\varkappa\acute{\alpha}\mu\eta\lambda o\varsigma$ = Kamel) würde gut zum Bild vom Nadelöhr passen. Ihr steht aber die rabbinische Redensart entgegen: „Du bist wohl aus Pumbeditha, wo man einen Elefanten (in Mesopotamien das größte Tier der Umwelt) durch ein Nadelöhr gehen läßt" (b. B. M. 38b).

[3] E. F. F. Bishop, Jesus of Palestine, London 1955, S. 93f.

[4] G. Dalman, Arbeit und Sitte II, Gütersloh 1932, Abb. 25. 28. 31. 34. 35. 36. 38. 39.

[5] Ebd. S. 78.

[6] Ochsen waren die üblichen Zugtiere beim Pflügen, vgl. Lk. 14,19 und dazu oben S. 176.

[7] Apg. 26,14.

hier ohne Einleitung) und in dem im ThEv. (82) und bei Origenes[1] überlieferten Agraphon vom Feuer:

> „Wer mir nahe ist,
>    ist dem Feuer nahe;
> wer mir fern ist,
>    ist dem Reiche fern."

Das ist ein Abschreckungswort: Jesu Nähe ist gefährlich. Sie bedeutet nicht irdisches Glück, sondern sie schließt das Feuer der Trübsal und der Erprobung im Leiden ein. Aber freilich, das muß jeder wissen, der sich abschrecken läßt: wer Jesu Ruf abweist, schließt sich aus vom Reiche Gottes. Das Feuer ist ja nur Durchgang zur Herrlichkeit[2].

Ebenso wie die Abschreckungsworte fordert auch das Gleichnis vom „Turm"bauen und Kriegführen (Lk. 14, 28—32) zur Selbstprüfung auf. Am kleinen Beispiel vom Bauherrn, dessen halbfertiges Wirtschaftsgebäude[3] zum Gespött herausfordert, und am großen Beispiel vom kriegführenden König, der den Gegner unterschätzt hat und sich ihm auf Gnade und Ungnade unterwerfen muß[4], prägt Jesus die Mahnung ein: Überleg Dir's reiflich[5].

Mit diesen beiden Gleichnissen gehört inhaltlich das aus der harten Wirklichkeit des Zelotismus[6] schöpfende Gleichnis vom Attentäter (ThEv. 98) zusammen: „Jesus sagte: Das Königreich des Vaters gleicht einem Menschen, der einen mächtigen Mann töten wollte. Er zog in seinem Hause das Schwert und stieß es in die Wand, damit er wüßte, ob seine Hand stark genug sein werde. Dann tötete er den Mächtigen." Wie dieser politische Meuchelmörder erst seine Kraft erprobt, ehe er das gefährliche Abenteuer wagt, bei dem er seinen Kopf riskiert, so prüft auch Ihr Euch, ob Ihr die Kraft habt durchzuhalten[7]!

---

[1] Origenes, in Jerem. hom. lat. 3, 3. Nur die erste Hälfte zitiert Origenes in: In lib. Jesu Nave hom. 4, 3.

[2] J. Jeremias, Unbekannte Jesusworte[3], Gütersloh 1963, S. 64—71.

[3] $\Pi \acute{v} \varrho \gamma o \varsigma$ = 1. Turm, 2. Wirtschaftsgebäude. Die Betonung der hohen Kosten des Fundamentes läßt an ein größeres Gebäude denken (B.T.D. Smith, S. 220).

[4] $\dot{E} \varrho \omega \tau \tilde{\alpha} \ \tau \dot{\alpha} \ \pi \varrho \dot{o} \varsigma \ \varepsilon \dot{\iota} \varrho \acute{\eta} \nu \eta \nu$ = hebr. *ša'al bešalom* = aram. *še'el bišelam* = den Gegner grüßen, ihm huldigen, sich ihm bedingungslos unterwerfen (vgl. W. Foerster in: ThWBNT. II, S. 410, 22ff.).

[5] S. S. 111 A. 1.　　[6] S. o. S. 72f.

[7] C.-H. Hunzinger, Unbekannte Gleichnisse Jesu aus dem Thomas-Evangelium, in: BZNW. 26, Berlin 1960, S. 209—220, weist darauf hin, daß vier mit $\tau \acute{\iota} \varsigma \ \dot{\varepsilon} \xi \ \dot{v} \mu \tilde{\omega} \nu$ eingeleitete Gleichnisse (Lk. 15, 4ff. 8ff. [hier in der

Überleg Dir's reiflich! Denn: ein halber Anfang ist schlimmer als gar kein Anfang. Diese Warnung spricht das Gleichnis vom zurückkehrenden unreinen Geist (Mt. 12,43—45 b[1]; Lk. 11, 24—26) aus.

Das Gleichnis trägt sprachlich wie inhaltlich ausgesprochen palästinischen Charakter. V. 43: Ein „unreiner Geist" ist jüdisches Synonym für: Dämon[2]. Ἐξέλθη ist Aramaismus (Meidung des Passivs), also: „wenn ein Dämon ausgetrieben wird". Er findet in der Wüste, der natürlichen Wohnstätte der Dämonen[3], keine Ruhe, weil er sich nur da wohlfühlt, wo er Unheil stiften kann. — V. 44: Der Vergleich des Besessenen mit dem „Haus" des Dämons ist dem Orient noch heute geläufig[4]. Das Haus ist „leer, gefegt, geschmückt", d.h. zum feierlichen Empfang eines Gastes gerüstet. — V. 45: „Er nimmt sieben andere Dämonen mit sich": so leichtes Spiel hat er! Sieben ist die Zahl der Totalität; die sieben bösen Geister repräsentieren alles nur Denkbare an dämonischer Verführung und Bosheit.

Das Gleichnis enthält eine große Schwierigkeit: scheinbar schildert es den Rückfall ohne Einschränkung als allgemeine Erfahrungstatsache. Aber dann wären ja alle Dämonenaustreibungen Jesu sinnlos! Die Schwierigkeit löst sich mit der Erkenntnis[5], daß V. 44b in semitisierender Redeweise logisch einen Konditionalsatz vertritt[6], so daß übersetzt werden muß: „Wenn er (der Dämon) bei seiner Rückkehr das Haus leer, gefegt und geschmückt findet, dann nimmt er sieben andere Geister, übler als er selbst, mit sich und

---

Wiederholung nur τίς]; 11,5ff. 11ff.) zu einem Rückschluß auf Gottes Verhalten auffordern. Da auch Lk. 14,28—30. 31f. mit τίς ἐξ ὑμῶν beginnt (in der Wiederholung V. 31 wieder nur τίς), möchte er die beiden Gleichnisse vom Turmbauen und Kriegführen — und mit ihnen das Gleichnis vom Attentäter — entsprechend deuten: als Aufruf zur Zuversicht. Wenn schon Menschen ihre Vorhaben sorgfältig prüfen, wieviel mehr Gott! Er läßt nichts halbfertig liegen! „Gott setzt durch, was er begonnen hat" (S. 216)! Aber in dem Gleichnis geht es nicht um die unbeirrte Durchführung eines Planes, der nicht halbfertig liegen bleibt, sondern darum, daß der Attentäter sich vor Ausführung seiner Absicht vergewissert, daß „seine Hand stark genug sein werde". Das paßt nicht auf Gott (vgl. E. Haenchen, Die Botschaft des Thomas-Evangeliums, Theologische Bibliothek Töpelmann 6, Berlin 1961, S. 60 A. 85).

[1] Zu Mt.12,45c s. S. 105.      [2] T. W. Manson, Sayings, S. 87.

[3] Tob.8,3; Mt.4,1ff. Par.; Mk.5,1ff.

[4] P. Joüon, L'Évangile de Notre-Seigneur Jésus-Christ, Paris 1930, S. 83.

[5] H. S. Nyberg, Zum grammatischen Verständnis von Mt.12,44f., in: Arbeiten und Mitteilungen aus dem neutestamentlichen Seminar zu Uppsala IV (1936), S. 22—35, und A. Fridrichsen, Nachträge, ebd. S. 44f.

[6] Die Evangelien bieten eine Fülle von Beispielen für solchen Ersatz des Konditionalsatzes durch Parataxe. Am nächsten stehen unserem Fall Mt. 8,9b und Mk.4,13. Weitere Belege s. o. S. 154 A. 5.

läßt sich dort nieder, und am Ende steht es um jenen Menschen schlimmer als am Anfang" (Mt. 12, 44 b—45 a). Der Rückfall ist also nichts Zwangsläufiges, Unvermeidliches, sondern Schuld. Das Haus darf nicht leer stehen, wenn der gottwidrige Geist vertrieben ist. Ein neuer Herr muß darin walten, Jesu Weisung darin regieren, die Freude der Königsherrschaft Gottes darin wirken. Es muß ein κατοικητήριον τοῦ θεοῦ ἐν πνεύματι (Eph. 2, 22) sein[1].

## 7. Gelebte Jüngerschaft

Die beiden Gleichnisse vom Schatz im Acker (Mt. 13, 44; ThEv. 109) und von der Perle (Mt. 13, 45 f.; ThEv. 76) müssen hier unbedingt voranstehen. Sie gehören eng zusammen, werden aber bei verschiedener Gelegenheit gesprochen worden sein (s. o. S. 89 f.).

Die völlig verwilderte Fassung des Gleichnisses vom Schatz im Acker im ThEv. ist S. 28 abgedruckt. — V. 44: Ein Gleichnis mit Dativanfang (s. S. 99 ff.): „So geht es zu bei der Königsherrschaft Gottes." Θησαυρῷ κεκρυμμένῳ: Jesus wird an ein Tongefäß mit Silbermünzen oder Edelsteinen denken. Die zahlreichen Kriege, die über Palästina infolge seiner Mittellage zwischen Zweistromland und Ägypten im Laufe der Jahrhunderte hinweggingen, zwangen immer wieder dazu, bei drohender Gefahr das Wertvollste zu vergraben[2]. Verborgene Schätze sind ein Lieblingsthema der orientalischen Folklore; man denke an die phantastischen Schätze, deren Verstecke die Kupferrolle von Qumran aufzählt. Ἐν τῷ ἀγρῷ: zum Artikel s. S. 7 A. 2. Ὃν εὑρὼν ἄνθρωπος: Der Mann ist offenbar ein armer Tagelöhner, der auf fremdem Acker arbeitet; die Kuh sinkt (wie j. Hor. 3, 48 a) beim Pflügen ein. Ἔκρυψεν: das Semitische, das keine Komposita kennt, bringt die Nuance „wieder" oft auch da nicht zum Ausdruck, wo sie für unser Gefühl nicht zu entbehren ist[3] = „er verbarg ihn (heimlich) wieder". Er verfolgt damit einen dreifachen Zweck: der Schatz soll Bestandteil des Ackers bleiben, er soll gleichzeitig gesichert werden (Vergraben galt als der sicherste Schutz vor Dieben, s. S. 59 A. 1) und — das Geheimnis soll gewahrt werden. Über die Rechtslage wird nicht reflektiert; es wird vielmehr geschildert, wie der Durchschnittsmensch handelt. Immerhin ist nicht unwichtig, daß er den Fund, dessen Besitzer verschollen ist, nicht einfach an sich nimmt, sondern formal-

---

[1] T. W. Manson, Sayings, S. 88.

[2] S. H. Hooke, Alpha and Omega, Digswell Place, Welwyn, Herts., 1961, S. 178.

[3] Vgl. Mt. 21, 3 (ἀποστελεῖ: er wird sie sofort zurücksenden); Lk. 13, 27 (ἐρεῖ λέγων: er wird wiederholen); 18, 5 (ἐρχομένη = wiederkommend, s. S. 153); 19, 13 (ἐν ᾧ ἔρχομαι: bis ich zurückkomme). Entsprechend auch ἡ παρουσία (Mt. 24, 37. 39) = die Wiederkunft.

rechtlich korrekt handelt, indem er erst den Acker kauft[1]. Die Praesentia historica ὑπάγει, πωλεῖ, ἀγοράζει zeigen, daß die Formulierung des Gleichnisses älter ist als Matthäus[2].

Das Gleichnis von der Perle lautet ThEv. 76: „Jesus sagte: Das Königreich des Vaters gleicht einem Kaufmann, der eine Warenladung hatte und eine Perle fand. Jener Kaufmann war klug. Er verkaufte die Warenladung und kaufte sich eben diese Perle." — Mt. 13,45: Πάλιν ὁμοία ἐστίν: wieder ein Gleichnis mit Dativanfang (s. S. 99ff.), aber jetzt im Aorist. Ἐμπόρῳ: der ἔμπορος ist (im Gegensatz zum κάπηλος, dem Krämer) ein Großkaufmann, ein Kauffahrer. Ζητοῦντι καλοὺς μαργαρίτας: im ThEv. heißt es statt dessen: „der eine Warenladung (φορτίον) hatte"; es bleibt also offen, womit er handelt (Apg. 27,10 bezeichnet φορτίον z.B. geradezu die Schiffsladung).Wenn Matthäus den Kaufmann zu einem Perlenhändler macht, so ist das deshalb sicher sekundär, weil dadurch das Überraschungsmoment vorweggenommen wird. Perlen waren im ganzen Altertum ein sehr begehrter Artikel. Sie wurden vor allem im Roten Meer, im Persischen Golf und im Indischen Ozean von Tauchern gefischt und zu Schmuck, namentlich zu Halsketten, verarbeitet[3]. Wir hören von Perlen, die Millionenwert hatten. Caesar schenkte der Mutter seines späteren Mörders Brutus eine Perle im Werte von 6 Millionen Sesterzen (= 1,2 Millionen Mark)[4]; Kleopatra soll gar eine Perle besessen haben, die 100 Millionen Sesterzen (= 20 Millionen Mark) wert war[5]! — V.46: Ἕνα (πολύτιμον μαργαρίτην) ist, wie so oft, wörtliche Wiedergabe eines aramäischen indefiniten ḥadh, das korrekt mit τινά hätte wiedergegeben werden müssen; also nicht: „die eine köstliche Perle", sondern: „eine besonders wertvolle Perle"[6]; so versteht auch das ThEv. („er fand eine Perle"). Πέπρακεν πάντα ὅσα εἶχεν: wieder hat das ThEv. das Ursprüngliche: „er verkaufte die Warenladung." So allein entspricht es der Situation. Matthäus übersteigert unter dem Einfluß von 13,44[7]. Ein Unterschied der Art und Weise des Findens

---

[1] Deutlichster Beleg: Midhr. Hohesl. 4,12 (zit. o. S. 28); ähnl. Mekh. Ex. zu 14,5 (Schätze, die der Käufer eines Landsitzes beim Nachgraben findet, gehören ihm). Der entscheidende Rechtssatz steht Qid. 1,5: Mobilien werden beim Kauf von Immobilien miterworben. Vgl. J. Dauvillier, La parabole du trésor et les droits orientaux, in: Revue Internationale des Droits de l'Antiquité, 3e série, 4 (1957), S. 107—115.

[2] Matthäus sucht die Praes. hist. zu vermeiden; in dem von ihm übernommenen Markus-Stoff hat er es in 88 von 110 Fällen beseitigt (Hawkins, S. 144—149). Lukas ist in dieser Richtung noch weiter gegangen (s. S. 182).

[3] F. Hauck, μαργαρίτης, ThWBNT. IV, S. 475f.

[4] Sueton, De vita Caesarum 50.     [5] Plinius d. Ä., Hist. Nat. IX, 119ff.

[6] Vgl. Mt. 6,27 (nicht: „um Eine einzige Elle", sondern, wie par. Lk. 12,25 zeigt: „auch nur um eine Elle" vgl. S. 171); 19,16 (εἰς par. Lk. 18,18 τίς); 26,69 (μία par. Lk. 22,56 τίς); 27,48 (εἰς par. Mk. 15,36 τίς). Ferner Mt. 5,18; 8,19; 9,18; 12,11; 16,14 (par. Lk. 9,19 τίς); 18,6.24.28; 20,13; 21,19.24; 22,35; 23,15; 25,40.45; 26,51; 27,15; Mk. 5,22; 6,15 (vgl. Lk. 9,8); 8,28 (vgl.Lk. 9,19); 9,17.42; 10,17 (vgl. Lk. 18,18); 11,29; 12,28.42 (vgl. Lk. 21,2); 13,1; 14,10.66; 15,6; Lk. 5,3; 15,4.15; 16,17; 17,2. 15. An den meisten dieser Stellen wird εἷς, μία, ἕν Wiedergabe eines aramäischen ḥadh mit unbestimmtem Sinn sein.     [7] C.-H. Hunzinger, a.a.O. S. 220.

(V. 44: ungesucht beim Arbeiten auf dem Acker, V. 45f.: nach langem, mühevollem Suchen) liegt nicht vor, wenn der Kaufmann kein Perlenspezialist war. Vielmehr kommt der Fund auch im Perlengleichnis wie im Gleichnis vom Schatz als eine Überraschung.

Beide Gleichnisse verwenden beliebte Anfangsmotive orientalischer Erzählungen[1]. Der Hörer erwartet, daß die Geschichte vom Schatz im Acker etwa von dem prächtigen Palast erzählt, den der Finder baut, oder von dem Sklavengefolge, mit dem er durch den Bazar zieht (s. S. 28), oder von der Entscheidung eines weisen Richters, daß der Sohn des Finders die Tochter des Ackerbesitzers heiraten solle[2] usw. Bei der Geschichte von der Perle erwartet er zu hören, wie ihr Erwerb der Lohn besonderer Frömmigkeit war oder wie die Perle dem von Räubern überfallenen Käufer das Leben rettete[3]. Jesus überrascht seine Hörer — wie immer, wenn er an bekannte Erzählungsstoffe anknüpft (S. 178f. 182. 187) — dadurch, daß er den Ton auf etwas ganz anderes legt, als sie erwarten. Worauf?

Meist werden die beiden Gleichnisse so verstanden, als ob Jesus in ihnen die Forderung nach der vorbehaltlosen Hingabe entfalte. In Wahrheit hat man sie überhaupt nicht verstanden, wenn man in ihnen „an erster Stelle eine zu heroischer Tat aufrufende Forderung sieht"[4]. Die entscheidenden Worte sind vielmehr: ἀπὸ τῆς χαρᾶς (V. 44; sie werden bei dem Kaufmann nicht nochmals ausdrücklich wiederholt, gelten aber bei ihm ebenso). Wenn die große, alles Maß übersteigende Freude einen Menschen faßt, dann reißt sie ihn fort, erfaßt sie das Innerste, überwältigt sie den Sinn. Alles verblaßt vor dem Glanz des Gefundenen. Kein Preis erscheint zu hoch. Die besinnungslose Hingabe des Köstlichsten wird zur blanken Selbstverständlichkeit. Nicht die Besitzhingabe der beiden Männer des Doppelgleichnisses ist das Entscheidende, sondern der Anlaß zu ihrem Entschluß: das Überwältigtwerden durch die Größe ihres Fundes. So ist es mit der Königsherrschaft Gottes. Die frohe Botschaft von ihrem Anbruch überwältigt, schenkt die große Freude, richtet das ganze Leben aus auf die Vollendung der Gottesgemeinschaft, wirkt die leidenschaftlichste Hingabe[5].

Denselben Gedanken[6] bringt auch das im ThEv. (8) überlieferte Gleichnis vom großen Fisch zum Ausdruck: „Und er (Jesus) sagte: Der Mensch[7] gleicht einem klugen Fischer, der sein Netz

---

[1] E. Hirsch, Frühgeschichte des Evangeliums II, Tübingen 1941, S. 315.
[2] Bill. I, S. 674.    [3] Ebd. S. 675.
[4] E. G. Gulin, Die Freude im NT. I, Helsinki 1932, S. 37.
[5] Gulin, ebd. S. 37—40. Vgl. Lk. 7, 36ff.; 19, 1ff.
[6] C.-H. Hunzinger, a. a. O. S. 217—220.    [7] S. o. S. 101 A. 1.

ins Meer warf und es (wieder) aus dem Meere heraufzog; (da war es) voll von kleinen Fischen. Unter ihnen fand der kluge Fischer einen guten großen Fisch. (Da) warf er alle die kleinen Fische (wieder) hinunter ins Meer und wählte den großen Fisch ohne Zaudern. Wer Ohren hat zu hören, der höre!"

Der Ertrag ist verschieden, wenn der Fischer im seichten Uferwasser das Wurfnetz auswirft, das am Rande mit Blei beschwert ist und wie eine Glocke ins Wasser fällt. Oft bleibt das Netz leer, auch mehrfach hintereinander. Ein moderner Beobachter zählte bei einem Fang 20—25 Fische[1]. Dieses Mal findet der Fischer bei der Auslese am nahen Ufer (vgl. dazu S. 223) eine große Anzahl kleiner Fische, aber unter ihnen einen guten, großen Fisch. Hätte er sonst überlegt, ob er nicht doch den einen oder anderen der kleinen Fische in den Lederbeutel tun solle, so fühlt er sich in der Freude über den καλλιχθύς[2] solcher Überlegungen enthoben und wirft die kleinen Fische allesamt ins Meer zurück. So geht es zu, wenn die große Freude über die frohe Botschaft einen Menschen überwältigt: alles andere verliert seinen Wert vor dem Überwert[3].

Wie sieht das Leben solcher Menschen aus, die die große Freude überwältigt hat? Es ist Nachfolge Jesu. Sie hat ihr wichtigstes Kennzeichen in der Liebe, deren Vorbild der dienende Herr ist (Lk. 22, 27; Mk. 10, 45; Joh. 13, 15f.). Diese Liebe kann in der Stille schenken, ohne in die Trompete zu stoßen (Mt. 6, 2); sie sammelt nicht auf Erden Schätze, sondern sie übergibt den Besitz Gott zu treuen Händen[4]. Es ist eine Liebe ohne Grenzen, wie sie das Gleichnis vom barmherzigen Samariter (Lk. 10, 30—37) schildert.

V. 25—28: Die landläufige Ansicht, daß die Einleitung V. 25—28 lediglich eine Parallele zur Frage nach dem größten Gebot (Mk. 12, 28—34 par. Mt. 22, 34—40) darstelle, läßt sich mit guten Gründen bestreiten[5]. Tatsächlich ist die einzige Berührung das Doppelgebot der Liebe, alles übrige weicht völlig ab, und es ist sehr wahrscheinlich, daß Jesus einen so zentralen Gedanken wie das Doppelgebot öfter aussprach. Daß der Satz: „great teachers constantly repeat themselves"[6] auf Jesus zutrifft, haben wir schon S. 115 gesehen. Wenn die Vermutung richtig ist, daß der Schriftgelehrte mit

---

[1] K.-E. Wilken, Biblisches Erleben im Heiligen Land I, Lahr-Dinglingen (Baden) 1953, S. 192.

[2] So Clem. Alex., Strom. I 16, 3 mit Bezug auf unser Gleichnis.

[3] Vgl. J. Jeremias, Unbekannte Jesusworte[3], Gütersloh 1963, S. 84—86.

[4] Mt. 6, 19—21; Lk. 12, 33f. Der Gegensatz ist nicht: irdische Schätze / himmlische Schätze, sondern es geht um den Aufbewahrungsort des Besitzes. Zu διορύσσειν (Mt. 6, 19) = einbrechen vgl. S. 45 A. 5.

[5] T. W. Manson, Sayings, S. 259f.         [6] Ebd. S. 260.

dem Doppelgebot der Liebe eine Lehre Jesu aufnimmt, wird das θέλων δικαιῶσαι ἑαυτόν (V. 29) gut verständlich: er will es rechtfertigen, daß er Jesus gefragt hat, obwohl er Jesu Ansicht kennt.

V. 25: Daß ein studierter Theologe einen Laien nach dem Weg zum ewigen Leben fragt, war damals genau so ungewöhnlich, wie es das heute wäre, und ist wohl so zu erklären, daß dieser Mann durch Jesu Verkündigung in seinem Gewissen aufgeschreckt ist. — V. 28: Wenn Jesus ihn überraschenderweise auf das Tun als den Weg zum Leben verweist (τοῦτο ποίει καὶ ζήσῃ), so ist das aus eben dieser konkreten Situation zu verstehen: alles theologische Wissen hilft nichts, wenn die Liebe zu Gott und zum „Gefährten"[1] nicht die Lebensführung bestimmt. — V. 29: Die Gegenfrage, was die Schrift mit „Gefährte" meine, war berechtigt, weil die Antwort umstritten war. Zwar herrschte Einigkeit darüber, daß der Volksgenosse mit Einschluß des Vollproselyten gemeint sei, aber uneinig war man sich über die Ausnahmen: die Pharisäer waren geneigt, den Nichtpharisäer (ʿam ha-ʾaräç) auszu-schließen[2]; die Essener forderten, daß man „alle Söhne der Finsternis" hassen solle[3]; eine rabbinische Äußerung lehrte, daß man Häretiker, Denun-zianten und Abtrünnige „(in eine Grube) hinabstößt, und nicht heraufzieht"[4], und eine verbreitete volkstümliche Maxime nahm den persönlichen Gegner vom Liebesgebot aus („Ihr habt gehört, daß Gott[5] gesagt hat: ‚Du sollst Deinen Volksgenossen lieben'; nur[6] Deinen Gegner[7] brauchst[8] Du nicht zu lieben[9]", Mt. 5, 43). Jesus wird also nicht um eine Definition des Begriffes „Gefährte" gebeten, sondern er soll sagen, wo er innerhalb der Volksgemeinschaft die Grenze der Liebespflicht zieht. Wie weit reicht meine Verpflichtung? Das ist der Sinn der Frage. — V. 30: Die Geschichte, mit der er antwortet, wird, zum mindesten im szenischen Rahmen, an eine tatsächliche Begebenheit an-knüpfen[10]. Λῃσταῖς περιέπεσεν: der einsame, 27 km lange Abstieg von Jerusa-lem nach Jericho ist noch heute für Raubüberfälle berüchtigt[11]. Πληγὰς ἐπιθέντες: die Wunden (V. 34) lassen vermuten, daß sich der Überfallene zur

---

[1] Man verbaut sich das Verständnis der Geschichte, wenn man das Wort πλησίον (= reaʿ) in Lk. 10, 29 mit „Nächster" übersetzt. Der christliche Be-griff des „Nächsten" ist das Ergebnis der Geschichte, nicht ihr Ausgangspunkt.
[2] Bill. II, S. 515ff.    [3] 1 QS 1, 10, vgl. 9, 16. 21 f.; 10, 21.
[4] b. ʾA. Z. 26a (Bar.), vgl. ʾAbh. R. Nathan 16, 7.
[5] Ἐρρέθη ist Umschreibung des Gottesnamens durch das Passiv.
[6] S. S. 36 A. 3.
[7] Daß mit ἐχθρός der persönliche Feind gemeint ist, zeigt Lk. 6, 27 f.
[8] Das Imperfektum hat im Aramäischen überwiegend modale Nuance, hier: permissiv vgl. Mt. 7, 4 (πῶς ἐρεῖς = „wie darfst Du sagen?").
[9] Μισεῖν als oppos. von ἀγαπᾶν bedeutet im Semitischen sehr oft „weniger lieben" (Mt. 6, 24; ferner Lk. 14, 26 verglichen mit Mt. 10, 37), „nicht lieben" (Röm. 9, 13), so auch Mt. 5, 43.
[10] M. Meinertz, Die Gleichnisse Jesu⁴, Münster 1948, S. 64; E. F. F. Bishop, Jesus of Palestine, London 1955, S. 173.
[11] Einen dramatischen und erschütternden Erlebnisbericht über einen Überfall auf dem Wege zwischen ʿAin fara und Jerusalem gab K. Dannen-bauer in: Der Bote aus Zion 70 (1955), S. 15—21.

Wehr gesetzt hat[1]. — V. 31 f.: Man hat gefragt, ob Jesus wirklich den Priester und den Leviten als herzlos und feige schildern wolle und ob er nicht vielmehr die sadduzäische[2] Vorschrift im Auge habe, die es dem Priester strikt verbot, sich an einem „Toten am Wege" (*meth miçwa*) zu verunreinigen[3]. Man muß es sich dann so denken, daß Priester und Levit den Bewußtlosen (10,30: ἡμιθανῆ) für tot halten und die Berührung aus levitischen Gründen vermeiden. Diese (in den früheren Auflagen vertretene) Deutung ist ernster Überlegung wert. Man muß sich jedoch klarmachen, daß sie mit Schwierigkeiten belastet ist. a) Während dem Priester nach dem Wortlaut von Lev. 21,1ff. auch im Alltag jede Berührung einer Leiche (mit Ausnahme der allernächsten Blutsverwandten) untersagt war, hatte der Levit nur im kultischen Dienst rein zu sein. Wanderte der Levit, wie der Priester Lk. 10,31, von Jerusalem nach Jericho, so hinderte ihn nichts daran, einen „Toten am Wege" zu berühren. Man muß also, will man auch ihn von rituellen Rücksichten bestimmt sein lassen, annehmen, daß er sich auf dem Wege nach Jerusalem zum Dienst am Tempel befand. Der Text (V. 32) schließt diese Annahme nicht aus. b) Doch erhebt sich dann eine neue Schwierigkeit: die diensttuenden Wochenabteilungen (Priester, Leviten, Laien) pflegten geschlossen nach Jerusalem hinaufzuziehen. War er ein Nachzügler? Oder gehörte er zu den wenigen Oberleviten, die ständig am Tempel Dienst taten? Man sieht: es ist schwierig, den Leviten von rituellen Besorgnissen geleitet sein zu lassen. — V. 33: Nach der regel-de-tri volkstümlicher Erzählung[4] erwarten die Hörer jetzt einen Dritten, und zwar (nach Priester und Levit) einen israelitischen Laien; sie vermuten also, daß das Gleichnis eine antiklerikale Spitze haben werde[5]. Es ist ihnen völlig unerwartet und verletzend, daß der Dritte, der das Liebesgebot erfüllt, ein Samaritaner ist. Das Verhältnis zwischen den Juden und den Mischlingen, das sehr starken Schwankungen unterworfen war, hatte nämlich in den Tagen Jesu eine besondere Verschärfung erfahren, nachdem Samaritaner zwischen 6 und 9 n. Chr. den Tempelplatz während eines Passafestes um Mitternacht durch das Ausstreuen menschlicher Gebeine verunreinigt hatten[6]; es herrschte beiderseits unversöhnlicher Haß[7]. Dann aber ist deutlich, daß Jesus absichtlich extreme Beispiele wählt; am Versagen der Diener Gottes und an der Selbstlosigkeit des verhaßten Mischlings sollen die Hörer die Unbedingtheit und Grenzenlosigkeit des Liebesgebotes ermessen. — V. 34: Κατέδησεν τὰ τραύματα αὐτοῦ: schwerlich hat er Verbandzeug bei sich; er wird sein Kopftuch[8] oder sein leinenes Untergewand zerrissen haben.

---

[1] K. H. Rengstorf in: Das Neue Testament Deutsch 3[9], Göttingen 1962, z. St.

[2] Anders die Pharisäer.

[3] J. Mann, Jesus and the Sadducean Priests, Luke 10,25—37, in: Jewish Quarterly Review N.S. 6 (1915/16), S. 415—422.

[4] Vgl. Mt. 25,14—30 Par.; Lk. 14,18—20; 20,10—12. S. auch S. 75 zu Mk. 12,1—12.

[5] B. T. D. Smith, S. 180.          [6] Josephus, Ant. 18,30.

[7] J. Jeremias, Jerusalem zur Zeit Jesu[3], Göttingen 1962, S. 387ff.: Die Samaritaner; ders., Σαμάρεια κτλ., ThWBNT. VII, S. 88—94.

[8] So E. F. F. Bishop, Jesus of Palestine, London 1955, S. 172.

Ἔλαιον καὶ οἶνον: das Öl soll lindern (Jes. 1,6), der Wein desinfizieren[1] (man sollte die umgekehrte Reihenfolge erwarten). Ἐπὶ τὸ ἴδιον κτῆνος: falls das Wort ἴδιον nicht lediglich das Pron. poss. ἑαυτοῦ vertritt, wird man zu folgern haben, daß er Kaufmann war, der auf einem Esel oder Maultier seine Waren mit sich führte, auf einem zweiten selbst ritt[2]. Dafür, daß er Kaufmann war, der die Strecke öfter zurücklegte, spricht auch seine Bekanntschaft mit dem πανδοχεύς und die Ankündigung baldiger Rückkehr. — V. 35: Δύο δηνάρια: der Tagesbrotbedarf entsprach einem Preise von $1/_{12}$ Denar[3]. Da der Samaritaner schwerlich zu der Essenersiedlung in Qumran am Toten Meer unterwegs sein dürfte, ist wohl das Ostjordanland als sein Reiseziel zu bestimmen[4]. — V. 36: Ein viel diskutiertes Problem enthält die Formulierung der Frage Jesu: „Wer von diesen Dreien, meinst Du, ist dem Überfallenen Nächster gewesen?" Während der Schriftgelehrte V. 29 nach dem Objekt der Liebe fragte (wen muß ich als Gefährten behandeln?), fragt Jesus V. 36 nach dem Subjekt der Liebe (wer hat als Gefährte gehandelt?). Der Schriftgelehrte denkt von sich aus, wenn er fragt: wo ist die Grenze meiner Pflicht (V. 29)? Jesus sagt ihm: denke von dem Notleidenden aus, versetz Dich in seine Lage, überleg Dir: wer erwartet Hilfe von mir (V. 36)? Dann wirst Du sehen, daß es keine Grenze für das Liebesgebot gibt! Doch muß man sich hier vor Eisegese hüten. Schwerlich hat die Verschiebung der Frage einen tieferen Sinn. Es wird sich lediglich um eine formale Inkonzinnität handeln, die nichts Befremdliches hat, sobald man sich den philologischen Tatbestand vergegenwärtigt, daß das Wort *rea'* eine reziproke Beziehung zum Ausdruck bringt wie unser „Kamerad": wenn man jemanden als seinen Kameraden bezeichnet, so schließt das die Verpflichtung in sich, sich ihm gegenüber kameradschaftlich zu verhalten[5]. Sowohl Jesus als auch dem Schriftgelehrten geht es um das gleiche: nicht um die Definition, sondern um die Reichweite des Begriffs *rea'*; der Unterschied ist nur, daß der Schriftgelehrte theoretisch fragt, während Jesus im Anschluß an das praktische Beispiel fragt. — V. 37a: Ὁ ποιήσας τὸ ἔλεος μετ' αὐτοῦ: er vermeidet es, das verhaßte Wort Samaritaner (*kuthi*) in den Mund zu nehmen. — V. 37b nimmt V. 28 mit Nachdruck auf.

„Gefährte", sagt Jesus mit diesem Gleichnis, soll Dir gewiß zunächst der Volksgenosse sein, aber nicht nur er, sondern jeder, der Deiner Hilfe bedarf. Das Beispiel des verachteten Mischlings soll Dir zeigen, daß Dir kein Mensch so fern steht, daß Du nicht bereit sein solltest, jederzeit für ihn, wenn er in Not ist, als Deinen „Nächsten"[6] Dein Leben einzusetzen.

---

[1] Ebd.    [2] Ebd.
[3] J. Jeremias, Jerusalem zur Zeit Jesu[3], Göttingen 1962, S. 138.
[4] So auch Bishop, S. 172.
[5] B. Gerhardsson, The Good Samaritan — the Good Shepherd? (Coniectanea Neotestamentica XVI) Lund-Kopenhagen 1958, S. 7, im Anschluß an J. Lindblom und R. Gyllenberg.
[6] S. S. 201 A. 1.

Die Grenzenlosigkeit der Liebe kommt auch darin zum Ausdruck, daß sie, Jesu Beispiel folgend, sich gerade den Armen und Verachteten (Lk.14,12—14)[1], den Hilflosen (Mk.9,37) und Geringen (Mt.18,10) zuwendet. Welchen Wert Jesus der Liebe zu den Notleidenden und Bedrängten zuschreibt, geht aus der Schilderung der Urteilsverkündung im Weltgericht (Mt.25,31—46) hervor[2].

V. 31: $\Delta \acute{o} \xi a$, $\mathring{a}\gamma\gamma\varepsilon\lambda o\iota$ $a\mathring{v}\tau o\tilde{v}$, $\vartheta\varrho\acute{o}\nu o\varsigma$ $\delta\acute{o}\xi\eta\varsigma$ $a\mathring{v}\tau o\tilde{v}$ (ohne Artikel = stat. constr.) sind Attribute des Menschensohnes (äth. Hen.). Der messianische Herrlichkeitsthron steht auf dem Zion. (Der auffallende Wechsel von $\mathring{o}$ $\upsilon\mathring{\iota}\mathring{o}\varsigma$ $\tauo\tilde{v}$ $\mathring{a}\nu\vartheta\varrho\acute{\omega}\pi o\upsilon$ [V. 31] und $\mathring{o}$ $\beta a\sigma\iota\lambda\varepsilon\acute{\upsilon}\varsigma$ [V. 34. 40] erklärt sich vielleicht daraus, daß die Einleitung von Matthäus stilisiert wurde; denn sie berührt sich eng mit Mt.16,27, und das Sitzen des Menschensohnes auf dem Herrlichkeitsthron findet sich nur bei Matthäus [25,31; 19,28]). — V. 32: $\Sigma\upsilon\nu a\chi\vartheta\acute{\eta}\sigma o\nu\tau a\iota$: $\sigma\upsilon\nu\acute{a}\gamma\varepsilon\iota\nu$ ist term. techn. der Hirtensprache[3]; das Passiv umschreibt das Handeln Gottes, das hier durch die Engel geschieht (vgl. Mk.13,27; Mt.24,31). Die Sammlung der zerstreuten Herde ist Kennzeichen der Heilszeit (vgl. Joh.10,16; 11,52). $\Pi\acute{a}\nu\tau a$ $\tau\grave{a}$ $\mathring{\varepsilon}\vartheta\nu\eta$: daß im folgenden das Gericht über die Völker der Welt geschildert wird, geht aus dem Wortlaut ($\pi\acute{a}\nu\tau a$!) eindeutig hervor und wird durch die analoge Situationsschilderung b. ᾿A. Z. 2a[4] bestätigt. $\mathring{A}\varphi o\varrho\acute{\iota}\sigma\varepsilon\iota$: ebenfalls term. techn. der Hirtensprache. Der Erlöser ist der Hirte (s. S. 121). ῞$\Omega\sigma\pi\varepsilon\varrho$ $\mathring{o}$ $\pi o\iota\mu\mathring{\eta}\nu$ $\mathring{a}\varphi o\varrho\acute{\iota}\zeta\varepsilon\iota$ $\tau\grave{a}$ $\pi\varrho\acute{o}\beta a\tau a$ $\mathring{a}\pi\grave{o}$ $\tau\tilde{\omega}\nu$ $\mathring{\varepsilon}\varrho\acute{\iota}\varphi\omega\nu$: der palästinische Hirt scheidet nicht Schafe und Böcke (d.h. weibliche und männliche Tiere), sondern Schafe und Ziegen. In Palästina sind gemischte Herden die Regel; Schafe und Ziegen werden tagsüber zusammen geweidet, am Abend trennt der Hirte die Schafe von den Ziegen[5], weil die Ziegen nachts wärmer stehen müssen, da ihnen die Kälte schadet, während die Schafe nachts frische Luft haben wollen[6]. — V. 33: ᾿$E\kappa$ $\delta\varepsilon\xi\iota\tilde{\omega}\nu$: die Schafe sind die wertvolleren Tiere[7]; außerdem macht ihre weiße Farbe (im Unterschied zum Schwarz der Ziegen) sie zum Symbol der Gerechten. Die Scheidung ist der Auftakt zum Weltgericht. Alles Folgende ab V. 34 schildert die Urteilsverkündung. — V. 34: Die Präexistenz der Basileia bringt die Sicherheit der Verheißung zum Ausdruck. —

[1] Genau entgegengesetzt dem von Philo (spec. leg. I,12 § 242) zitierten Sprichwort: „Der Rang der Gäste ehrt den Gastgeber", d.h. lade möglichst vornehme Gäste ein.
[2] Die ganze Perikope ist *mašal* = „apokalyptische Offenbarungsrede" (wie die fälschlich als „Bilderreden" bezeichneten *mešalim* [äth. *mesal*] des äth. Henochbuches, s. S. 12 A. 4); *mašal* = „Vergleich" ist nur das Bild von der Scheidung der Herde, V. 32f.
[3] J. Jeremias, Jesu Verheißung für die Völker[2], Stuttgart 1959, S. 55.
[4] Bill. IV, S. 1203f.
[5] Das Präsens $\mathring{a}\varphi o\varrho\acute{\iota}\zeta\varepsilon\iota$ (V. 32b) zeigt, daß es sich um einen gewohnheitsmäßigen Vorgang handelt.
[6] G. Dalman, Arbeit und Sitte VI, Gütersloh 1939, S. 276.
[7] Ebd. S. 99. 217.

V. 35f.: Über die Liebeswerke im NT. vgl. ZNW. 35 (1936), S. 77ff.; es werden als Beispiele, die nicht erschöpfend sein wollen, sechs Liebeswerke aufgezählt. Zum dritten Liebeswerk: συνάγειν = „gastlich aufnehmen" ist Übersetzungsgriechisch; es ist Wiedergabe von aram. k°nas, das a) versammeln, b) gastlich aufnehmen bedeutet[1]. Zum fünften Liebeswerk: die Kranken sind arme Leute, ohne Pflege, um die sich niemand kümmert. Das an letzter (6.) Stelle genannte Liebeswerk des Besuches von Gefangenen findet sich nicht in den jüdischen Aufzählungen der Liebeswerke. — V. 37—39 ist (wie 7,22) Einwand gegen das bereits ergangene Urteil; es ist ihnen unverständlich; sie wissen nicht, wann sie dem König Liebe erwiesen haben sollten. — V. 40 bringt ihnen die Erklärung. Es handelt sich nicht um Liebestaten, die sie Jesus persönlich erwiesen haben[2], sondern seinen Brüdern und dadurch ihm selbst. Vgl. Midhr. Tann. zu Dt. 15,9, wo Gott zu Israel sagt: „Meine Kinder, wenn Ihr den Armen zu essen gegeben habt, so rechne Ich es Euch so an, als ob Ihr Mir zu essen gegeben hättet"; Mt. 25,31ff. ist Jesus an Gottes Stelle getreten. Ἑνὶ (= τινί[3]) τούτων τῶν ἀδελφῶν μου τῶν ἐλαχίστων = „irgend einem (nicht: einem Einzigen) meiner allergeringsten Brüder". Der Vergleich mit V. 45 zeigt, daß mit den ἀδελφοί an dieser Stelle nicht die Jünger gemeint sind, sondern alle Bedrängten und in Not Befindlichen. Das den gegenteiligen Eindruck erweckende τούτων (V. 40. 45) ist überflüssiges Demonstrativ[4]. Überdies würde eine Beschränkung der ἀδελφοί auf die Jünger angesichts von V. 32 (πάντα τὰ ἔθνη) eine universale Weltmission bis zu den entlegensten Völkern voraussetzen, was nicht den Vorstellungen Jesu entspräche[5]. Zu der früh einsetzenden, namentlich bei Matthäus begegnenden Verchristlichung des Wortes ἀδελφός s. S. 108 A. 2. — V. 41: Τὸ πῦρ τὸ αἰώνιον = die Gehenna im Hinnomtal am Fuße des Tempelberges. — V. 44 ist (wie 37—39) Einwand gegen das Urteil. Sie haben den König nie in Not gesehen, so daß sie zur Hilfe aufgerufen gewesen wären. — V. 45: Ἑνὶ τούτων s. zu V. 40. Ihre Schuld besteht nicht in groben Sünden, sondern in der Unterlassung der guten Tat (vgl. Lk. 16,19—31). — Was die Frage nach der Echtheit anlangt, so fallen einige späte Züge auf: 1. Die Vorstellung von Christus als Richter (V. 32) gehört nicht der ältesten Überlieferungsschicht an (nach dieser ist er Zeuge beim Endgericht, vgl. Mt. 10,32f.; Mk. 8,38; Lk. 9,26; 12,8f.). Aber ist Christus wirklich als Richter gedacht? Es wird ja nicht eine Gerichtsverhandlung, sondern nur die Urteilsverkündigung geschildert, und nach V. 34 (οἱ εὐλογημένοι τοῦ πατρός μου) verkündigt Christus das Urteil des Vaters[6]. 2. Nie wieder sonst in den synoptischen Evangelien bezeichnet sich Jesus als βασιλεύς (V. 34. 40); doch vgl. Mk. 15,2 Par.; Joh. 18,37; außerdem ist zu beachten, daß das Messiasbewußtsein die Königswürde einschließt. Vermutlich ist das zweimalige ὁ βασιλεύς vormatthäische Verdeutlichung der Messiaswürde für Nichtjuden, vgl. Act. 17,7.

---

[1] C. C. Torrey, The Four Gospels, London o. J. (1933), S. 296.
[2] E. Klostermann, Das Matthäusevangelium[2], Tübingen 1927, z. St.
[3] S. S. 198 A. 6.    [4] Über diesen Semitismus vgl. S. 36 A. 5.
[5] S. S. 62 und A. 1.
[6] Vgl. T. W. Manson, Sayings, S. 250.

3. *Διάβολος* gehört einer späteren Überlieferungsschicht an als *σατανᾶς*[1]. Jedoch betreffen alle diese Beobachtungen nicht die Substanz von Mt. 25, 31—46, sondern beweisen nur redaktionelle Überarbeitungen des Stoffes durch die Tradition, auf die auch einige sprachliche Eigentümlichkeiten des Matthäus hinweisen (*τότε* V. 31. 34. 37. 41. 44f.; *ἐπὶ θρόνου δόξης αὐτοῦ* V. 31; *τοῦ πατρός μου* V. 34 usw.)[2]. Die Substanz wird getroffen 4. bei dem Hinweis auf ägyptische[3] und rabbinische[4] Parallelen, die ebenfalls davon reden, daß Werke der Barmherzigkeit den Maßstab im Gericht abgeben. Aber welch ein Unterschied! Sowohl im ägyptischen Totenbuch als auch im Midhrasch rühmt sich der Tote selbstsicher seiner Leistungen („ich habe Gott zufriedengestellt durch das, was Er liebt: ich habe dem Hungrigen Brot gegeben, dem Dürstenden Wasser, dem Nackten Kleider …", heißt es im ägyptischen Totenbuch[5]) — wie anders die erstaunte Frage der Gerechten in V. 37—39 unseres Textes, die sich keiner Verdienste bewußt sind, ganz abgesehen von dem Gedanken, daß in den Armen und Elenden der verborgene und verkannte Messias den Menschen gegenübertrat. Gerade dieser Zug aber, daß Jesus sich selbst mit den Allergeringsten gleichstellt, wird durch Worte wie Mk. 9, 37. 41[6] als alte Überlieferung und als Spezifikum der Predigt Jesu erwiesen. Unsere Perikope, gleichviel ob in allen Einzelheiten authentisch, enthält in der Tat „features of such startling originality that it is difficult to credit them to anyone but the Master Himself"[7].

Es geht Mt. 25, 31—46 um eine ganz konkrete Frage, nämlich: nach welchem Maßstab werden die Heiden (V. 32) gerichtet werden? Jesus hatte mit gleichbleibender Deutlichkeit zwischen der gegenwärtigen und der eschatologischen Rechtfertigung unterschieden. In der Gegenwart vermittelt er[8] den heimkehrenden Sündern, Verirrten und Verzweifelten, den „Bettlern vor Gott" (Mt. 5, 3) die Vergebung Gottes, den Erlaß der großen Schuld. Im Endgericht dagegen verheißt er den göttlichen Freispruch da, wo die

---

[1] S. S. 80 A. 3.

[2] Weiteres bei J. A. T. Robinson, The 'Parable' of the Sheep and the Goats, in: NTS. 2 (1955/56), S. 225—237, hier S. 228—232.

[3] E. Klostermann, Das Matthäusevangelium[2], Tübingen 1927, S. 205f. nach H. Greßmann, Altorientalische Texte und Bilder I[2], Berlin 1926, S. 188.

[4] Midhr. Ps. 118 § 17 (Bill. IV, S. 1212).     [5] S. o. A. 3.

[6] Mk. 9, 41: *ἐν ὀνόματί μου* = um meinetwillen; die folgenden Worte: *ὅτι Χριστοῦ* (ohne Artikel, also spät!) *ἐστε* sind Erläuterung des Semitismus *ἐν ὀνόματί μου* für griechisch Redende. Als Empfänger des Bechers kalten Wassers war ursprünglich, wie sowohl die Parallele Mt. 10, 42 als auch Mk. 9, 42 (Stichwortzusammenhang!) zeigt, „einer der Geringsten" genannt — ganz wie Mt. 25, 40. 45, wo ebenfalls (wie Mk. 9, 37 und Mt. 10, 42) das überflüssige Demonstrativ *τούτων* (s. o. S. 36 A. 5) steht.

[7] T. W. Manson, Sayings, S. 249.

[8] Jesus vermittelt die Vergebung! Auch z. B. Mk. 2, 5 bleibt Gott der Vergebende. Denn Jesus sagt (mit Umschreibung des Gottesnamens durch das Passiv): „Mein Sohn, Gott vergibt Dir Deine Sünden."

Jüngerschaft in Bekennermut (Mt. 10,32f. Par.) und im Gehorsam (Mt. 7,21.22f. Par.), in vergebungsbereiter (Mt. 6,14f.) und barmherziger (Mt. 5,7)[1] Liebe und im Durchhalten bis ans Ende (Mk. 13,13 Par.) bewährt wurde; im Endgericht fragt Gott nach dem gelebten Glauben. Auch diese Gerechtsprechung des gelebten Glaubens bleibt reine, freie Gnade Gottes, hat mit Verdienst nichts zu tun; dazu ist die Schuld zu groß. Etwa im Anschluß an ein Wort wie Mt. 10,32f., in dem Jesus sagt, daß er für diejenigen seiner Jünger im Endgericht eintreten werde, die sich im Leben zu Ihm bekannten, mochte er gefragt worden sein: nach welchem Maßstab werden dann aber die Heiden gerichtet, denen Du nicht begegnetest? Sind sie (wie die herrschende zeitgenössische Ansicht meinte) verloren? Jesu Antwort lautet: auch den Heiden bin ich begegnet als der verborgene Messias — in meinen Brüdern; denn die Notleidenden[2] sind meine Brüder; wer ihnen Liebe erweist, erweist sie mir, dem Heiland der Armen. Darum werden die Heiden im Endgericht nach der tätigen Liebe gefragt werden, die sie mir in Gestalt der Bedrängten erwiesen haben, und sie werden die Gnadengabe des Anteils an der Basileia erhalten, wenn sie das Liebesgebot, das Messiasgesetz (Jak. 2,8), erfüllt haben[3]. Bei ihnen findet also eine Rechtfertigung aus der Liebe statt; ist doch auch für sie das Lösegeld bezahlt (Mk. 10,45: ἀντὶ πολλῶν, s. S. 218 A. 6)[4].

Das tiefste Geheimnis dieser Liebe, die die gelebte Jüngerschaft kennzeichnet, ist aber, daß sie vergeben kann. Sie gibt die erfahrene Vergebung Gottes, deren Größe alle Begriffe übersteigt, weiter. Davon spricht das Gleichnis vom Schalksknecht (Mt. 18,23—35).

Über den Kontext s. S. 96. — V. 23: Wir haben ein Gleichnis mit Dativanfang vor uns („so gehts zu bei [dem Kommen] der Gottesherrschaft"[5]); wieder

---

[1] Ἐλεηθήσονται: Das Futurum ist eschatologisch, das Passiv umschreibt den Gottesnamen: „Gott wird ihnen (beim Jüngsten Gericht) barmherzig sein."

[2] S. o. z. V. 40.

[3] Vgl. b. B. B. 10b (Bar.): „Rabban Joḥanan bän Zakkai (der Zeitgenosse der Apostel) sprach zu ihnen: wie das Sündopfer Israel entsühnt, so die Wohltätigkeit (çedhaqa) die Heiden."

[4] Es ist eindrucksvoll, wie dieser „Rechtfertigungslehre" Jesu die paulinische bis in die Einzelheiten entspricht. Auch Paulus unterscheidet zwischen der in der Taufe geschenkten (1. Kor. 6,11; Röm. 6,7) Rechtfertigung des Sünders aus Glauben allein (Röm. 3,28, vgl. S. 36 A. 3) und der Rechtfertigung im Endgericht aus dem Glauben, der sich durch Liebe auswirkt (Gal. 5,6). Und auch Paulus weiß von einer Rechtfertigung der Heiden im Endgericht, wenn sie den νόμος ἄγραφος erfüllt haben (Röm. 2,12—16).

[5] S. S. 100f.

wird der Anbruch der Gottesherrschaft mit der Abrechnung verglichen[1]. Βασιλεῖ: s. S. 24 A. 1. Μετὰ τῶν δούλων αὐτοῦ: „Knechte des Königs" heißen in der Bibel und im Orient seine obersten Beamten[2]. — V. 24: „Es wurde ihm einer (εἷς = ḥadh = τίς)[3] vorgeführt, der ihm 10 000 Talente schuldete", also 100 Millionen Denare[4]. Die Riesensumme zeigt, daß der „Knecht" als Satrap gedacht ist, der den Steuerertrag seiner Provinz schuldig geblieben ist (vgl. unten zu V. 31); wir wissen, daß z. B. im ptolemäischen Ägypten die Finanzbeamten für die gesamten Einnahmen ihres Territoriums persönlich haftbar waren[5]. Freilich übersteigt die Schuldsumme auch dann noch alle realen Verhältnisse bei weitem[6]; sie erklärt sich nur so, daß sowohl μύρια wie τάλαντα extreme Größen sind (10 000 ist die größte Zahl, mit der man rechnet[7], das Talent die größte Geldeinheit im ganzen vorderasiatischen Raum): die in ihrer Größe alle Vorstellungen überschreitende Schuldsumme soll dem Hörer den Kontrast zu der kleinen Schuldsumme von 100 Denaren (V. 28) mit Wucht aufdrängen. Die Deutung schlägt also in das Gleichnis herein: hinter dem König wird Gott, hinter dem Schuldner der Mensch, der die Botschaft der Vergebung hören durfte, sichtbar. Προσηνέχθη: das Passiv spricht dafür, daß der Schuldige aus der Haft vorgeführt wird[8]. — V. 25: Ἐκέλευσεν ... πραθῆναι: es ist zunächst an Landbesitz und Hausrat zu denken. Αὐτὸν ... καὶ τὴν γυναῖκα: das jüdische Recht erlaubte den Verkauf eines Israeliten nur im Falle des Diebstahls, wenn der Dieb das Gestohlene nicht ersetzen konnte; der Verkauf der Ehefrau war im jüdischen Raum völlig verboten[9]. Der Herr und seine „Knechte" sind also als Heiden gedacht. Καὶ τὰ τέκνα: ein rabbinisches Gleichnis schildert, wie ein König die Söhne und Töchter seines Schuldners verkaufen ließ; „da wußte man, daß nichts mehr in seinem Besitz war"[10], d. h.: die Kinder sind das Allerletzte, was von einem Menschen verkauft werden kann. Ist der Verkauf der Familie sinn-

---

[1] Vgl. S. 136 A. 3. Strenggenommen entspricht freilich der Gnadenerlaß in V. 27 der gegenwärtigen Vorgeschichte der Basileia und erst der Urteilsspruch in V. 34 dem Endgericht.

[2] J. Wellhausen, Das Evangelium Matthaei, Berlin 1904, S. 95.

[3] S. S. 198.

[4] Der Wert des Talentes schwankte. Wir haben die Berechnung des Josephus zugrunde gelegt, der 1 Talent = 10 000 Denare setzt (vgl. Ant. 17 § 323 mit § 190).

[5] R. Sugranyes de Franch, Études sur le droit palestinien à l'époque évangélique, Fribourg 1946, S. 39ff., bietet eine sehr gute Analyse der Mt. 18, 23—35 vorausgesetzten rechtlichen Verhältnisse. Er weist nach, daß sich Analogien nicht in Palästina, wohl aber in den Levanteländern, besonders Ägypten, finden, vermutet dann aber doch (und das ist die Schwäche des Buches), daß diese auch für Palästina vorauszusetzen seien.

[6] Eine Vergleichszahl s. S. 23.     [7] Lk. 12, 1; 1. Kor. 4, 15; 14, 19.

[8] Sowohl προσηνέχθη wie die v. l. προσήχθη (B D) bezeichnet die zwangsweise Vorführung (vgl. W. Bauer, Wörterbuch zum NT.[5], Berlin 1958, Sp. 1427. 1410). Vgl. auch V. 27: „er ließ ihn frei."

[9] Soṭa 3, 8; Tos. Soṭa 2, 9 (Bill. I, S. 798).

[10] Siphre Dt. 26 zu 3, 23 (P. Fiebig, Rabbinische Gleichnisse, Leipzig 1929, S. 10; Bill. I, S. 798).

voll? Da der Sklavenpreis im Durchschnitt ca. 500 bis 2000 Denare betrug[1], steht der Ertrag aus dem Verkauf der Familie in keinem Verhältnis zu der riesigen Schuldsumme von 100 Millionen Denaren. Der Befehl des Königs in V. 25 ist also in erster Linie als Ausdruck seines Zornes zu verstehen. — V. 26: *Πεσὼν οὖν ὁ δοῦλος προσεκύνει αὐτῷ λέγων*: Das Sich-Niederwerfen, mit dem er zum Ausdruck bringt, daß er der Gnade seines Herrn völlig ausgeliefert ist, ist die andringendste Form der Bitte, die es gibt. *Ἀποδώσω*: er verspricht, das Geld herauszuwirtschaften. — V. 27: *Τὸ δάνειον* = „das Darlehen", was hier aber nicht paßt. Die syrischen Übersetzungen (sy [sin cur pal pesch]) geben *τὸ δάνειον* mit ḥwbt' = „die Schuld" wieder; dieses Wort dürfte im Aramäischen zugrunde liegen und die Übersetzung mit *τὸ δάνειον* eine unberechtigte Bedeutungseinengung sein. „Die Güte des Herrn geht über die Bitte des Knechtes weit hinaus."[2] — V. 28: *Εὗρεν* scil. auf der Straße. *Ἕνα* (= *τινά*[3]) *τῶν συνδούλων αὐτοῦ*: einen seiner Unterbeamten (s. zu V. 31). *Ἑκατὸν δηνάρια* scil. „nur"[4] (Semitismus). *Ἔπνιγεν* vgl. B.B. 10, 8: „Wenn jemand einen anderen (der ihm Geld schuldet) auf der Straße würgt." *Ἀπόδος εἴ τι ὀφείλεις*: *εἴ τι* natürlich nicht dubitativ („falls"), sondern = *ma dhᵉ* = „was". Sinn der *manus iniectio* ist, daß dem Schuldner jeder Versuch zu entweichen unmöglich gemacht werden soll[5]. Falls er nicht auf der Stelle zahlt, soll er ins Gefängnis geworfen bzw. ein Haftbefehl erwirkt werden (vgl. Mt. 5, 25f.). — V. 29: Es ist ein kleiner Beamter, dem die Aufbringung der geringen Summe Schwierigkeiten macht. Seine Bitte um Zahlungsaufschub stimmt (bis auf + *πάντα* V. 26) wörtlich mit der eigenen Bitte des Schalksknechtes überein; es besteht aber der Unterschied, daß V. 26 ein unerfüllbares Notversprechen war, während das Versprechen V. 29 erfüllbar ist. — V. 30: *Εἰς φυλακήν*: Der Verkauf des Schuldners (so V. 25) kam in diesem Fall nicht in Frage, weil er (jedenfalls nach jüdischem Recht[6], das aber gewiß auch sonst galt) nur zulässig war, wenn die Schuldsumme den bei einem Verkauf des Schuldners erzielten Erlös überstieg; das war bei der kleinen Summe von 100 Denaren nicht der Fall. Darum wird in einem solchen Fall in den Levanteländern[7] die Personalexekution durch Schuldhaft angewendet, die den Zweck hat, daß der Schuldner die Schuld abarbeitet bzw. durch seine Verwandten losgekauft wird. Dem jüdischen Recht war eine solche Personalhaftung des Schuldners unbekannt (s. S. 179). — V. 31: *Οἱ σύνδουλοι*: der Ausdruck begegnet in LXX nur 2. Esr. (= Esra) 4, 7. 9. 17. 23; 5, 3. 6; 6, 6. 13 und bezeichnet dort hohe Beamte, darunter die Gouverneure von Palästina und Syrien. Es bestätigt sich damit nochmals, daß bei den „Knechten" nicht an gewöhnliche Sklaven gedacht werden darf.

---

[1] b. Qid. 18a (Bar.): 500—1000 Denare; B.Q. 4,5 nennt als Höchstpreis: 10000 Denare; Josephus, Ant. 2, 33 gibt als Kaufpreis des Josef (Gen. 37,28): 20 Minen = 2000 Denare an. Vgl. J. Jeremias, Jerusalem zur Zeit Jesu[3], Göttingen 1962, S. 383.

[2] M. Doerne, Er kommt auch noch heute[4], Berlin 1955, S. 149.

[3] S. S. 198.    [4] S. S. 36 A. 3.    [5] Jülicher II, S. 307.

[6] Mekh. Ex. 22,2 vgl. Bill. IV, S. 700f.

[7] R. Sugranyes de Franch (s. S. 208 A. 5), S. 113ff. § 18: La prison pour dettes.

'Ελυπήθησαν wie LXX Neh. 5, 6; Jon. 4, 4. 9: „sie waren empört"[1]. Διεσάφησαν ist der regelmäßige Ausdruck für den Bericht eines Untergebenen an seinen Vorgesetzten: „melden". — V. 32: Zum Praes. hist. (λέγει) s. S. 198 A. 2. — V. 34: Τοῖς βασανισταῖς: die Strafe der Folterung gab es nicht in Israel. Es wird hier nochmals deutlich (s. zu V. 25. 30), daß nicht-palästinische Verhältnisse geschildert sind, falls nicht an Herodes den Großen gedacht ist, der die Folterung, unbekümmert um das jüdische Recht, reichlich anwendete — aber ist ihm die Großmut V. 27 zuzutrauen? Die Folterung wird im Orient regelmäßig gegen ungetreue oder in der Ablieferung der Steuern saumselige Statthalter angewendet, um herauszubekommen, wo sie das Geld versteckt haben, oder um die Summe von ihren Verwandten oder Freunden zu erpressen[2]. Die Verwendung außerjüdischer, von den Juden als unmenschlich empfundener Rechtsverhältnisse (s. S. 179 zu Mt. 5, 25) soll die Furchtbarkeit der Strafe besonders eindringlich machen. Ἕως οὗ ἀποδῷ πᾶν τὸ ὀφειλόμενον kann angesichts der Höhe der Schuldsumme nur besagen, daß die Strafe kein Ende findet; die Deutung schlägt also nochmals (s. zu V. 24) in das Gleichnis herein. — V. 35: „So wird mein himmlischer Vater Euch tun, wenn Ihr nicht einander[3] vergebt ἀπὸ τῶν καρδιῶν ὑμῶν." Die Vergebung „von den Herzen her" steht im Gegensatz zu einer Vergebung nur mit den Lippen (vgl. Mt. 15, 8 = Jes. 29, 13). Auf die Echtheit der Vergebung kommt alles an.

Wir haben ein Endgerichtsgleichnis vor uns, das Mahnung und Warnung zugleich ist: Gott hat Dir — durch das Evangelium, durch den Zuspruch der Vergebung — einen Gnadenerlaß zuteil werden lassen, der alles Begreifen übersteigt[4]. Solltest Du Deinem Bruder[5] nicht die Bagatell-Schuld erlassen? Gottes Gabe verpflichtet. Wehe Dir, wenn Du auf Dein Recht pochst, wenn Du hartherzig bist und die erfahrene Vergebung nicht weitergibst! Dann steht alles auf dem Spiele, denn dann wird Gott den Erlaß der Schulden widerrufen und Dich die ganze Furchtbarkeit seines Gerichtes erfahren lassen. Jesus greift, wie auch sonst[6], die jüdische

---

[1] T. W. Manson, Sayings, S. 214.

[2] J. Wellhausen, Das Evangelium Matthaei, Berlin 1904, S. 95. Über das „große Gebot", Gefangene auszulösen, vgl. Bill. IV, S. 568. 572f.

[3] S. o. S. 108.

[4] E. Linnemann, Gleichnisse Jesu, Göttingen 1961, S. 173, behauptet freilich: „Der Gedanke der Zuwendung der Vergebung an den Jünger durch Jesus ist Glaube der Urgemeinde, darf aber nicht für Jesus vorausgesetzt werden". Zu solchen Fehlurteilen kommt man, wenn man sich an die Konkordanz (s. v. ἀφιέναι) hält und nicht in Rechnung setzt, daß Jesus, anders als Paulus, vorzugsweise nicht das theologische Vokabular benutzt, sondern statt dessen Bildworte, Gleichnisse und Gleichnishandlungen, kurz die Symbolsprache.

[5] S. o. S. 108.

[6] Mt. 7, 1f. par. Lk. 6, 37f.; Mt. 6, 14f.; Jak. 2, 12f.; vgl. Mt. 5, 7; 25, 31ff.

Lehre von den zwei Maßen auf[1], gestaltet sie aber völlig um (es ist kein Zufall, daß es zu unserem Gleichnis keine jüdischen Parallelen gibt). Die jüdische Apokalyptik lehrte, daß, während Gott für die Weltregierung zwei Maße habe: Barmherzigkeit und Gericht, im Endgericht nur noch das Maß des Gerichtes gelte: „Der Höchste erscheint auf dem Richterthron. Dann kommt das Ende, und das Erbarmen vergeht, das Mitleid ist fern, die Langmut verschwindet"[2]. Jesus dagegen lehrt, daß das Maß der Barmherzigkeit auch im Endgericht Geltung hat. Die entscheidende Frage ist: wann wendet Gott im Endgericht das Maß der Barmherzigkeit, wann das Maß des Gerichtes an? Jesu Antwort lautet: Wo Gottes Vergebung echte Vergebungsbereitschaft wirkt, da spricht Gottes Barmherzigkeit frei; den aber, der Gottes Gabe mißbraucht[3], trifft die ganze Schärfe des Gerichts so, als ob er die Vergebung nie empfangen hätte (Mt. 6, 14f.).

Noch ein zweites Kennzeichen der Jüngerschaft tritt in den Bildworten Jesu aufs stärkste hervor, das ist die Geborgenheit seiner Jünger in Gottes Hand. Sie haben, sagt das Bildwort vom Sklaven und vom Sohn (Joh. 8, 35), für immer[4] das Heimatrecht des Gotteskindes, gehören schon jetzt zur *familia Dei* (Mk. 3, 31. 35; ThEv. 99). Sie gleichen nicht mehr den Untertanen, sondern den Söhnen eines Königs (Mt. 17, 24f.). Sie sind rein wie der, der ein Tauchbad nahm (Joh. 13, 10). Wie völlig sie bei ihrem Vater geborgen

---

[1] Vgl. zur Lehre von den zwei Maßen: K. Bornhäuser, Die Bergpredigt, Gütersloh 1923, S. 161ff.; Bill. IV, S. 1247, Index s. v. Maß.

[2] 4. Esr. 7, 33 vgl. 74. 105; Sib. 5, 353. 510; syr. Bar. 48, 27. 29; 85, 8—15. E. Linnemann, a. a. O. S. 174, erklärt es freilich „angesichts der späten Datierung des 4. Esrabuches" (sic!: Ende des ersten Jahrhunderts n. Chr.!) für fraglich, „wie weit man diese Anschauung als ausdrückliches Theologumenon der Rabbinen zur Zeit Jesu in Anspruch nehmen darf", und setzt ihr eine Stelle aus Ex. r. 45 zu 33, 19 entgegen, ohne zu merken, daß die Homilie, deren Schluß sie zitiert, einem um 1100 n. Chr. (sic!) verfaßten Werk entstammt. Um jeden Zweifel auszuschließen, zitiere ich einige Belege, die sicher vorchristlich sind. Äth. Hen. 38, 6: „Von da an (wenn die Sünder gestraft werden) wird keiner bei dem Herrn der Geister um Gnade bitten (können)"; 50, 5: „Von nun an (nach Ablauf der letzten Bußfrist) aber will ich mich nicht (mehr) erbarmen, spricht der Herr der Geister"; 60, 5f.: „Bis heute dauerte der Tag seiner Barmherzigkeit und war er barmherzig und langmütig gegen die Bewohner des Festlandes. Aber wenn der Tag der Gewalt, der Strafe und des Gerichtes kommt ...", hört das auf.

[3] S. H. Hooke, The Kingdom of God, London 1949, S. 115.

[4] Εἰς τὸν αἰῶνα s. S. 85.

sind, hat Jesus ihnen in den unvergleichlichen Bildern von den Vögeln unter dem Himmel (Mt. 6,26; Lk. 12,24) und den Blumen auf dem Felde (Mt. 6,28—30; Lk. 12,27 f.) eingeprägt. Die ganze Größe der Geborgenheit, von der diese Bildworte reden, ermißt man erst, wenn man sich ihren Zusammenhang vergegenwärtigt. Jesus verbietet das $\mu\varepsilon\varrho\iota\mu\nu\tilde{\alpha}\nu$. Das Wort bedeutet: 1. sich sorgende Gedanken machen, 2. sich abmühen. Daß Mt. 6,25—34 Par. nur die zweite Bedeutung in Frage kommt, zeigt der Wechsel von $\mu\varepsilon\varrho\iota\mu\nu\tilde{\alpha}\nu$ mit $\zeta\eta\tau\varepsilon\tilde{\iota}\nu$[1] und $\dot{\varepsilon}\pi\iota\zeta\eta\tau\varepsilon\tilde{\iota}\nu$[2], zeigt Mt. 6,27 par. Lk. 12,25, wo die Bedeutung „sich sorgende Gedanken machen" sinnlos ist, zeigen vor allem unsere beiden Bildworte selbst, die nicht von Sorge, sondern von Mühe reden, eindeutig[3]. Jesus verbietet also den Jüngern, sich abzumühen für Nahrung und Kleidung. Ein Verbot der Arbeit! Wie ist das möglich? Die Worte, die den Jüngern die Arbeit verbieten, haben eine sachliche Parallele in Mk. 6,8, sind also Aussendungsworte. Das Arbeitsfeld ist unendlich groß, und die Zeit drängt, weil die Versuchungsstunde des Erdkreises vor der Tür steht. Ihr Auftrag fordert die Jünger ganz. Darum dürfen sie sich durch nichts aufhalten lassen, nicht einmal durch den Gruß auf dem Wege (Lk. 10,4 b)[4], geschweige denn durch Arbeit für Nahrung und Kleidung. Gott wird ihnen geben, was sie brauchen. Was Jesus seinen Boten verbietet, ist also nicht die Arbeit, sondern die Doppelarbeit. Aber dann kann es kommen, daß sie nichts zu essen und nichts anzuziehen haben, hungern und frieren müssen! Auf solche Sorgen antworten die beiden Bildworte von den Vögeln und den Blumen, in denen etwas vom Humor Jesu mitschwingt. Saht Ihr je, Ihr Kleingläubigen, wie Herr Rabe[5] den Pflug an-

---

[1] Lk. 12,29 (verglichen mit Par. Mt. 6,31); Lk. 12,31; Mt. 6,33.

[2] Mt. 6,32; Lk. 12,30.

[3] Das Richtige sah Bornhäuser (s. S. 211 A. 1), S. 150 ff. Ihm folgt A. Schlatter, Der Evangelist Matthäus, Stuttgart 1929, S. 225 ff.

[4] Der Morgenländer hat viel Zeit, die Eile ist ihm verhaßt. Mit dem Gruß verbinden sich bei ihm lange Gespräche. 2. Kön. 4,29 umschreibt die aller Sitte und Höflichkeit widersprechende Anweisung: „wenn Dir jemand begegnet, so grüße ihn nicht, und grüßt Dich jemand, so antworte nicht" die äußerste Eile. Konkret wird Jesu Verbot den zeitraubenden Anschluß an Karawanen zum Schutz vor Räubern im Auge haben (E. F. F. Bishop, Jesus of Palestine, London 1955, S. 170).

[5] Die Vögel sind im Aramäischen männlich, die Anemonen weiblich. Der Rabe, den nur Lk. 12,24 nennt, ist ein unreines Tier (Lev. 11,15; Dt. 14,14), dennoch sorgt Gott für „die jungen Raben, die zu Ihm schreien" (Ps. 147,9; Hiob 38,41).

spannte, säte, erntete, drosch und dann den Erntewagen in die Scheune fuhr? Und doch gibt ihm Gott reichlich, was er braucht! Saht Ihr je, Ihr Kleingläubigen, wie Frau Anemone[1] das Spinnrad drehte oder am Webstuhl saß[2]? Und doch verblaßt Königspurpur vor der Herrlichkeit ihres Gewandes! Ihr seid doch Gottes Kinder (Mt. 6, 32; Lk. 12, 30). Der Vater weiß, was Ihr braucht. Er läßt Euch nicht verhungern!

Sie haben einen Vater, der für sie sorgt und — sie haben einen Herrn, der sie wie ein Hirt seine Schafe bei Namen ruft (Joh. 10, 3)[3] und der für sie betet. Die große Krisis steht vor der Tür, bricht an mit Jesu Passion. Die Macht der Finsternis wird sich enthüllen in der letzten Furchtbarkeit der Versuchung, vor der es nur einen Ausweg gibt: flieht, um Eure Seele zu retten (Mk. 13, 14 ff.). Auch die Jünger Jesu werden nicht verschont bleiben. Satan, der Ankläger und Verderber des Gottesvolkes, hat sich von Gott die Erlaubnis erbeten, sie im Sturm der Trübsal zu sichten, wie man mit dem Sieb Spreu vom Weizen scheidet (Lk. 22, 31 f.)[4]. Und Gott hat dazu Ja gesagt, Er will es so. Aber Jesus hat für Petrus gebetet, daß sein Glaube durchhalte und er in der bevorstehenden eschatologischen Sichtungszeit wieder[5] seine Brüder stärke. Petrus ist der Führer. Indem Jesus für ihn bittet, bittet er für sie alle. Seine Fürbitte wird sie hindurchtragen, denn Christus ist stärker als der Satan.

Gottes Gabe und Jesu Ruf treiben in die Arbeit — das ist ein drittes Kennzeichen der Jüngerschaft. Wie Jesus seine eigene Heilandsaufgabe gern unter dem Bilde eines Motivberufes darstellt[6], so auch die Aufgabe seiner Jünger. Einen künftigen

---

[1] S. vorige Anmerkung.

[2] Mt. 6, 28 liegt wahrscheinlich ein aramäisches Wortspiel zugrunde: οὐ κοπιῶσιν (ᵃmal) οὐδὲ νήθουσιν (ᵃzal), vgl. T. W. Manson, Sayings, S. 112.

[3] G. Dalman, Arbeit und Sitte VI, Gütersloh 1939, S. 250 f., bringt zahlreiche Belege aus dem modernen Palästina. Die Namen werden nach Gestalt, Farbe und Eigenheiten (z. B. „Grauohr") gewählt, und zwar werden stets die Namen beibehalten, die das Lämmlein oder Zicklein erhielt, die also das Tier von klein auf kennt. Der Name ist nicht nur Rufmittel, sondern zugleich Ausdruck des Eigentumsverhältnisses. Beim Führen der Herde benutzt der palästinische Hirt Lockrufe, Treibrufe und Haltrufe.

[4] Trennung von Spreu und Weizen = Gericht (Mt. 3, 12; vgl. S. 222).

[5] Ἐπιστρέψας (hier = tubh, haphakh) = „wieder", s. o. S. 189 A. 2. Das ποτέ, das sich bei den Synoptikern nur hier findet und das sonst nie im NT. in bezug auf die Zukunft steht, dürfte Zusatz des griechischen Übersetzers sein; es hat schwerlich ein aramäisches Äquivalent.

[6] S. S. 121 f.

Menschenfischer nennt Jesus den Fischer Petrus im Bildwort bei der Berufung (Mk. 1,17). Ist ein Schriftgelehrter ein Jünger der Königsherrschaft Gottes geworden, so gleicht er einem Hausvater, der aus seinem Vorrat (ϑησαυρός) Altes und Neues hervorholt, das frühere Gelernte und die neuen Erkenntnisse (Mt. 13,52). Groß ist das Erntefeld, klein die Zahl der Erntearbeiter (Mt. 9,37; ThEv. 73)[1]. Zu den verlorenen Schafen vom Hause Israel sind die Jünger gesandt (Mt. 10,6) — doch wohl als Hirten, so versteht wenigstens Mt. 18, 12—14. Als von Jesus selbst eingesetzter Verwalter erhält Petrus die Schlüssel der Königsherrschaft Gottes (Mt. 16,19). Er selbst und seine Mitjünger haben bei der Verkündigung des Evangeliums die Vollmacht zu lösen und zu binden, d. h. die Vollmacht, die Vergebung zu verkündigen und da, wo die Botschaft abgewiesen wird, das Gericht zu verhängen; sie haben also als Jesu Boten richterliche Vollmacht (Mt. 18,18; 16,19)[2].

Riesengroß ist die Verantwortung. Die Zeit drängt. Es geht um Frieden oder Fluch, um Heil oder Verderben unzähliger Menschen (Mt. 10,12—15; Lk. 10,5f. 10—12). Die große und gefährliche Aufgabe erfordert neben der völligen Hingabe (s. S. 192ff.) Lauterkeit und gottgeschenkte Klugheit. Das sagt Jesus in zwei inhaltlich nah verwandten Bildworten: „Seid klug (φρόνιμοι, s. S. 43 A. 1) wie die Schlangen und ohne Falsch wie die Tauben“(Mt. 10,16; ThEv. 39b). Und: „Habt Salz (= Klugheit) bei Euch und haltet Frieden untereinander“ (Mk. 9,50b)[3]. Zur Klugheit gehört die geistliche Nüch-

---

[1] S. S. 119. Vgl. P. ’A. 2,15: „Rabbi Ṭarphon (um 100) sagte:

> Der Tag ist kurz.
> Und der Arbeit ist viel.
> Und die Arbeiter sind träge.
> Und der Lohn ist groß.
> Und der Hausherr drängt.“

[2] Es ist das Verdienst von A. Schlatter, Der Evangelist Matthäus, Stuttgart 1929, S. 511 f., erkannt zu haben, daß mit dem „Lösen und Binden“ weder die Vollmacht zu Lehrentscheidungen noch zu Disziplinarmaßnahmen gemeint ist (wie es angesichts des rabbinischen Sprachgebrauchs scheinen könnte), sondern die richterliche Vollmacht, Freispruch oder Verurteilung zuzusprechen. Die beste Illustration ist Mt. 10,12—15: Jesu Jünger bringen den Frieden und verhängen das Gericht.

[3] Daß mit dem Salz die Klugheit gemeint ist, ergibt sich (wie W. Nauck, Salt as a Metaphor, in: Studia Theologica 6 [1952], S.165—178, gesehen hat) aus dem Vergleich mit dem außerkanonischen Traktat Däräkh ’äräç zuṭa 1 (A. Tawrogi, Der talmudische Tractat Derech Erez Sutta, Königsberg 1885, S. 1). Dort heißt es gleich in den ersten Worten: „Gelehrtenart ist: bescheiden,

ternheit, zu der das viel zitierte Agraphon: „Werdet bewährte Wechsler!"[1] mahnt. Wie der erfahrene Wechsler auf den ersten Blick die falsche Münze erkennt, so sollen Jesu Jünger sich nicht betören lassen durch falsche Propheten, denen die Menge zujubelt[2]. Werden sie der Aufgabe gewachsen sein? Darüber sollen sich seine Jünger, das ist Jesu Wille, keine Sorgen machen, weder angesichts aufbrechenden Widerstandes noch im Blick auf ihr eigenes Unvermögen. Das Bildwort von der Bergstadt (Mt. 5,14b) lautet im P. Ox. 1, Spr. 7 (= ThEv. 32): „Es sagte Jesus: Eine Stadt, die auf dem Gipfel eines hohen Berges erbaut und fest gegründet ist, kann weder zu Fall gebracht werden noch verborgen bleiben." Das Wort will Jesu Jünger stärken und vor Verzagtheit bewahren. Sie sind ja doch Bürger der hochgebauten eschatologischen Gottesstadt (Jes. 2,2—4; Micha 4,1—3)[3], die kein Ansturm der Feinde, auch nicht der ganzen Macht der Unterwelt (Mt. 16,18)[4], erschüttern kann und deren Licht in die Nacht strahlt, ohne daß es menschlicher Anstrengung bedarf. Haben sie das Evangelium, so haben sie alles, was sie für ihren Dienst brauchen. Haben sie Glauben, und wäre er so gering wie ein Senfkorn, das kleinste der Körner[5], so wird ihnen nichts unmöglich sein (Mt. 17,20; Lk. 17,6).

Das freilich müssen sie wissen: der Haß, der Jesus trifft, wird ihnen nicht erspart bleiben. Jesus hat es erfahren, daß der Prophet in der Heimat nichts gilt (Mk. 6,4; Mt. 13,57; Lk. 4,24; Joh. 4,44; ThEv. 31a), weil am Evangelium das Skandalon entsteht[6]. Der

---

demütig, fleißig, gesalzen (memullaḥ), Unrecht tragend, bei allen Menschen beliebt . . .". Vgl. auch oben S. 168: salzlos = töricht.

[1] Hom. Clem. 2,51; 3,50; 18,20; Apelles ap. Epiphanium, Haer. 44,2 u.ö.

[2] J. Jeremias, Unbekannte Jesusworte[3], Gütersloh 1963, S. 95—98.

[3] G. v. Rad, Die Stadt auf dem Berge, in: Evang. Theol. 8(1948/49), S.439 bis 447.

[4] Vgl. z. St. ThWBNT. VI. S. 926f.    [5] S. S. 147.

[6] 'Εσκανδαλίζοντο Mk. 6,3 umschließt den Anstoß am Evangelium, wie Lk. 4,16—30 bestätigt: dort ist ἐμαρτύρουν αὐτῷ (4,22) als Dat. incomm. zu fassen („gegen ihn") und ἐθαύμαζον ἐπὶ τοῖς λόγοις τῆς χάριτος (4,22) mit K. Bornhäuser, Das Wirken des Christus, Gütersloh 1921, S. 59, dahin zu verstehen, daß die Nazarener befremdet sind, weil Jesus sich bei der Verlesung von Jes. 61,1—2 auf die Gnadenworte beschränkt und mitten im Satz unmittelbar vor den Worten vom Tage der Rache (Jes. 61,2) abbricht (G. Bornkamm weist mich darauf hin, daß Jesus auch Lk. 7,22; Mt. 11,5, wo er Jes. 35,5f. [mit Einfluß von Jes. 29,18f. und Hinzufügung von 61,1] frei zitiert [s. o. S. 115f.], die Ankündigung der Rache Gottes [35,4] fortläßt;

Schüler kann kein besseres Los erwarten als der Lehrer, der Sklave als der Herr (Mt. 10,24 f.; Lk. 6,40; Joh. 15,20). Ihre Aufgabe ist lebensgefährlich: wehrlos wie Schafe schickt Jesus sie unter die Wölfe (Mt. 10,16; Lk. 10,3). Zum mindesten einige der Jünger werden den Leidenskelch mit Jesus zusammen[1] leeren müssen (Mk. 10,38 f. vgl. Mk. 9,1!). Denn zur Jüngerschaft Jesu gehört, wie ein Abschreckungswort mit großer Schärfe sagt, die Bereitschaft zur Hingabe des Lebens[2] und zum Tragen des Schandpfahls (Mk. 8,34 Par.).

Wir denken bei der Wendung „sein Kreuz tragen", „ein Kreuzträger sein" meistens an das geduldige Ertragen der Schickungen Gottes; aber diese Bedeutung ist für αἴρειν τὸν σταυρόν nicht belegt. Auch die Deutung auf die Bereitschaft zum Martyrium trifft nicht den Wortlaut. Vielmehr hat die Wendung einen ganz konkreten Vorgang im Auge, nämlich den Augenblick, in dem der zum Kreuzestode Verurteilte den Querbalken (*patibulum*) auf die Schultern lädt, um ein fürchterliches Spießrutenlaufen durch die heulende und brüllende Menge anzutreten, die ihn mit Schmähworten und Flüchen empfängt. Die Bitternis dieses Weges liegt in dem Gefühl, erbarmungslos aus der Gesellschaft ausgestoßen und wehrlos dem Schimpf und der Verachtung preisgegeben zu sein. Jeder, der mir nachfolgt, sagt Jesus, muß sich an ein Leben wagen, das ebenso schwer ist wie der Passionsweg eines auf dem Wege zur Richtstätte Befindlichen[3]. Aber freilich auch noch im Tode sind sie in der Hand dessen, ohne dessen Willen kein Sper-

---

auch Jes. 29 folgt auf die Öffnung der Augen der Blinden und der Ohren der Tauben [V. 18] sowie auf die Freude der Armen [V. 19] die Bestrafung der Tyrannen [V. 20], ebenso Jes. 61 auf die Frohbotschaft an die Armen [V. 1] der Rachetag Gottes). Das heißt: Lk. 4,22 berichtet nicht von einem Umschwung der Stimmung der Hörer gegenüber Jesus, vielmehr lehnen sie Jesus von Anfang an ab, weil seine Botschaft ihren nationalistischen Erwartungen widerstreitet. Vgl. J. Jeremias, Jesu Verheißung für die Völker[2], Stuttgart 1959, S. 37—39.

[1] Den Kelch mit jemandem teilen, heißt, sein Geschick teilen, es sei gut oder böse (T. W. Manson in: Studies in the Gospels, Lightfoot-Festschrift, Oxford 1955, S. 219 A. 1).

[2] Daß ἀπαρνεῖσθαι ἑαυτόν im NT. nicht eine „selbstverleugnende" Gesinnung, sondern die Tat bezeichnet („sich selbst preisgeben"), hat A. Fridrichsen in: Coniectanea Neotestamentica 2, Uppsala 1936, S. 1 ff. 37, überzeugend nachgewiesen. Nicht um Selbstdisziplin handelt es sich bei der „Selbstverleugnung", sondern um rücksichtslose Bloßstellung der eigenen Person.

[3] A. Fridrichsen, Gamle spor og nye veier, Kristiania 1922, S. 30.

ling[1] vom Dache fällt (Mt. 10, 29; Lk. 12, 6). Und sie dürfen am Beispiel der Mutter lernen, wie die große Freude, die ihrer wartet, alle erlittene Not vergessen machen wird (Joh. 16, 21 f.).

Wie groß aber immer ihre Opfer und ihre Erfolge sein mögen, die Größe der Gabe Gottes erhält sie in der Demut und bewahrt sie vor pharisäischer Selbstgerechtigkeit (Lk. 17, 7—10).

### 8. Der Leidensweg und die Herrlichkeitsoffenbarung des Menschensohnes

Das Petrus-Bekenntnis ist der große Einschnitt in der Wirksamkeit Jesu. Auf die öffentliche Verkündigung folgt jetzt die esoterische Botschaft, die das Leiden und den Triumph des Menschensohnes zum Gegenstand hat[2]. Schon in seiner öffentlichen Wirksamkeit hatte Jesus im Bild von seinem Leidensweg gesprochen: Er hat keine Stätte, an der er sein Haupt niederlegen kann, muß vielmehr als Heimatloser auf die Geborgenheit, die selbst Vögel und Füchse haben, verzichten (Mt. 8, 20; Lk. 9, 58; ThEv. 86) — ein Bild für die Ablehnung an allen Orten. Seit Caesarea Philippi wird die Leidensankündigung vor den Jüngern voll entfaltet. Auch in seinem esoterischen Leidenszeugnis hat Jesus sich vielfältig des Bildwortes bedient. Er redet von dem Kelch, den er trinken (Mk. 10, 38; 14, 36), von der Taufe, der er sich unterziehen (10, 38) muß. Sein Sterben schafft die vollendete Heilsgemeinde: denn der Hirte muß sein Leben hingeben für die Schafe (Joh. 10, 11. 15)[3], das Schwert muß ihn treffen (Mk. 14, 27 = Sach. 13, 7), damit er die geläuterte Herde heimführe (Mk. 14, 28)[4]; der Stein muß ver-

---

[1] Sprichwörtlich wertloses Tier (Bill. I, S. 582). Nach Mt. 10, 29 kosten zwei Sperlinge 1 As, nach Par. Lk. 12, 6 fünf Sperlinge 2 As — im Dutzend sind sie billiger. — Man beachte, daß die Negation zum Verbum gezogen ist: ἓν ἐξ αὐτῶν οὐ πεσεῖται ἐπὶ τὴν γῆν. Das Semitische kann das Pronomen nicht negieren, so auch Mt. 5, 18. 36; 24, 22; Mk. 13, 20; Lk. 1, 37; 11, 46.

[2] Zur Frage der Geschichtlichkeit der Leidensankündigungen Jesu vgl. ThWBNT. V, S. 709 ff. s. v. παῖς θεοῦ. So gewiß Einzelzüge ex eventu stilisiert sind, so gewiß läßt sich andererseits m. E. mit hoher historischer Wahrscheinlichkeit zeigen, daß Jesus mit einem gewaltsamen Tode rechnete und daß er die Notwendigkeit seines Leidens in Jes. 53 vorgezeichnet fand.

[3] K.-E. Wilken, Biblisches Erleben im Heiligen Land II, Lahr-Dinglingen 1954, S. 162, berichtet, daß ihm Hirten von nächtlichen Überfällen starker Hyänenrudel von dreißig und mehr Tieren erzählten und die Namen von den beim Kampf mit ihnen umgekommenen Freunden nannten.

[4] Mk. 14, 28 setzt das Hirtenbild fort (s. S. 121 A. 5) und greift die Verheißung Sach. 13, 8 f. auf, daß nach dem Tode des Hirten die geläuterte Herde in Erscheinung treten werde.

worfen werden (Mk. 8, 31: ἀποδοκιμασθῆναι vgl. 12, 10 = Ps. 118, 22), damit er zum Schlußstein[1] des Gottestempels werde; das **Weizenkorn** muß sterben und — so ist zu ergänzen! — von Gott auferweckt werden[2], damit es die Fülle des Gottessegens (s. S. 150) hervorbringe (Joh. 12, 24)[3]. Solche Kraft hat Jesu Sterben, weil es das stellvertretende Sterben des Sündlosen für die Verschuldeten ist, Lösegeld (Mk. 10, 45; Mt. 20, 28)[4] und Opfer (Mk. 14, 24)[5] für die unzählbare Schar[6] der Verlorenen.

Dieses Leiden des Menschensohnes aber, das den Beginn der letzten Trübsal darstellt, ist nur der Durchgang zum großen letzten Triumph Gottes (s. S. 48 f.). Binnen drei Tagen wird Jesus den neuen **Tempel**, dessen Grundlegung und Bau (Mt. 16, 18) seine irdische Wirksamkeit einleitet und dessen Schlußstein Er selbst ist, vollenden (Mk. 14, 58 Par.). Wie der **Blitz** die Dunkelheit in tageshelles Licht verwandelt, so wird die Parusie des Menschensohnes sein: plötzlich, unberechenbar, alles hell erleuchtend (Mt. 24, 27 par. Lk. 17, 24)[7].

### 9. Die Vollendung[8]

Wo Jesus von der Vollendung redet, verwendet er durchweg die Symbolsprache.

[1] S. S. 71 A. 6.

[2] Wie oft in morgenländischer Redeweise wird Joh. 12, 24 im Bildwort vom Weizenkorn nur Anfangs- und Endstadium ins Auge gefaßt, wenn es heißt: „wenn es stirbt, bringt es viel Frucht." Das wichtige Zwischenereignis (die Auferweckung) muß ergänzt werden. Weitere Beispiele für diesen Semitismus s. S. 147 A. 4.

[3] Joh. 12, 24 entstammt alter, vorjohanneischer Überlieferung (N. A. Dahl, The Parables of Growth, in: Studia Theologica 5 [1951], S. 155); das zeigt schon der Stil (antithetischer Parallelismus, ferner s. A. 2) und die Sprache (zum Artikel ὁ κόκκος s. S. 7 A. 2; πεσών ist semitisierende Meidung des Passivs, s. S. 183 A. 3; zu καρπὸν φέρειν vgl. LXX Joel 2, 22; Hos. 9, 16). Es spricht also nichts gegen die Echtheit des Wortes (vgl. Dahl, ebd.). Das Logion verkündet nicht bloß die Mysterienweisheit: „durch Tod zum Leben", sondern es redet von der eschatologischen Fülle, die das Sterben des Weizenkornes schafft (Dahl, ebd.).

[4] Zur Echtheitsfrage und Auslegung von Mk. 10, 45 s. J. Jeremias, Das Lösegeld für Viele, in: Judaica 3 (1947), S. 249—264. Der übertragene Gebrauch des Bildes vom Lösegeld ist spezifisch spätjüdisch.

[5] In den Abendmahlsworten vergleicht Jesus sich selbst mit dem Passalamm, s. J. Jeremias, Die Abendmahlsworte Jesu[3], Göttingen 1960, S. 211 ff.

[6] Zur inkludierenden Bedeutung von πολλοί (= aram. saggi'in) Mk. 10, 45 Par.; 14, 24 Par. vgl. ThWBNT. VI, S. 536 ff.

[7] Über das Endgericht s. S. 48—50. 53—60. 166—179. 186—189. 204—211.

[8] Vgl. J. Jeremias, Jesus als Weltvollender, Gütersloh 1930, S. 69 ff.

Gott ist König und wird angebetet im neuen Tempel (Mk.14,58). Auf dem Thronsitz zu seiner Rechten sitzt der Menschensohn (Mk. 14,62), von den heiligen Engeln umgeben (Mk.8,38). Huldigung wird ihm dargebracht (Mt.23,39). Als der gute Hirte weidet er die geläuterte Herde (Mk.14,28[1]; Mt.25,32f.).

Das Böse ist beseitigt. Denn der entweihte Tempel ist zerstört (Mk.13,2), der sündige Kosmos vergangen (Mt.19,28; Lk.17, 26—30), das Gericht über Tote und Lebendige (Mt.12,41f.) ist gehalten, die Scheidung erfolgt (Mt.13,30.48). Satan ist aus dem Himmel ausgestoßen (Lk.10,18) und samt seinen Engeln dem ewigen Feuer übergeben (Mt.25,41). Der Tod herrscht nicht mehr (Lk.20,36), das Leid hat ein Ende (Mt.11,5), die Trauer hört auf (vgl. Mk.2,19).

Die Verhältnisse kehren sich um: Verhülltes wird offenbar (Mt.6,4.6.18; 10,26 Par.)[2], Arme werden reich (Lk.6,20), Letzte zu Ersten (Mk.10,31), Kleine groß (Mt.18,4), Hungernde werden satt (Lk.6,21), Mühselige erquickt (Mt.11,28), Weinende lachen (Lk. 6,21), Trauernde werden getröstet (Mt.5,4), Kranke werden gesund, Blinde sehen, Lahme gehen, Aussätzige genesen, Taube hören (Mt. 11,5), Gefangene werden freigelassen, Mißhandelte losgelassen (Lk. 4,18), Niedrige erhöht (Mt.23,12; Lk.14,11; 18,14), Demütige

---

[1] S.S. 121 A. 5.

[2] Das im NT. vierfach überlieferte Logion Mt.10,26 wird von den Evangelisten ganz verschieden aufgefaßt: von Markus (4,22) als Aussage über das Schicksal der Verkündigung Jesu (das Geheimnis der Basileia 4,11 wird allen offenbar werden), von Lukas (12,2) als Warnung vor der Heuchelei der Pharisäer (vgl. 12,1: sie nützt nichts, das Geheime wird doch offenbar) bzw. als Verheißung für die Verkündigung der Jünger (sowohl Lk.8,17), bei Matthäus (10,26) begründet es die Mahnung zur Furchtlosigkeit (alle Feindschaft wird die Verkündigung nicht hemmen können). Die Evangelisten haben also nicht mehr gewußt, wie das Logion ursprünglich gemeint war; dasselbe gilt auch für die beiden Zitate im ThEv. (5 und 6). Deutlich ist nur, daß schon früh (Matthäus, vielleicht auch Lukas 12, 2) aus dem ursprünglich prophetischen Wort ein paränetisches geworden ist (so auch ThEv. 6). Vielleicht ist es von Hause aus ein Sprichwort: Alles kommt an den Tag. Es ist anzunehmen, daß Jesus es eschatologisch faßte; sowohl die Futura als auch das (Gottes Handeln andeutende) Passiv und die Fassung P.Ox. 2, Spr. 5 (wo als Parallelsatz hinzugefügt ist: Nichts ist begraben, was nicht auferweckt werden wird), sprechen dafür. Vor allem zeigt Mt.6,4.6.18, daß Jesus den Gedanken auch sonst aussprach, daß am Jüngsten Tag das Verborgene offenbar werde. Dann aber redet das Logion, welches immer die Einzelanwendung war, von der eschatologischen Umkehrung der Verhältnisse.

werden zu Herrschern (Mt. 5, 5), die Glieder der kleinen Herde zu Königen (Lk. 12, 32), die Toten lebendig (11, 5).

Die Schuld ist vergeben (Mt. 6, 14), der Gottesknecht hat das Lösegeld für die Völker gezahlt (Mk. 10, 45 Par.). Die reinen Herzens sind, dürfen Gott schauen (Mt. 5, 8), der neue Name wird verliehen (5, 9), das himmlische Kleid der Engel, die δόξα, geschenkt (Mk. 12, 25). Sie haben das ewige Leben (Mk. 9, 43), sie leben Gott (Lk. 20, 38).

Gott vergilt (Lk. 14, 14), der große Lohn wird ausgezahlt (Mt. 5, 12), das reichliche, gepreßte, gerüttelte und überfließende Maß[1] wird in den Schoß geschüttet (Lk. 6, 38), das Erbteil ausgeteilt (Mt. 19, 29), der im Himmel aufbewahrte Schatz ausgehändigt (6, 20), Thron und Herrscheramt verliehen (19, 28).

Die verklärte Gemeinde steht vor Gottes Thron. Wie Noah und Lot ist sie aus der Vernichtung gerettet (Lk. 17, 27. 29). Die Ernte ist eingebracht in die ewigen Scheuern (Mt. 13, 30), der neue Tempel gebaut (Mk. 14, 58), die zerstreuten Auserwählten sind gesammelt (13, 27), die Gotteskinder im Vaterhause (Mt. 5, 9), die Hochzeit wird gefeiert (Mk. 2, 19). Die große Freude nach der Trübsal ist angebrochen (Joh. 16, 21). Sie wohnen in ewigen Zelten (Lk. 16, 9), die Heiden sind herzugeströmt zur Stadt auf dem Berge und haben Tischgemeinschaft mit den Patriarchen (Mt. 8, 11), sitzen am Tisch des Menschensohnes (Lk. 22, 29 f.). Er bricht ihnen das Brot der Heilszeit (Mt. 6, 11), reicht ihnen den Becher mit dem Wein der neuen Welt (Mk. 14, 25), aller Hunger und Durst wird gestillt, das Freudenlachen der Heilszeit erklingt (Lk. 6, 21). Die

---

[1] Jedes dieser vier Attribute hat seinen ganz bestimmten Sinn. Noch heute ruft der Kornhändler seine Kunden mit dem Anpreisen seines reichlichen Maßes herbei (T. W. Manson, Sayings, S. 56). Das Messen des Getreides ist eine Handlung, die nach einem festen Schema vollzogen wird. Der Verkäufer kauert auf der Erde und hat das Maß zwischen seinen Beinen. Er füllt zunächst das Maß etwa dreiviertel voll und gibt ihm einen heftigen Stoß in rotierender Richtung, damit die Körner sich senken. Darauf füllt er das Maß bis obenhin und schüttelt es erneut. Nun preßt er das Korn mit beiden Händen mit aller Kraft zusammen. Schließlich häuft er eine kegelförmige Spitze auf, wobei er vorsichtig klopft, um die Körner zusammenzudrücken, und von Zeit zu Zeit eine kleine Aushöhlung in die Spitze bohrt, in die er noch Körner preßt, bis buchstäblich kein Korn mehr Platz hat. Auf diese Weise ist der Käufer gewiß, daß die äußerste Möglichkeit eines reichlichen Maßes ausgeschöpft ist — mehr ist nicht möglich (C. T. Wilson, Peasant Life in the Holy Land, New York 1906, S. 212, zitiert nach E. F. F. Bishop, Jesus of Palestine, London 1955, S. 80). So, sagt Jesus, wird Gottes Maß sein.

durch die Sünde zerstörte Gemeinschaft zwischen Gott und Mensch ist wiederhergestellt.

Wir wissen nicht, wer die frommen Eiferer waren, die an Jesus die Frage (wahrscheinlich war sie als Forderung gemeint) richteten, warum er nicht durch Aussonderung der Sünder die reine messianische Gemeinde herstelle. Man hätte aber nie behaupten sollen, daß diese Frage erst für die spätere Gemeinde brennend gewesen sei[1]. Das Gegenteil ist richtig![2] Überall in Jesu Umwelt stoßen wir auf Versuche, die Gemeinde der Endzeit zu verwirklichen. Es ist zunächst an die pharisäische Bewegung zu erinnern. Das Wort p[e]riša (Abgesonderter), von dem ihr Name sich herleitet, ist synonym zu qaddiša (Heiliger). Offensichtlich beanspruchten die Pharisäer, die heilige Gemeinde zu repräsentieren, das wahre Gottesvolk, das geschieden ist von der dem Fluch Gottes verfallenen Menge, die vom Gesetz nichts weiß (Joh. 7, 49)[3]. Sie erwarten den Messias, der, selbst „rein von Sünden", die Sünder „wegschaffen" würde „mit mächtigem Wort" (Ps. Sal. 17, 36). Neben den Pharisäern sind die Essener zu nennen, die den pharisäischen Versuch zur Herstellung der reinen Gemeinde noch übersteigerten und die die „Gemeinde des Neuen Bundes" bilden wollten, die aus der Stadt des „befleckten Heiligtums" (CD 4,18) auswanderte und deren Selbstbezeichnung schon besagt, daß sie die Verkörperung des Gottesvolkes der Endzeit sein wollte. Schließlich ist auf Johannes den Täufer zu verweisen, dessen ganzes Wirken der Sammlung der Heilsgemeinde galt und der den Messias als den ankündigte, der die Tenne reinigen und Spreu und Weizen scheiden würde (Mt. 3,12).

Was Jesus tat, war das Gegenteil aller dieser Versuche. Es war empörend, daß er der pharisäischen Gemeinde des heiligen Restes den Kampf ansagte und gerade das verfluchte „Volk, das vom Gesetz nichts weiß" (Joh. 7, 49), zu sich rief. Nicht nur nach dem Urteil der Pharisäer, auch nach seinem eigenen Urteil befanden sich unter seinen Anhängern solche, die vor Gott nicht bestehen würden. Warum duldete er das? Warum forderte er nicht auf zur Aussonderung der reinen Gemeinde aus Israel? Noch einmal wird

---

[1] Z.B. H.J. Holtzmann, Hand-Commentar zum NT. I, 1, Tübingen Leipzig 1901, S. 248f.

[2] J. Jeremias, Der Gedanke des „Heiligen Restes" im Spätjudentum und in der Verkündigung Jesu, in: ZNW. 42 (1949), S. 184—194.

[3] J. Jeremias, Jerusalem zur Zeit Jesu[3], Göttingen 1962, S. 279ff.

das Ärgernis an Jesu Verhalten Anlaß zur Gleichnisrede. In den beiden Gleichnissen vom **Unkraut unter dem Weizen** (Mt. 13,24—30) und vom **Schleppnetz** (13,47f.) hat Jesus die Antwort gegeben.

Die beiden Gleichnisse bilden zwar kaum ein Doppelgleichnis (s. S. 89), gehören aber nichtsdestoweniger inhaltlich eng zusammen. Die sekundäre[1] Situationsangabe V.36 darf nicht dazu verleiten, im Unkrautgleichnis ein Wort an die Menge (erst das Ende bringt die Scheidung!), im Fischnetzgleichnis eine Mahnung an die Jünger (werft das Netz aus, Ihr Menschenfischer!) zu sehen. Denn diese zweite Deutung scheitert am Dativanfang (s. u. zu V.47). — Das Gleichnis vom **Unkraut unter dem Weizen** lautet im ThEv. 57: „Jesus sagte: Das Königreich des Vaters gleicht einem Mann, der guten Samen hatte. Sein Feind kam des Nachts und säte Unkraut unter den guten Samen. Der Mann ließ sie (= seine Knechte) das Unkraut nicht ausreißen. Er sagte zu ihnen: Daß ihr nicht hingeht in der Absicht: ‚wir wollen das Unkraut ausreißen‘, und den Weizen mit ihm ausreißt! Denn am Tage der Ernte wird das Unkraut offenbar werden (oder: zum Vorschein kommen). Man reißt es aus und verbrennt es." Man sieht, daß namentlich der Schluß kürzer ist als bei Matthäus, der im Vorblick auf seine allegorische Deutung (s. S. 83) die Scheidung von Weizen und Unkraut (V.30) ausgemalt haben könnte. — V.24: Ὡμοιώθη ἡ βασιλεία τῶν οὐρανῶν ἀνθρώπῳ: „es verhält sich mit der Königsherrschaft Gottes wie mit einem Mann." Nicht mit diesem Mann wird sie verglichen, sondern mit der Ernte (s. S. 100).— V.25: Da ein ähnliches Vorkommnis aus dem modernen Palästina berichtet wird[2], könnte Jesus an ein konkretes Ereignis anknüpfen. Ὁ ἐχθρός: der bestimmte Artikel ist Semitismus[3], also: „ein Feind von ihm" (vgl. das Fehlen des Artikels in V.28). Ζιζάνια: der giftige Taumellolch (*lolium temulentum*) ist ein Unkraut, das botanisch dem begrannten Weizen sehr nahesteht und ihm anfänglich ähnlich sieht[4]. — V.26: Der Lolch geht in einer das Übliche weit überschreitenden Menge auf. — V.28: „Ein Feind muß das getan haben." Alles Bisherige, also die ganze Einleitung V.24—28a, verfolgt lediglich die Absicht, klarzustellen, daß der Besitzer nicht Schuld trägt an dem vielen Unkraut[5]. Erst mit der zweiten Frage der Knechte (V.28b: ob sie das Unkraut ausreißen sollen) wird das eigentliche Problem genannt. Diese zweite Frage ist keineswegs töricht; es ist im Gegenteil das Übliche, daß man den Lolch jätet[6], sogar

---

[1] S. S. 81.

[2] H. Schmidt - P. Kahle, Volkserzählungen aus Palästina I, Göttingen 1918, S. 32, mit Berichtigung bei G. Dalman, Arbeit und Sitte II, Gütersloh 1932, S. 308f.

[3] S. S. 7 A. 2.       [4] Dalman, ebd. S. 249 und Abb. 56.

[5] N. A. Dahl, The Parables of Growth, in: Studia Theologica 5 (1951), S. 151.

[6] Zahlreiche Belege auf Grund von Beobachtungen in Palästina und Aussagen palästinischer Sachverständiger bei Sprenger, Jesu Säe- und Ernte-Gleichnisse, in: Palästina-Jahrbuch 9 (1913), S. 92, und bei G.Dalman, a. a. O. (s. o. A. 2) S. 323—330.

mehrmals[1]. — V. 29: Der Hausherr ist der Ansicht, daß der Lolch stehenbleiben solle[2], offenbar wegen seiner ungewöhnlichen Menge (zum Praes. hist. in V. 28 und 29 s. S. 198 A. 2); die Menge des Unkrauts hat zur Folge, daß seine Wurzeln sich mit denen des Weizens verflochten haben.— V. 30: Τοῖς θερισταῖς: bei der Ernte werden zusätzlich zu den vorhandenen Knechten noch Schnitter eingestellt[3]. Συλλέξατε πρῶτον τὰ ζιζάνια: das Sammeln des Lolches ist nicht so vorzustellen, daß man ihn unmittelbar vor dem Schnitt des Getreides doch noch jätet, sondern der Schnitter läßt, wenn er das Getreide mit der Sichel schneidet, den Lolch fallen, damit er nicht in die Garben kommt[4]. Δήσατε αὐτὰ εἰς δέσμας: das Binden des Lolchs in Bündel ist nicht unnötige Arbeit; er soll getrocknet und zur Feuerung verwandt werden; in dem waldarmen Palästina ist das Feuerungsmaterial knapp (vgl. Mt. 6, 30)[5]. — Zur Deutung V. 36—43 s. o. S. 79ff.

Für das Verständnis des Gleichnisses vom Fischnetz (Mt. 13, 47f.) ist die Feststellung wesentlich, daß wir eines der Gleichnisse mit Dativanfang (lᵉ) vor uns haben; das Gottesreich wird also nicht mit einem Netz verglichen, das gute und schlechte Fische einfängt und in sich birgt, sondern die Einleitung (V. 47) muß übersetzt werden: „So geht's zu bei dem Kommen der Gottesherrschaft" — nämlich wie bei der Auslese der Fische[6]. Σαγήνη ist das Schleppnetz, das entweder zwischen zwei Booten geschleppt wird oder mit Hilfe eines Bootes ausgelegt und mit langen Seilen an Land gezogen wird[7]. ’Εκ παντὸς γένους will lediglich die Notwendigkeit der V. 48 geschilderten Auslese begründen; es waren Fische „aller Art" im Netz, eßbare und nicht eßbare (also keine allegorisierende Anspielung auf die Heidenmission). Im See Genezareth hat man 24 Fischarten gezählt[8]. — V. 48: Τὰ σαπρά sind a) unreine Fische (Lev. 11,10f.: alle Fische ohne Schuppen wie der barbûṭ [= clarias macracanthus], der fast das Aussehen einer Schlange hat [vgl. Mt. 7, 10; Lk. 11, 11], und alle Fische ohne Flosse) und b) nicht-eßbare Wassertiere wie Krabben, die als ungenießbar galten[9]. ῎Εξω ἔβαλον besagt nicht notwendig, daß sie die unbrauchbaren Fische in den See warfen, sondern im Gegensatz zu εἰς τὰ ἄγγη nur, daß sie sie fortwarfen[10]. — Zur Deutung V. 49f. s. S. 83f.

Beide Gleichnisse sind eschatologische Gleichnisse, denn beide handeln vom Endgericht, das die Königsherrschaft Gottes ein-

---

[1] Sprenger ebd.
[2] Auch das kommt in Palästina vor, vgl. Dalman, ebd. S. 325 und S. 250.
[3] W. Michaelis, Die Gleichnisse Jesu, Hamburg 1956, S. 43.
[4] Dalman, ebd. S. 324—326.
[5] Die Körner werden als Hühnerfutter verwendet (Dalman, ebd. S. 250. 325).
[6] S. S. 101.
[7] G. Dalman, Orte und Wege Jesu[3], Gütersloh 1924, S. 145.
[8] G. Dalman, Arbeit und Sitte VI, Gütersloh 1939, S. 351 (nach Bodenheimer).
[9] B. T. D. Smith, S. 201; A. M. Brouwer, De Gelijkenissen, Leiden 1946, S. 154; K.-E. Wilken, Biblisches Erleben im Heiligen Land I, Lahr-Dinglingen 1953, S. 127f.
[10] W. Michaelis, Die Gleichnisse Jesu, Hamburg 1956, S. 68 und A. 30.

leitet; es wird mit der Scheidung verglichen: hier zwischen Weizen und Unkraut, dort zwischen eßbaren und ungenießbaren Fischen. Vorher ist beides vermischt, Gutes und Schlechtes. Im Unkrautgleichnis wird ausdrücklich der Gedanke einer vorzeitigen Scheidung abgewiesen und zur Geduld bis zur Ernte aufgerufen. Warum ist solche Geduld nötig? Zwei Gründe nennt Jesus. Erstens: Menschen sind gar nicht in der Lage, die Scheidung zu vollziehen (Mt. 13,29). Wie Lolch und Weizen sich zunächst zum Verwechseln ähnlich sehen, so ist das Gottesvolk des verborgenen Messias unter den Scheingläubigen verborgen. Menschen können nicht ins Herz sehen; wollten sie die Scheidung vollziehen, so würden sie lauter Fehlurteile fällen und mit dem Unkraut auch gutes Getreide ausreißen[1]. Vielmehr — das ist das Zweite — hat Gott die Stunde der Scheidung bestimmt. Das von ihm gesetzte Maß muß erfüllt sein (Mt. 13,48: $\dot{\epsilon}\pi\lambda\eta\varrho\dot{\omega}\vartheta\eta$)[2], die Saat zur Reife gekommen sein. Dann kommt das Ende[3] und mit ihm die Scheidung von Unkraut und Weizen, die Auslese der Fische mit der Sonderung von guten und schlechten Fischen. Dann wird die heilige Gemeinde Gottes, der Knechtsgestalt ledig, befreit von allen Bösen, Scheingläubigen und Lippenbekennern, in Erscheinung treten. Aber noch ist es nicht so weit. Noch ist die letzte Bußfrist (Lk. 13,6—9) nicht abgelaufen. Bis dahin gilt es, allem falschen Eifer abzusagen, die Felder geduldig reifen zu lassen, das Netz weit auszuwerfen und alles andere gläubig Gott zu überlassen — bis Seine Stunde kommt[4].

## 10. Die Gleichnishandlungen

Nur ganz kurz und anhangsweise soll darauf hingewiesen werden, daß Jesus nicht nur in Gleichnissen geredet, sondern auch gehandelt hat[5]. Seine eindrucksvollste Gleichnishandlung war die Gewährung der Tischgemeinschaft an die Verachteten (Lk. 19,5f.) und ihre

---

[1] Vgl. 1.Kor.4,5: „Richtet nicht vor der Zeit."
[2] Zur Vorstellung vom eschatologischen Maß s. S. 151 A. 5. [3] S. S. 118f.
[4] Diese Stellungnahme Jesu ist im Überlieferungsstoff fest verankert. Zur Geduld ruft er auch Mk.4,26—29 (s. S. 151f.) auf und immer wieder betont er warnend, daß die Jüngerschar keine reine Gemeinde ist und daß am Ende die Scheidung mitten durch ihre Reihen gehen wird (Mt.7,21—23. 24—27; 22,11—14).
[5] G. Stählin, Die Gleichnishandlungen Jesu, in: Kosmos und Ekklesia, Festschrift für W. Stählin, Kassel 1953, S. 9—22, geht den Wurzeln und dem Sinn der Gleichnishandlungen Jesu eingehend nach.

Aufnahme in sein Haus (Lk. 15,1—2)[1], ja sogar in seinen Jüngerkreis (Mk. 2,14 Par.; Mt. 10,3). Diese Zöllnermahle sind prophetische
Zeichen, die, eindrucksvoller als Worte, unüberhörbar verkünden:
jetzt ist Messiaszeit, Messiaszeit ist Vergebungszeit[2]. Am Abend
vor seinem Tode hat Jesus die Tischgemeinschaft benutzt zur
letzten Gleichnishandlung seines Lebens, in der er den Seinen
Anteil an der Sühnkraft seines bevorstehenden Todes schenkte[3].

Auf immer neue Weise proklamiert Jesus durch seine Taten den
Anbruch der Heilszeit: durch die Heilungen, durch den Verzicht
auf das Fasten (Mk. 2,19f. Par.), durch die Verleihung des Bei-
namens *kepha* an Simon bar Jona, mit dem er ihn als den Grundstein des eschatologischen Gottestempels bezeichnet, dessen Bau
begonnen hat (Mt. 16,17f.). Seine Hoheit als der Herr des
eschatologischen Gottesvolkes (mit Einschluß der verschollenen
neuneinhalb Stämme[4]) bringt er in der Zwölfzahl der Jünger zum
Ausdruck, seine königliche Vollmacht im Königseinzug und in der
Tempelreinigung, die beide als Sinnbild der Weltenwende unlöslich
zusammengehören[5], seine Friedenssendung in der Wahl des Esels
als Reittier beim Einzug (vgl. Sach. 9,9). Die ehrgeizigen Jünger
beschämt er, indem er ein Kind vor sie hinstellt (Mk. 9,36 Par.)[6]; als
Vorbild dienender Liebe wäscht er ihnen die Füße (Joh. 13,1ff.).
Dürfen wir annehmen, daß der Geschichte von der Ehebrecherin

---

[1] Aufnahme in Jesu Haus ist wohl auch ursprünglich Mk. 2,15 gemeint;
der Vers ist mit den vorhergehenden durch Stichwortzusammenhang verbunden worden (vox: τελώνης), leitet also ursprünglich eine isolierte Geschichte ein. Ferner wäre, wenn sich αὐτόν (2,15) auf den Zöllner Levi bezöge,
der Name Jesu in V. 15b ungeschickt nachgetragen (E. Lohmeyer, Das
Evangelium des Markus, Göttingen 1937, S. 55).

[2] J. Schniewind in: Das Neue Testament Deutsch 1 zu Mk. 2,5.

[3] J. Jeremias, Die Abendmahlsworte Jesu[3], Göttingen 1960, S. 196ff.
244f.

[4] Vgl. dazu: Ders., Jesu Verheißung für die Völker[2], Stuttgart 1959, S. 18.

[5] Zahlreiche Belege: Ders., Jesus als Weltvollender, Gütersloh 1930, S. 35ff.
Matthäus (21,12ff.) und Lukas (19,45ff.) sind also im Recht, wenn sie die
Tempelreinigung unmittelbar auf den Einzug folgen lassen, vgl. Die Abend-
mahlsworte Jesu[3], S. 83—99 (Der Abendmahlsbericht im Zusammenhang der
Passionsgeschichte und als selbständige Überlieferung).

[6] M. Black, An Aramaic Approach to the Gospels and Acts[2], Oxford 1954,
S. 264—268, hat überzeugend gezeigt, daß den Schlüssel zu Mk. 9,33—36
die Doppeldeutigkeit des Wortes *ṭalja* darstellt. Jesus lehrt die ehrgeizigen
Jünger, daß, wer der Größte sein will, wie ein *ṭalja* (διάκονος) werden muß,
und fügt zum Gleichniswort die Gleichnishandlung, indem er einen *ṭalja*
(παιδίον, *servulus*) vor die Jünger hinstellt.

([Joh.] 7, 53 ff.)[1] alte Überlieferung zugrunde liegt, so gehört das Schreiben in den Sand (8, 6.8) hierher; es soll die Männer der Schrift, ohne sie öffentlich zu beschämen, an ein Schriftwort erinnern: „Meine Abtrünnigen werden auf die Erde geschrieben werden" (Jer. 17,13)[2] und ihnen sagen: die Abtrünnigen seid Ihr[3]! — ein Bußruf ohne Worte[4]. Auch das Weinen Jesu über Jerusalem, das aus prophetischer Schau heraus die Trauer über die kommende Not vorwegnimmt, kann man zu den Gleichnishandlungen stellen[5]. „Die weitaus überwiegende Zahl der Gleichnishandlungen Jesu steht im Dienste der Verkündigung von den erfüllten ἔσχατα."[6] Die Zeit des Heils ist angebrochen! Das heißt aber: die Gleichnishandlungen Jesu sind kerygmatische Handlungen. Sie zeigen, daß Jesus die Botschaft der Gleichnisse nicht nur verkündigt hat, sondern daß er sie lebte und in seiner Person verkörperte. „Jesus sagt nicht nur die Botschaft vom Reiche Gottes, er ist sie zugleich."[7]

---

[1] Zu dieser Perikope vgl. J. Jeremias, Zur Geschichtlichkeit des Verhörs Jesu vor dem Hohen Rat, in: ZNW. 43 (1950—51), S. 145—150, hier S. 148f. (die Szene spielt nicht auf dem Wege zum Gericht, sondern nach dem Verlassen des Gerichtssaales); J. Blinzler in: NTS. 4 (1957/58), S. 32—47 (es handelt sich wahrscheinlich nicht, wie man vielfach angenommen hat, um ein verlobtes Mädchen, sondern um eine verheiratete Frau).

[2] R. Eisler in: ZNW. 22 (1923), S. 306f.

[3] Das Aufschreiben der Namen in den Sand, so daß der Wind sie verweht, bedeutet Ächtung und Androhung der Vernichtung.

[4] Eine andere Deutung des Schreibens in den Sand: Jesus handelt wie der römische Richter, der seinen Urteilsspruch niederschreibt, ehe er ihn verliest — Jesu Urteilsspruch heißt: Freispruch (T. W. Manson in: ZNW. 44 [1952/3], S. 255f.).

[5] W. Salm, Beiträge zur Gleichnisforschung, Diss. Göttingen 1953, S. 93. — Dagegen ist es fraglich, ob die Verfluchung des Feigenbaumes hierher gehört. H. W. Bartsch, Die „Verfluchung" des Feigenbaumes, in: ZNW. (im Druck) vermutet einleuchtend, daß Mk. 11,14 par. Mt. 21,19b ursprünglich ein eschatologisches Wort war, das die Nähe des Endes ankündigte: „Niemand wird von deiner Frucht essen." Die irrige Wiedergabe eines aramäischen Imperfekts durch den Optativ (Mk. 11,14) sei der Anlaß gewesen, daß man das Logion als Verwünschung auffaßte und mit einer entsprechenden Einkleidung verband.

[6] Stählin, a.a.O. S. 20.

[7] C. Maurer in: Judaica 4 (1948), S. 147.

# IV. Schluß

Versuchen wir, den Urklang der Gleichnisse wiederzugewinnen, so wird vor allem eins deutlich: alle Gleichnisse Jesu zwingen den Hörer, zu Seiner Person und Seiner Sendung Stellung zu nehmen[1]. Denn sie sind alle erfüllt von dem „Geheimnis der Königsherrschaft Gottes" (Mk. 4,11)[2] — nämlich der Gewißheit der „sich realisierenden Eschatologie"[3]. Die Stunde der Erfüllung ist da, das ist ihr Grundton. Der Starke ist entwaffnet, die Mächte des Bösen müssen weichen, zu den Kranken kommt der Arzt, die Aussätzigen werden rein, die große Schuld wird erlassen, das verlorene Schaf wird heimgebracht, die Tür des Vaterhauses ist aufgetan, die Armen und Bettler werden zum Mahl gerufen, ein grundlos gütiger Herr zahlt den vollen Lohn, die große Freude ergreift die Herzen. Angebrochen ist das Gnadenjahr Gottes. Denn erschienen ist Der, dessen verborgene Herrlichkeit hinter jedem Wort und jedem Gleichnis aufleuchtet, der Heiland.

---

[1] E. Fuchs, Bemerkungen zur Gleichnisauslegung, in: ThLZ. 79 (1954), Sp. 345—348, betont mit Nachdruck, daß die Gleichnisse implicit christologisches Selbstzeugnis sind. Wenn ein Gleichnis Gottes Güte veranschaulicht, so ist es die durch Jesus wirksame Güte. Wenn ein Gleichnis von der Basileia redet, so „versteckt sich" Jesus hinter dem Wort Basileia als ihr „heimlicher Inhalt". Die Entschlossenheit, mit der Fuchs in den Gleichnissen verhüllte christologische Selbstzeugnisse des historischen Jesus erblickt, kann ich nur mit lebhafter Zustimmung bejahen.

[2] S.S. 12—14; ferner E. Hoskyns-R. Davey, The Riddle of the New Testament, London 1931, S. 126—135.

[3] Dodd, S. 198, redet aus seiner Gesamtschau (s. o. S. 17) von „realisierter Eschatologie". Die obige Formulierung schlug mir Ernst Haenchen (Brief vom 20. 6. 1944) vor. C. H. Dodd, The Interpretation of the Fourth Gospel, Cambridge 1953, S. 447 A. 1, stimmt ihr zu meiner Freude zu.

# Abkürzungsverzeichnis

| | |
|---|---|
| Bill. | H. L. Strack-P. Billerbeck, Kommentar zum NT. aus Talmud und Midrasch, I—VI, München 1922—1961. |
| Bl.-Debr. | F. Blaß, Grammatik des neutestamentlichen Griechisch, bearb. von A. Debrunner[9], Göttingen 1954. |
| BZNW. | Beihefte zur Zeitschrift für die neutestamentliche Wissenschaft. |
| Dodd | C. H. Dodd, The Parables of the Kingdom, London 1935; Revised Edition 1936 (= 1938, danach zitiert). Die Revised Edition, London 1961 (danach Fontana Books 571 R, Glasgow 1961), ist bis auf wenige Änderungen und Literaturhinweise gleichgeblieben. |
| Hawkins | J. C. Hawkins, Horae Synopticae[2], Oxford 1909. |
| JThSt. | The Journal of Theological Studies. |
| Jülicher I. II | A. Jülicher, Die Gleichnisreden Jesu, I Tübingen 1888, [2]1899 (= 1910); II 1899 (= 1910). |
| Manson, Sayings | T. W. Manson, The Sayings of Jesus, London 1937 (= 1949, 1950, danach zitiert). |
| Manson, Teaching | T. W. Manson, The Teaching of Jesus[2], Cambridge 1935 (= 1948, danach zitiert). |
| NTS. | New Testament Studies. |
| R.B. | Revue Biblique. |
| B.T.D. Smith | B.T.D. Smith, The Parables of the Synoptic Gospels, Cambridge 1937. |
| ThEv. | Thomas-Evangelium. |
| ThLZ. | Theologische Literaturzeitung. |
| ThWBNT. | G. Kittel, Theologisches Wörterbuch zum NT., 1933ff. |
| ZDPV. | Zeitschrift des Deutschen Palästina-Vereins. |
| ZNW. | Zeitschrift für die neutestamentliche Wissenschaft. |

# Autorenverzeichnis

229

# Zitierte Bibelstellen

(einschl. Apokryphen)

**Genesis**

9,20 .......... 118
15,1 .......... 13
18,6 ........ 27. 146
26,12 .......... 26
38,26 .......... 141
41,42 .......... 130
49,11f. .......... 118

**Leviticus**

11,7 .......... 129
11,10f. .......... 223
11,15 .......... 212
19,13 .......... 136
19,17 .......... 108
19,23 .......... 170
21,1ff. .......... 202

**Numeri**

13,23f. .......... 118

**Deuteronomium**

6,13 .......... 36
11,17 .......... 155
14,14 .......... 212
21,17 .......... 128
21,20 .......... 160
24,14f. .......... 136
32,20 .......... 155
33,2 .......... 172

**Josua**

8,18f. .......... 155

**Richter**

7,19 .......... 23

**2. Samuel**

12,5f. .......... 25
14,8ff. .......... 25
14,33 .......... 130
19,44 .......... 141

**1. Könige**

1,9f. .......... 133
20,40 .......... 25

**2. Könige**

4,29 .......... 212
10,22 .......... 62

**2. Chronik**

9,1 .......... 12
24,21 .......... 70

**Esra**

4,7.9.17.23 ...... 209
5,3.6 .......... 209
6,6.13 .......... 209

**Nehemia**

5,6 .......... 210

**Esther**

6,14 .......... 176

**Hiob**

38,41 .......... 212

**Psalmen**

2,7 .......... 71
2,12 .......... 155
14,1 .......... 165
45,8 .......... 141
49,5 .......... 12
51,3.19 .......... 143
78,2 .......... 12
80,9—18 ........ 167
102,26—28 ...... 118
118,22f. ....... 27. 71
118,22 .......... 218
126,6 .......... 118
133,1 .......... 164
147,9 .......... 212

**Proverbien**

1,6 .......... 12
25,6f. .......... 191

**Qohelet**

9,8 .......... 187

**Hoheslied**

2,9 .......... 163
4,12 .......... 28

**Jesaja**

1,6 .......... 203
2,2—4 ........ 215
2,12 .......... 47
5,1—7 ........ 68
5,1f. ........ 27. 68
5,5 .......... 27. 72
5,7 .......... 74
6,9f. ....... 11—14
6,10 .......... 163
9,2 .......... 118
10,27 .......... 193
14,25 .......... 193
27,2—6 ........ 167
28,15 ........ 87. 193
28,16 .......... 193
29,13 .......... 210
29,18f. .......... 215
29,18 ...... 116. 216
29,19f. .......... 216
31,5 .......... 168
35,4—6 ..... 116. 215
35,7—10 ...... 116
42,23 .......... 102
50,10 .......... 102
52,7 .......... 144
53 .......... 217
53,12 .......... 123
61,1 ...... 116. 215f.
61,2 ...... 116f. 215

232

237

238

# Verzeichnis der synoptischen Gleichnisse

\* = wörtliches Zitat der Fassung des ThEv.

JOACHIM JEREMIAS

# Die Abendmahlsworte Jesu

3., neubearb. Aufl. 1960. 275 S., Leinen 16,80 DM. — „Dieses meisterhaft geschriebene Abendmahlsbuch liegt nun in der 3. Auflage vor. Sein Anliegen sei es, so sagt der Verfasser im Vorwort, Material vorzulegen für eine möglichst saubere Exegese der Abendmahlsworte. Gerade bei Untersuchungen über das Abendmahl habe man das bedrückende Gefühl, daß zuweilen in den Text hineingelesen werde, was man in ihm zu lesen wünscht... In vielen Einzelheiten führt diese minutiöse und dennoch nie den großen Zusammenhang verlierende Untersuchung über die früheren Auflagen hinaus. Man möchte sie in möglichst viele Hände wünschen. Vor allem aber sollten sich die damit befassen, die der modernen Exegese reserviert gegenüberstehen. Hier haben sie ein Musterbeispiel dafür, was sie zu leisten vermag. Ein Buch, das zur eigenen, sorgfältigen Exegese, ermutigt."

*Nachrichten der Ev.-Luth. Kirche in Bayern 2/1962*

# Jerusalem zur Zeit Jesu

Kulturgeschichtliche Untersuchungen zur neutestamentlichen Zeitgeschichte 3., neubearb. Aufl. 1963. 431 S., Leinen 28,— DM. — „Man wird dankbar zu diesem Werk greifen, weil es übersichtlich knapp und doch — speziell in alle Lebensverhältnisse eingreifend — hervorragend anschaulich ist. Gewerbe, Handel, Fremdenverkehr in Jerusalem, die Einzelverhältnisse der Begüterten, des Mittelstandes, der Sklaven und Tagelöhner, der gesellschaftlichen Gruppen, Priester, Leviten, Pharisäer, Schriftgelehrte u. a. werden unter Quellennachweis dargelegt. Besondere Beachtung verdient das Kapitel über die Stellung der Frau. Ein Gesamtregister zu den Bibelstellen und ein Sachregister sind beigegeben."

*Die Zeichen der Zeit 10/1959*

# Die Kindertaufe in den ersten vier Jahrhunderten

1958. 127 S., Leinen 13,50 DM. — „Hier sind alle dokumentarischen Quellen und alle direkten und indirekten Bezüge, die irgendeine Schlußfolgerung erlauben, zusammengeholt und gründlich geprüft worden — von der Oikos-Formel des Neuen Testaments bis zu den Grabinschriften des 4. Jahrhunderts. Das eindeutige Ergebnis lautet: Die Kindertaufe war von Anfang an geübt worden; es hat hier nie einen Bruch oder eine grundsätzliche Bestreitung gegeben."

*Deutsches Pfarrerblatt*

# Die theologische Bedeutung der Funde von Qumram

2. Aufl. 1962. 28 Seiten, kart. 2,80 DM

# Heiligengräber in Jesu Umwelt

Eine Untersuchung zur Volksreligion der Zeit Jesu. 1958. 155 S., brosch. 15,80 DM, Leinen 19,80 DM. — „Der Verfasser hat hier ein religionsgeschichtlich ebenso interessantes wie für die neutestamentliche Zeitgeschichte wichtiges Problem aufgegriffen und in der bei ihm gewohnten gründlichen und sorgfältigen Weise dargestellt." *Zeitschrift für Religions- und Geistesgeschichte 2/1962*

VANDENHOECK & RUPRECHT IN GÖTTINGEN UND ZÜRICH

**DATE DUE**

| | | | |
|---|---|---|---|
| | | | |
| | | | |
| | | | |
| | | | |
| | | | |
| | | | |
| | | | |
| | | | |
| | | | |
| | | | |
| | | | |
| | | | |
| | | | |
| | | | |
| | | | |
| | | | |
| GAYLORD | | | PRINTED IN U.S.A. |